小怪兽爱科学

能量大爆发

[英]保罗·梅森/著　[英]迈克尔·巴克斯顿/绘　唐　男/译

天津出版传媒集团
新蕾出版社

图书在版编目 (CIP) 数据
能量大爆发 / (英) 保罗·梅森著 ; (英) 迈克尔·巴克斯顿绘 ; 唐男译 . -- 天津 : 新蕾出版社, 2024. 9. --(小怪兽爱科学). -- ISBN 978-7-5307-7818-0
Ⅰ. O31-49
中国国家版本馆 CIP 数据核字第 2024ZH7308 号

Learn Science with Mo: Energy
Text by Paul Mason
Illustrations by Michael Buxton
First published in Great Britain in 2024 by Hodder and Stoughton

津图登字: 02-2022-196

书　　名: 能量大爆发　NENGLIANG DA BAOFA
出版发行: 天津出版传媒集团
新蕾出版社
http://www.newbuds.com.cn
地　　址: 天津市和平区西康路 35 号 (300051)
出 版 人: 马玉秀
版权引进: 毕之莹　吕　玥
责任编辑: 张　菁　潘晶雪
美术编辑: 白晓燕
责任印制: 朱　琳
电　　话: 总编办 (022) 23332422
发行部 (022) 23332351　23332677
传　　真: (022) 23332422
经　　销: 全国新华书店
印　　刷: 河北赛文印刷有限公司
开　　本: 889mm × 1194mm　1/16
字　　数: 26 千字
印　　张: 2
版　　次: 2024 年 9 月第 1 版　2024 年 9 月第 1 次印刷
定　　价: 16.50 元

如发现印、装质量问题, 影响阅读, 请与本社发行部联系调换。
地址: 天津市和平区西康路 35 号
电话: (022) 23332351　邮编: 300051

目 录

小莫补充能量

哗啦啦!
哗啦啦!
我好饿呀!

小莫和西德一直在游泳。现在，他俩都觉得累了，想吃点东西来补充能量。

没有能量，我们的身体就不能工作啦！小莫，你会用能量来进行什么运动呢？

游泳,还有跑步、玩滑板……

思考算不算呢？其实，你的大脑消耗的能量比肌肉消耗的多得多。

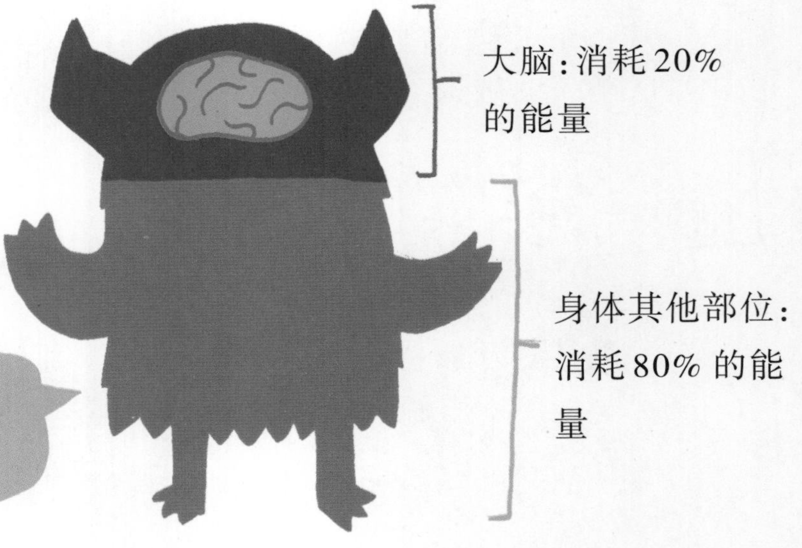

所有生物都跟小怪兽们一样，需要从食物中获取能量才能生存。

我喜欢食物！不过，我还不会做饭。

小莫，那不是问题。一会儿你和拉瑞表弟去上一节烹饪课吧。你们会学习烹饪，包括烤蛋糕！

哇！

我们要去烤蛋糕啦！

这门课程不只教你们烹饪哟，你们还会了解到关于能量的知识呢。

能量让我们的世界运转起来。我们做任何事情都需要能量，从呼吸到思考，再到踢球。能量为我们的家供暖、制冷，为我们的交通工具提供动力，可以制造我们使用的许多东西，还能帮我们烹饪。

来自太阳的温暖

冷血动物

身体不能自己保持温暖

刚游完泳，小莫和西德浑身湿漉漉的，觉得很冷，得先把身体擦干。小莫吃完东西就暖和起来了，不过西德没有暖和起来。西德是一条怪兽蛇，是冷血动物！

像西德这样的冷血动物是不能利用食物中的能量让自己暖和起来的，而是需要从其他地方获取热量。

那么，西德怎样才能暖和起来呢？

温血动物

身体能自己保持温暖

在阳光下躺上一会儿，西德就暖和起来啦——甚至觉得热。阳光里有很多能量。

防止皮肤被紫外线晒黑或晒伤

小莫，这些生物中，哪些需要太阳的能量才能活下去？（注意：这是一个带陷阱的问题哟！）答案在第 32 页。

植物提供的能量

地球上的能量大多来自太阳，并且被很好地储存在一些地方，比如植物中。

植物利用太阳的能量，还有水和一种叫作二氧化碳的气体来为自己制造食物，这样才能生长。

植物是怎样制造食物的

这个过程被称为光合作用。光合作用主要发生在植物的叶子里。

植物在生长过程中，会把来自太阳的能量储存在根、茎、叶等部位。这些能量可以通过不同的方式释放出来。

你吃掉植物的某一部分的时候，它储存的一些能量就会进入你的身体。

石油（还有其他化石燃料）是几千万年前死亡的小型动物和植物变成的（见第 13 页）。它们燃烧的时候可以释放能量。

点燃木材，就会释放出树木储存的一些能量。这些能量变成了热能和光能。

肉类中的能量也来自植物。牛肉汉堡包中的能量从牛身上来，而牛是吃植物的。

草储存了太阳的能量

牛储存了草的能量

牛肉汉堡包

可再生能源

小莫，植物为我们储存了很多来自太阳的能量。你能不能想一想，还有什么方式能够储存能量呢？

我知道！太阳能电池板也能储存能量。

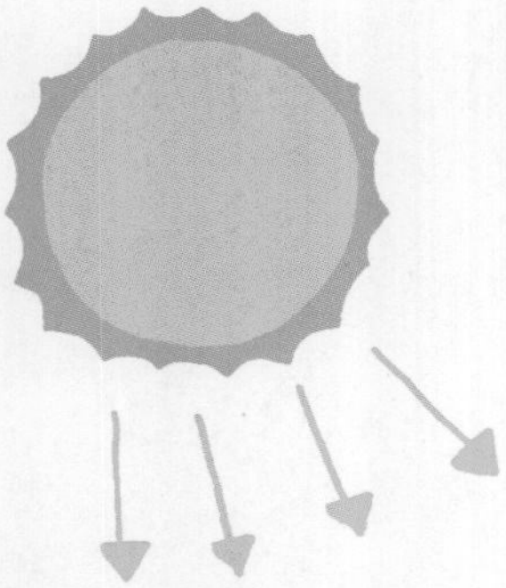

回答得真棒！你说得对。太阳能电池板的确可以储存能量并且为我们供电。过程是这样的：

1. 阳光照到太阳能电池板上。

2. 电从太阳能电池板输送到每家每户。

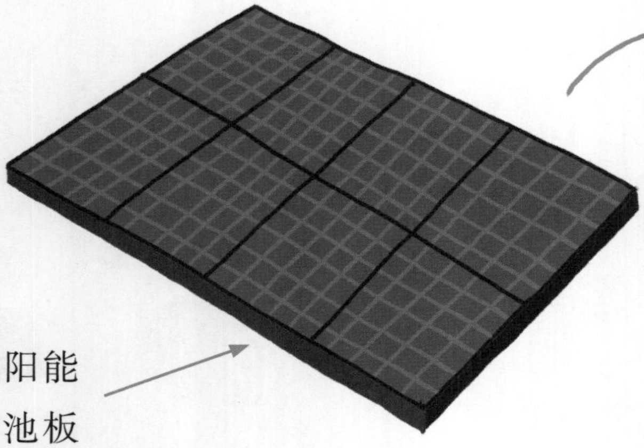

太阳能电池板

电是一种能源

可再生能源指的是不会耗尽的能量资源，比如来自太阳的能量。除非太阳不再燃烧，这一能源才会耗尽（但那是大约 45 亿年之后的事情了）。

每次下雨的时候，都感觉没完没了的……

小莫，你还能想到其他可再生能源吗？

这些回答都很棒！有时候，我们还会用到这些东西的能量。

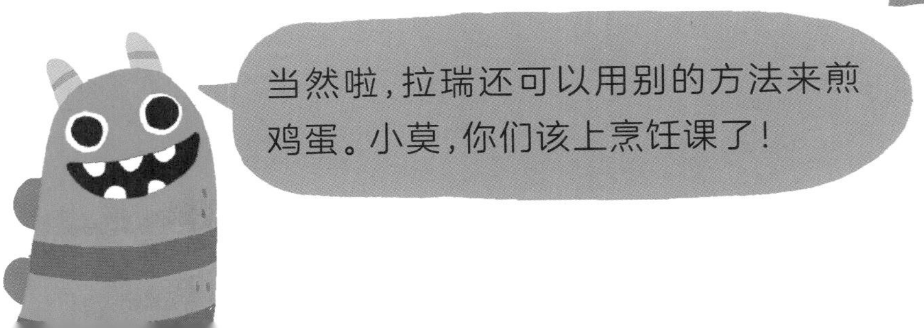

当然啦，拉瑞还可以用别的方法来煎鸡蛋。小莫，你们该上烹饪课了！

用燃气煎鸡蛋

小莫和拉瑞来上烹饪课了，第一节课的内容是做早餐。他们要做烤面包片加煎鸡蛋。

首先，他们把鸡蛋打入碗里，然后搅打鸡蛋。搅打鸡蛋可是很辛苦的！小莫，你搅打鸡蛋用的能量是从哪里来的？

我们已经吃过早餐了呀……
咱们可以再吃一顿嘛！
从我上一顿早餐吃的食物里来的呀！

答对了，小莫！现在要煎鸡蛋啦！我们需要热能。老师打开了锅下面的燃气灶开关，火苗出现了。燃气灶里的天然气是从哪里来的呢，小莫？

从几千万年前哪！

答得好！说明你还记得第9页学过的内容，这很棒。可是，我问的是“从哪里来的”，不是“什么时候”呀！

故事要从小型动植物死去，沉入海底讲起。

几千万年甚至上亿年后，它们的残骸形成了天然气（还有石油），被封在了岩石层之间。人们把它们从地下开采出来。

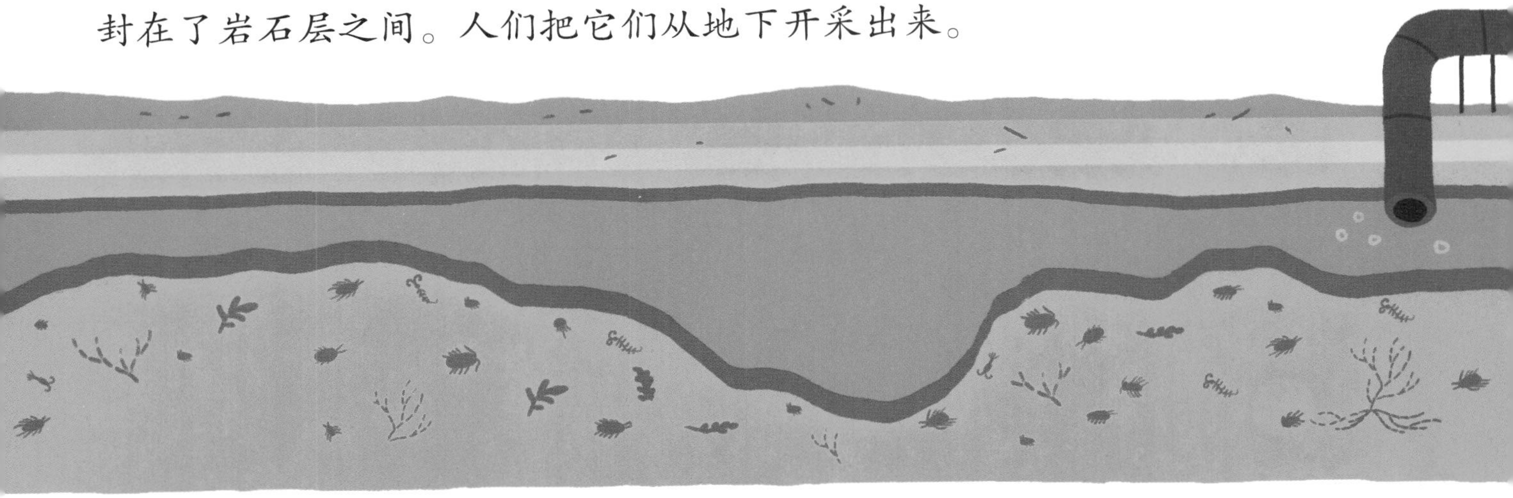

现在，天然气可以通过管道输送到厨房啦！

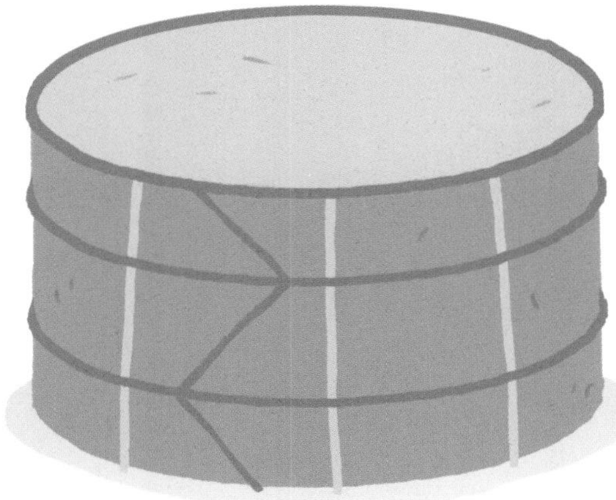

点火，天然气开始燃烧，你的锅会被加热。

电动烤面包机

我会烤面包片！一直都是我来烤的。

小莫煎鸡蛋的时候，拉瑞负责烤面包片。拉瑞把面包片放进烤面包机里，定时三分钟。

通过烤面包片，我们明白了，让面包变得金黄酥脆仍然是能量在发挥作用。

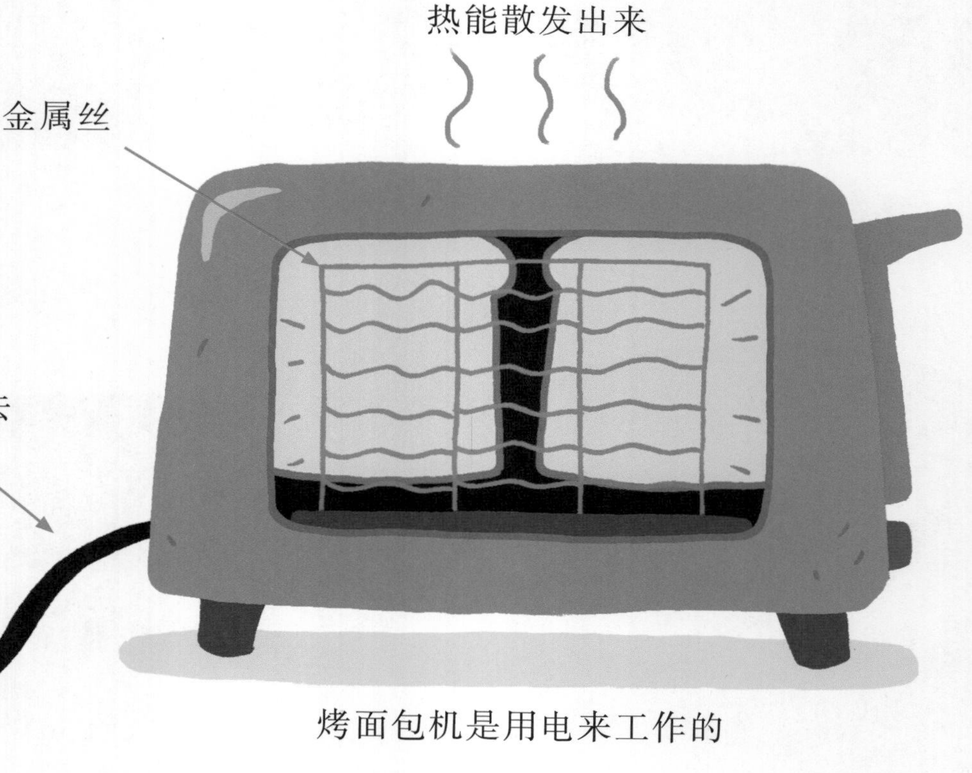
热能散发出来
金属丝
电流输送进去

烤面包机是用电来工作的

生产电的方法有很多种。翻到第 28 页，你可以了解更多哟！

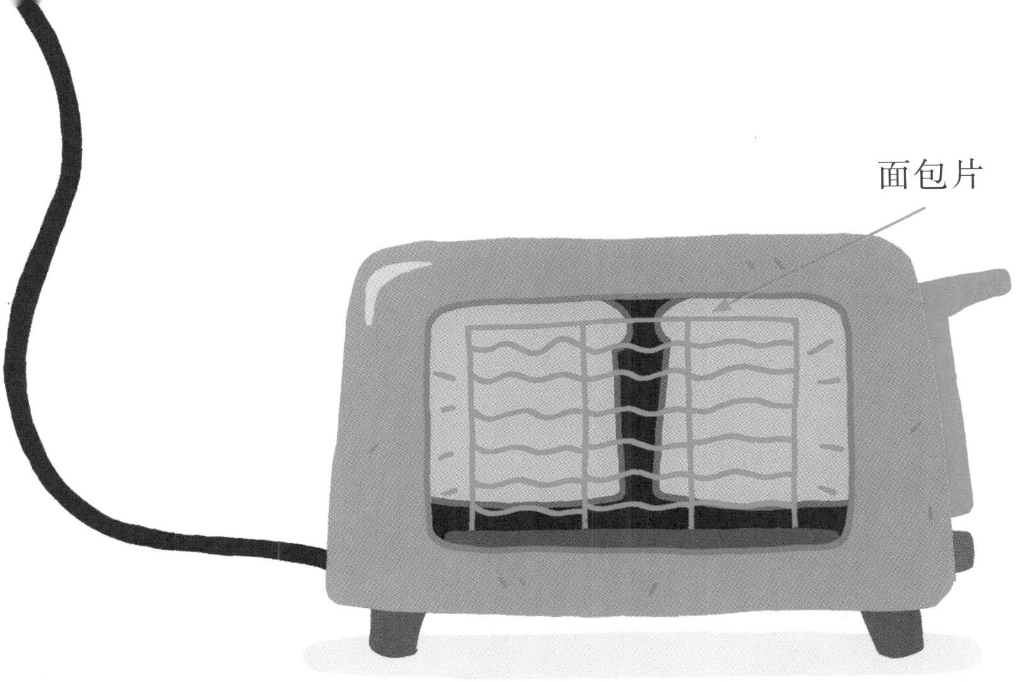

在烤面包机里，一部分电能转化为热能让金属丝变得灼热。

能量从灼热的金属丝上传递到面包片上，把面包片烤得酥脆。

面包片的颜色越来越黄，直到……

噢，不要哇！面包片烤煳了。
这一次，我要试试烤两分钟。

拉瑞定的时间太长了！面包片吸收了太多热能，已经不是金黄色的了，而是变成了黑色的，没法吃了。

重新烤一次吧，拉瑞。

用热能熔化黄油

鸡蛋煎好了，烤好的面包片也弹了出来。拉瑞在烤面包片上抹上黄油，准备把煎鸡蛋放在黄油上。

小莫转过身来，看了看烤面包片，又往上面抹了些黄油。别再抹啦，小莫！烤面包片上已经抹过黄油了呀！

可是，黄油不见了，它去哪里了呢？

黄油已经熔化了，渗进热腾腾的烤面包片里了。发生这种情况的原因是热能会让黄油从硬变软，然后变成液体，就像这样——

第一阶段：烤面包片上面抹了固体黄油。

小莫，还有什么东西会在热能的作用下变成液体，你和拉瑞能想出来吗？

你同意小莫的观点吗？翻到第 32 页，看看他说得对不对。

早餐终于做好了，现在才 11 点呀！干了这么多活，小莫，你和拉瑞是不是又饿了？

第二阶段：已经有一半黄油熔化了，渗进了烤面包片里。

第三阶段：固体黄油已经完全熔化成液体了。

做布朗尼蛋糕

小莫，拉瑞，你们该学课程中最重要的部分了。你们会学到大家最喜欢的甜点——布朗尼蛋糕的做法。

第一项工作是熔化黄油和巧克力。

加热食材一定要温和。要是受热太快，黄油和巧克力就混合不好了。你们会学到一种新的烹饪技术。

1. 把水烧开，然后关小火，用文火慢煮。

2. 往锅里放入一个空碗。（碗可以碰到水，但不能碰到锅底哟！）

3. 把巧克力和黄油放到碗里，它们会慢慢熔化。

大部分热能以水蒸气的形式从碗的周边散发出来，只有一点点热能进入了黄油和巧克力里。黄油和巧克力在慢慢熔化。

4. 巧克力和黄油熔化了，混合在一起，成了一种漂亮的、有光泽的液体。

尽管这些混合物是用文火慢煮的，但还是太烫了，不能马上品尝哟！

电能和肌肉能量

制作布朗尼蛋糕的第二步是将蛋清和糖放到碗里。然后，小莫和拉瑞要将这种混合食材打发，使它变蓬松。他们是用手动打蛋器来操作的。

搅打了一番后，小莫拿起了一个装电池的电动打蛋器。

电动打蛋器利用电能转动起来。

手动打蛋器利用搅打者自身的能量才能动起来。

小莫，你还能想到哪些用电池的东西呢？

很多呀！比如电话、手电筒、遥控器、汽车、笔记本电脑、钟表、电子游戏机……

电池是储存能量的一种装置。电池中有两个不同类型的金属“阵营”，两个阵营之间进行着一场拉锯大战，由此释放出电能。其中一个阵营被称为“正极”，另一个阵营被称为“负极”。

只有把电池连接到一起，这两个阵营才会打起来：

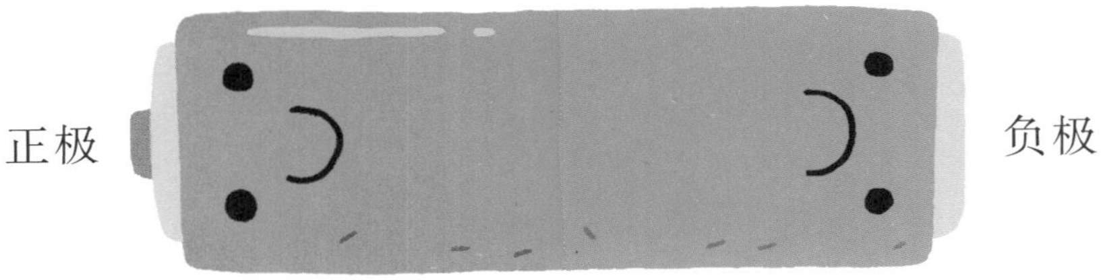

把电池连接起来的时候……

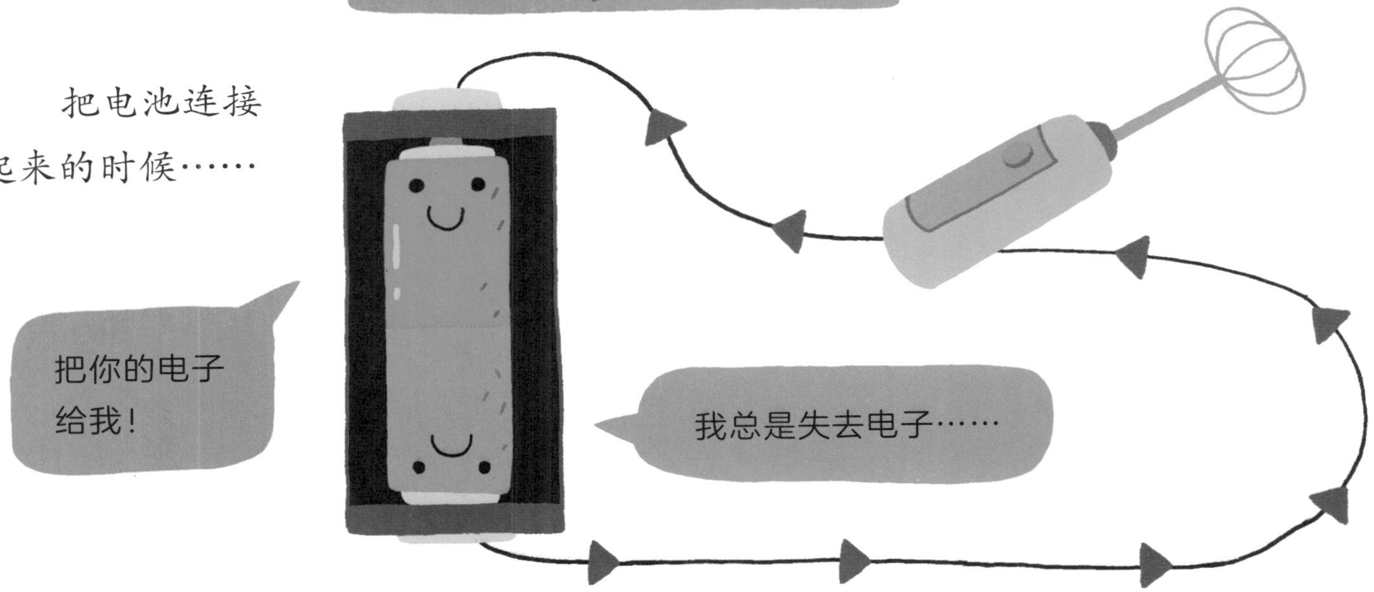

把你的电子给我！
我总是失去电子……

电子会从负极向正极流动。

这种流动产生了电流，就能为打蛋器（还有别的用电池的东西）提供能量了。

你想借我的打蛋器吗？

合适的温度

小莫把他们的巧克力黄油混合液和搅打好的鸡蛋液放到一起。拉瑞往碗里筛了一些面粉和可可粉。

小莫把面粉和可可粉搅拌好，之后把所有的蛋糕液都倒入布朗尼蛋糕模具中，放入烤箱。

烤箱依赖电能工作

电能可以加热金属

金属变热后释放出热能，热能会使烤箱内部变热。

烤箱内温度达到 180 摄氏度时，就可以开始烤布朗尼蛋糕了。

烘焙中的布朗尼蛋糕液

温度是指物体冷热的程度。温度通常用摄氏度（°C）或华氏度（°F）来表示。

热空气会加热烤盘和布朗尼蛋糕液。

太烫了，还不能吃

你能想到的最烫的东西是什么，小莫？最凉的东西又是什么呢？

火山！冰块！

回答得真棒！火山中的熔岩温度在 1000 摄氏度左右。冰的温度在 0 摄氏度以下。

叮咚

小莫的朋友西德、杰克和里奇都跑来品尝布朗尼蛋糕啦！可是，没有人知道他们在外面！因为门铃不响了……

最后，里奇不得不敲门。老师过来给他们开了门，还说她得修一修门铃，万一还有其他人来呢。

用电池的门铃

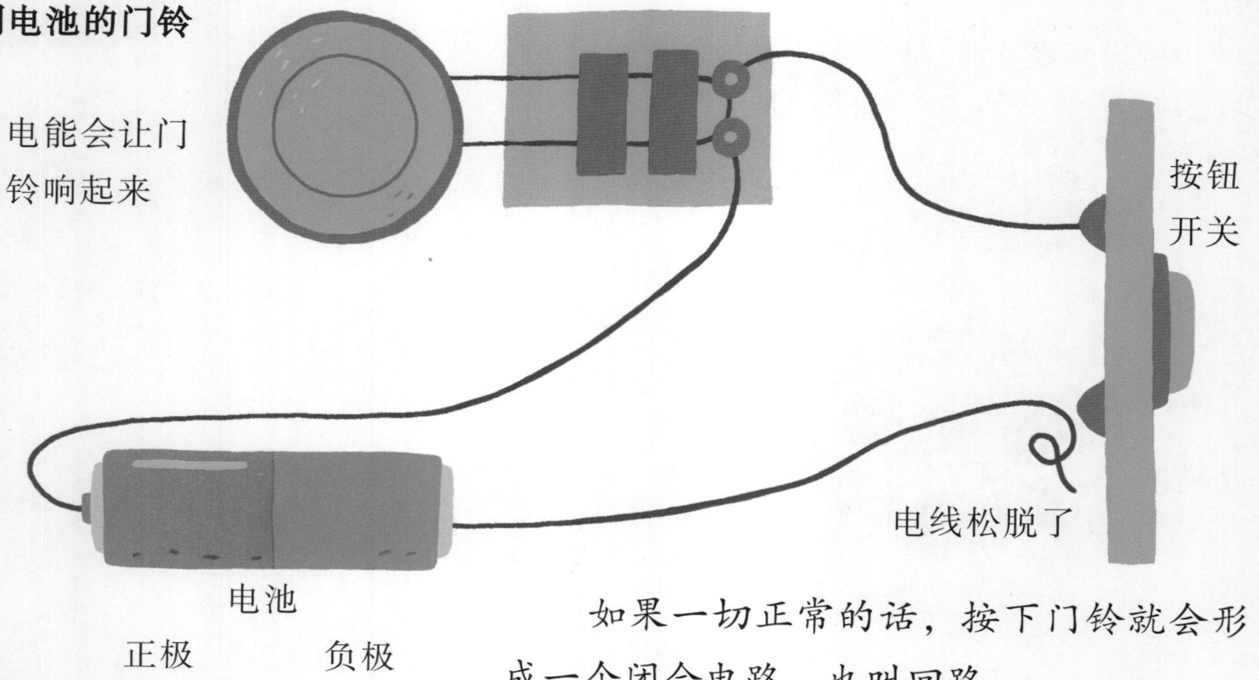

如果一切正常的话，按下门铃就会形成一个闭合电路，也叫回路。

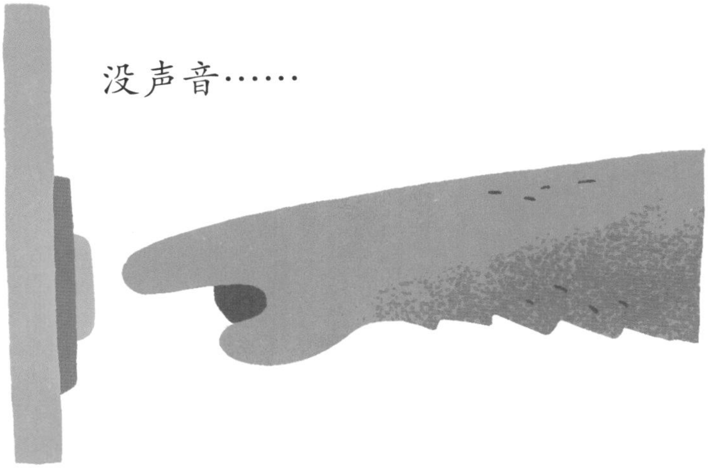

没声音……

首先，老师更换了电池，看看是不是电池的原因。

问题不在电池上。接下来，她检查了电路上各个配件之间的连接线。原来，在门铃外壳的里面，电线松脱了！

电线松脱就意味着电流无法传输过去。

把电线装好，电流就可以传输过去啦！

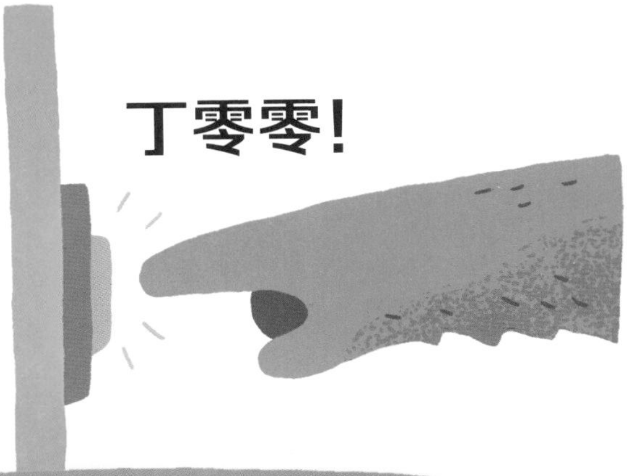

小莫，为什么只有当你按下按钮的时候，门铃才会响呢？

因为那样的话，电流就形成了一个回路，可以循环流动下去了。

答对啦！那为什么西德、杰克和里奇按下门铃的时候，门铃没有响呢？

那是因为，尽管他们按下了按钮，电流仍然没有形成一个回路，不能循环流动啊！

又答对啦！

灯熄灭了

这个我知道！就是“热能散发掉了”。

小莫和拉瑞的布朗尼蛋糕已经晾凉了，可以吃啦！小莫，“晾凉”这个词，怎样用科学的语言来描述呢？

回答得非常好！你的朋友们来品尝布朗尼蛋糕了，还有一些特别评委哟！除了……

看起来好棒啊！
我热爱我的工作！

咔嗒！
嗯？

所有的灯都熄灭了！

也许是电池没电了？

虽然这是一个很好的思路，但电灯不是用电池供电的呀！老师打开了手电筒，找到了原因。

就在这个关键时刻，西德竟然把灯关了，搞了个恶作剧！每个人都很生气，所以，西德又把灯打开了……

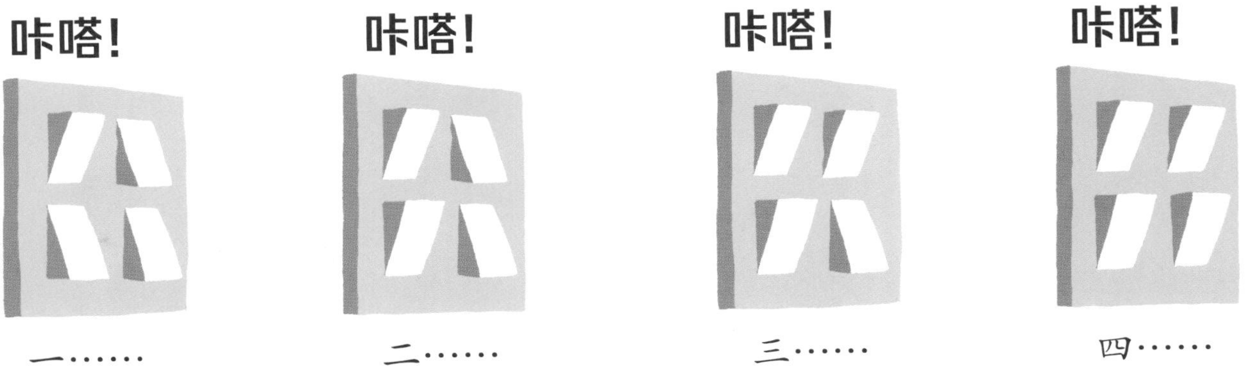

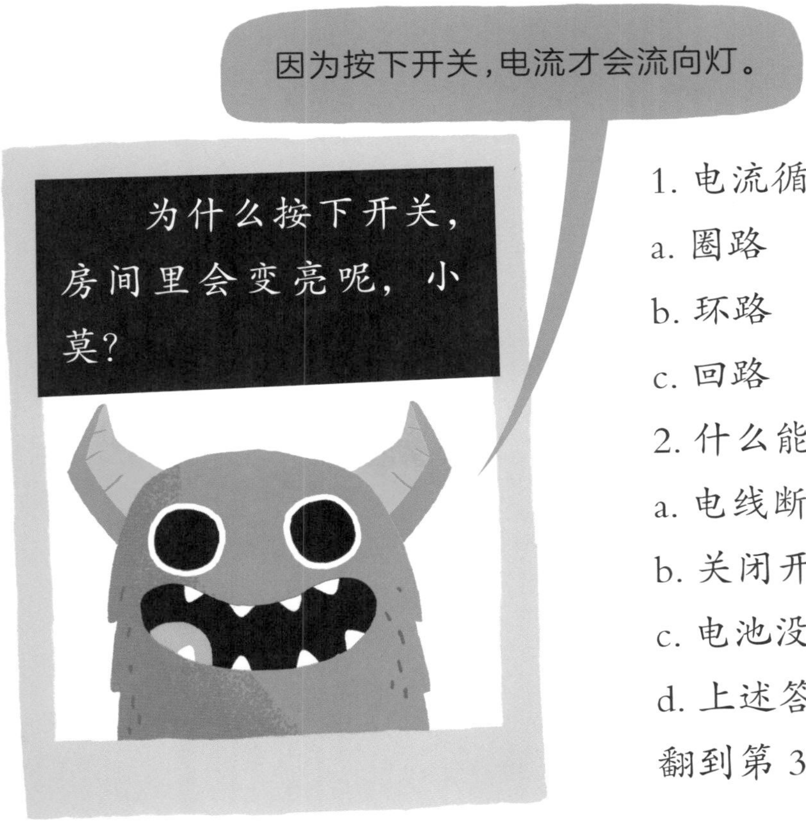

快速小测验

1. 电流循环流动的环形电路叫什么？

a. 圈路

b. 环路

c. 回路

2. 什么能阻止电的流动？

a. 电线断了

b. 关闭开关

c. 电池没电了

d. 上述答案都对

翻到第 32 页，看看你是不是答对了。

电是从哪里来的

建筑物一般都是靠从外面引入的粗大的电缆来供电的。输送电的系统叫作电网。可是，电网又是从哪里获得电的呢？

没错，小莫。大多数发电站的发电系统中都会用到一种叫作涡轮的装置。

发电站！

发电系统

1. 涡轮上这种有点像螺旋桨的装置叫作转子。

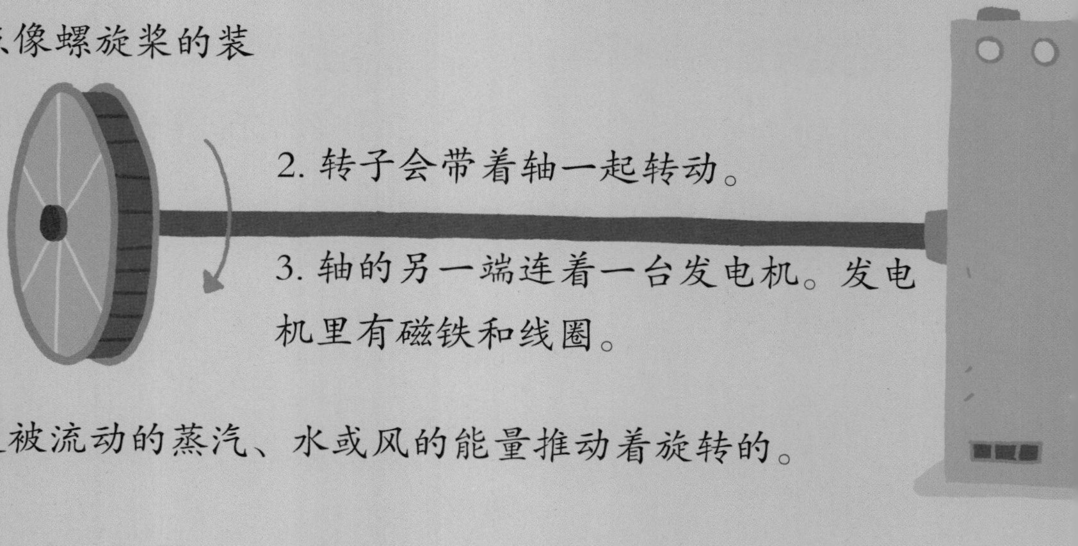

2. 转子会带着轴一起转动。

3. 轴的另一端连着一台发电机。发电机里有磁铁和线圈。

通常，转子是被流动的蒸汽、水或风的能量推动着旋转的。

世界上，一半以上的电是通过烧煤或天然气产生的。燃烧会释放热能。热能可以让水变成蒸汽。

蒸汽是怎样变成电的？

蒸汽被迫从一个狭小的空间里穿过，就像从你身后的水壶的壶嘴中穿过差不多，小莫。蒸汽让转子转动，转子又带动了发电机。

煤和天然气燃烧时会产生污染，危害地球环境。而可再生能源，比如由太阳能电池板或风力涡轮机产生的能源，对地球来说就健康多啦，比那些布朗尼蛋糕还要健康呢！

啊呜！
好棒的布朗尼蛋糕哇！啊呜！

一通狼吞虎咽！

1831年，一位名叫迈克尔·法拉第的发明家发现，在线圈中旋转的磁铁可以产生电。这就是发电机的工作原理。

4. 发电机产生的电被输送到电网里。

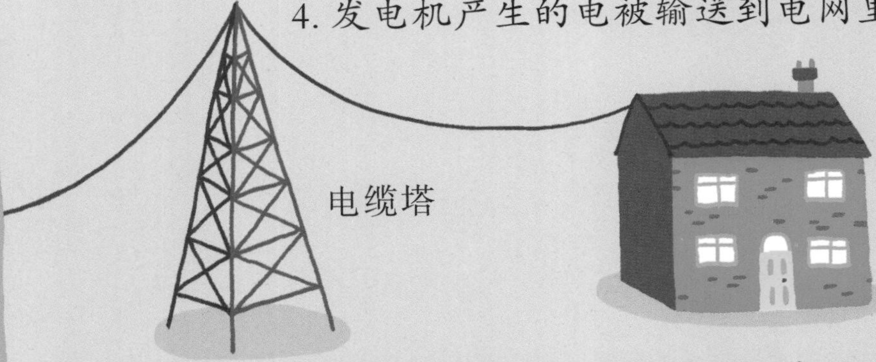

5. 然后电通过电线输送到每家每户以及其他需要用电的地方。

词汇表

煤
一种黑色的坚硬物质，可以燃烧，主要是在地下发现的。

关键
事物最紧要的部分，要是没有它，某个事件就不可能发生。

蛋清
蛋中透明的胶状物质，包裹着蛋黄（蛋中心的黄色部分）。

电子
构成原子的粒子之一，质量极小，带负电。

金属丝
又细又长的金属。

化石燃料
由数千万年乃至几亿年前死亡的植物和动物形成的燃料。化石燃料通常是在地下发现的。三种最常见的化石燃料是煤、石油和天然气。

气体
没有一定形状、没有一定体积、可以流动的物体。

熔岩
火山喷发出来的炽热的高温岩浆。

液体
有一定的体积、没有一定的形状、可以流动的物质。

制造

生产商品，通常在工厂里进行。

熔化

固体加热到一定温度变为液体。

光合作用

植物利用阳光、二氧化碳和水合成有机物并放出氧气的过程。

可再生

如果用来描述能源，“可再生”指的是这种能源不会被耗尽。

文火慢煮

非常温和地煮沸。

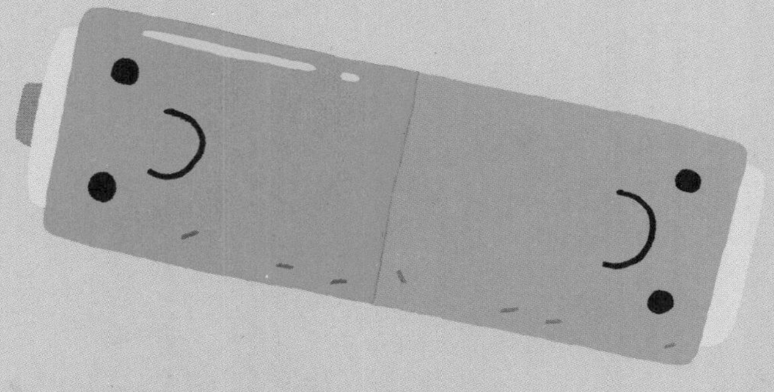

参考答案

第7页

它们都需要太阳。有的为了获取食物，有的为了获得温暖，还有的两个目的都有。

第17页

冰在热能的作用下会变成水。

蜡在热能的作用下也会从固体变成液体。

金属也一样。不过，熔化金属需要的热能比较多。

其实，如果热能足够多的话，所有固体都可以变成液体。有些材料需要非常多的热能才会熔化，比如说钻石，要在加热到3550摄氏度时才会熔化哟！

第27页

1.答案是c。

2.答案是d。a和b两种情况都没有形成回路，电流无法循环流动；c这种情况下没有电存在。

小怪兽爱科学

变化的四季

[英] 保罗 · 梅森/著　[英] 迈克尔 · 巴克斯顿/绘　唐　男/译

天津出版传媒集团
新蕾出版社

图书在版编目 (CIP) 数据

变化的四季 / (英) 保罗·梅森著 ; (英) 迈克尔·巴克斯顿绘 ; 唐男译 . -- 天津 : 新蕾出版社，2024. 9. -- (小怪兽爱科学). -- ISBN 978-7-5307-7817-3

Ⅰ . P193-49

中国国家版本馆 CIP 数据核字第 2024WE1536 号

Learn Science with Mo: The Seasons
Text by Paul Mason
Illustrations by Michael Buxton
First published in Great Britain in 2024 by Hodder and Stoughton

津图登字：02-2022-206

书　　名：变化的四季　BIANHUA DE SIJI
出版发行：天津出版传媒集团
新蕾出版社
http://www.newbuds.com.cn
地　　址：天津市和平区西康路 35 号（300051）
出 版 人：马玉秀
版权引进：毕之莹　吕　玥
责任编辑：吕　玥
美术编辑：白晓燕
责任印制：朱　琳
电　　话：总编办（022）23332422
发行部（022）23332351　23332677
传　　真：（022）23332422
经　　销：全国新华书店
印　　刷：河北赛文印刷有限公司
开　　本：889mm × 1194mm　1/16
字　　数：26 千字
印　　张：2
版　　次：2024 年 9 月第 1 版　2024 年 9 月第 1 次印刷
定　　价：16.50 元

如发现印、装质量问题，影响阅读，请与本社发行部联系调换。
地址：天津市和平区西康路 35 号
电话：（022）23332351　邮编：300051

目录

闷在家里

在小莫和小伙伴们住的地方，现在正是一年中最冷的时候——冬季。而今天他们迎来了冬至。

冬至，小莫。今天是一年中日照时间最短的一天。

地球绕着太阳转圈，这个过程叫作公转。地球公转的运动轨迹是椭圆形的，所以地球与太阳的距离时远时近。

地球公转轨道

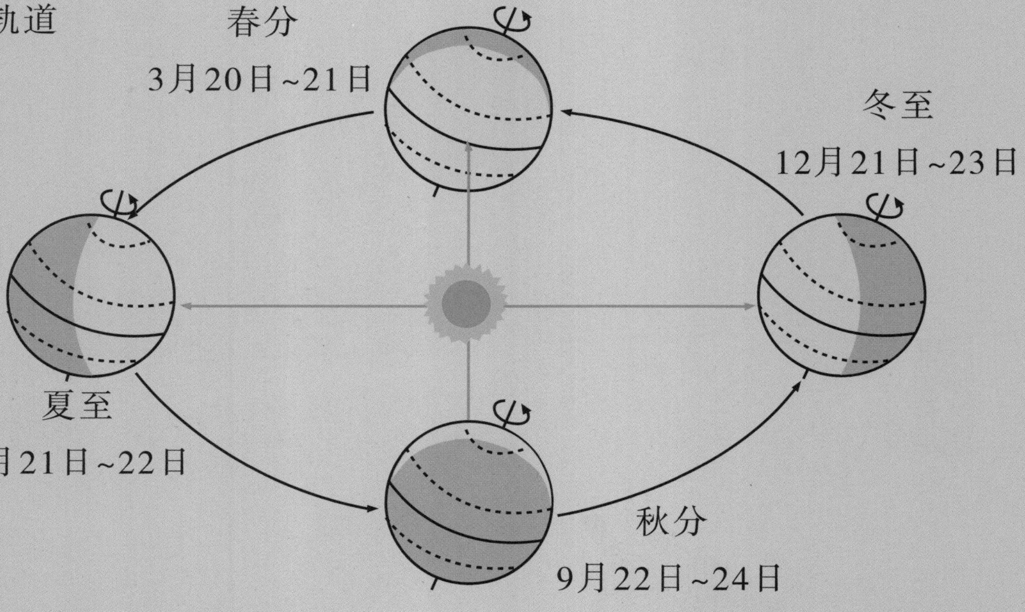

冬季，我们从太阳那儿得到的热量比较少，这就是你和小伙伴们经常闷在家里的原因，小莫。但冬季也并不是哪儿都不好哟！

嗖——
真好玩！

冬季不会永远持续下去的！

没错！为什么不看看今年在不同季节拍的一些照片呢？这样就可以发现春、夏、秋、冬的更多特点了！

来个照片派对吧！
赞同！

同时，地球还绕着一根叫作地轴的直线转动，这个过程是自转。事实上，地轴并不存在，而是我们为了方便研究地球而假设的。自转不但影响着昼夜交替，也使得地球是斜着身子绕着太阳公转的。

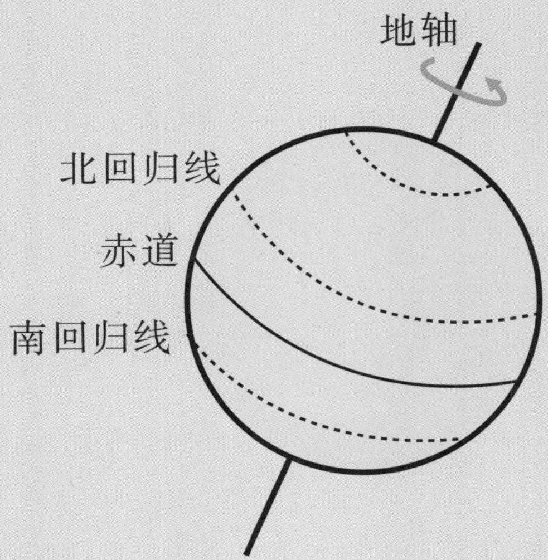

在自转和公转的共同影响下，地球上同一个地点接受的太阳照射情况一直是变动的，但总会有一个与太阳光垂直的地点——太阳直射点。距太阳直射点越远，热量越少；距太阳直射点越近，热量越多。

什么是四季

四季就是一年中温度和天气各不相同的四个时间段。

小莫，先看看艾米的这些照片吧！里面有很多线索，提示着照片是在哪个季节拍的。

- 春季有时候会下雨，不过比冬季暖和。
- 夏季是四季中最热的。
- 秋季有时候会刮风。
- 冬季是四季中最冷的。

公园里的花陆续开了，我们在去赏花的路上被雨淋湿了。这是春季。
天气太热了，但游泳能让我们凉快下来。这是夏季。
一场大风刮掉了所有树叶。这是秋季。
只有在冬季才会下这么大的雪。

世界上的许多地方都有四季。这是由于地球表面受太阳照射的情况一直在变化。

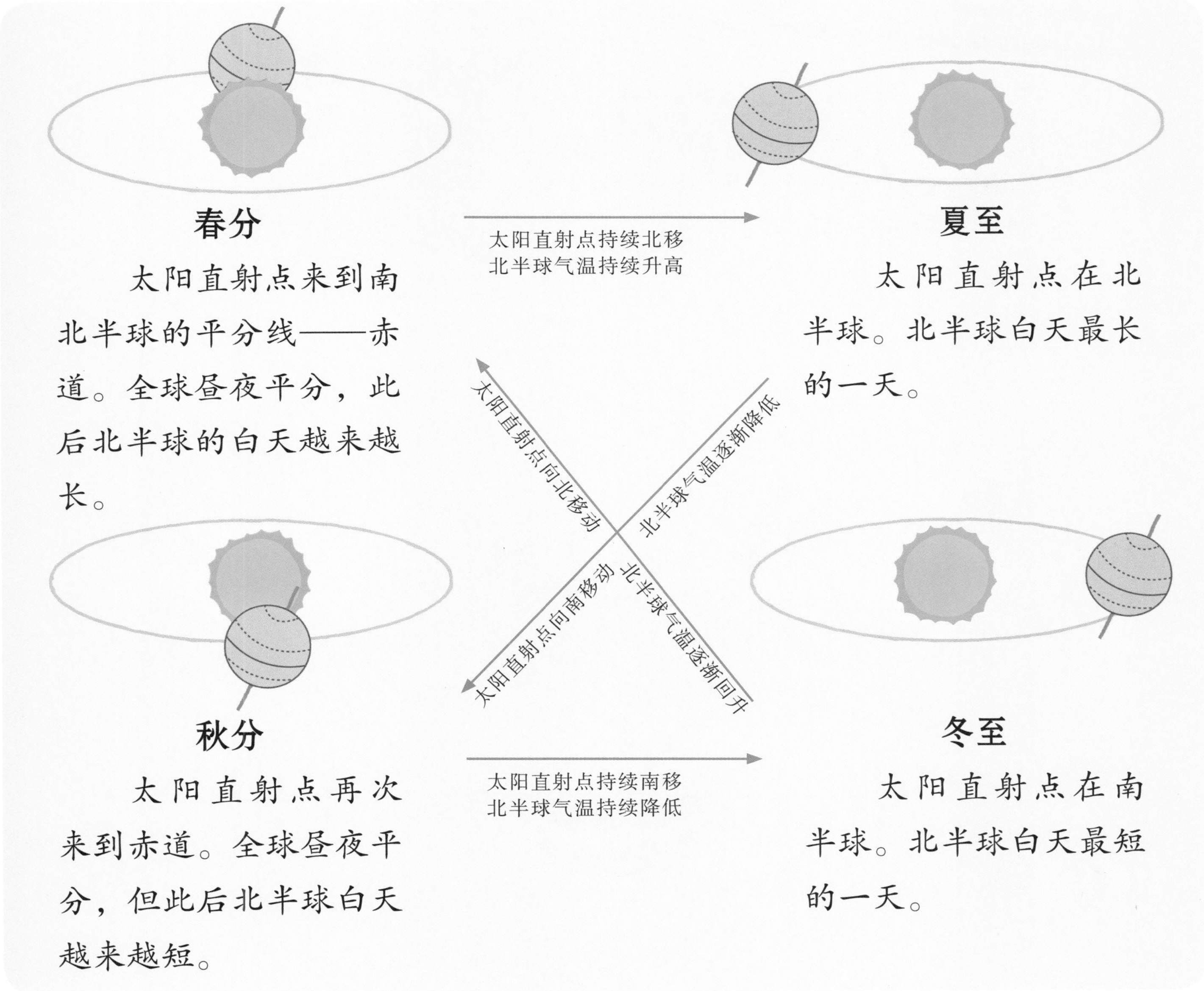

但有些地方几乎全年都是昼夜平分的，也没有四季变化。你知道这些地方在什么位置吗，小莫？

我想想……应该是在地球中间的位置。那就是……赤道！

赤道上的地区虽没有明显的四季划分，但会根据降雨量的多少分为雨季和旱季。

生日野餐会

小莫和小伙伴们在看今年的照片。这张照片拍的是什么，小莫?

这是我们在公园里拍的。那天，莉莉举办了一个生日野餐会。那个上午阳光明媚，真美好哇!
我们一家都讨厌冷天气，虽然我们是冷血动物。不过，到了午餐时间，天气暖和得我都得摘掉帽子和围巾啦!

那次野餐是在春季。由冬到春，天气逐渐暖和起来，太阳直射点离我们越来越近。太阳在天空中的位置越来越高，停留的时间也越来越长。

在春季，不只是草长得更快，几乎所有植物都长得更快了。大部分植物的生长都需要阳光、水和空气，整个春季，这些植物大量吸收着这三种物质。

1.冬季，种子在地下静静等待着。

2.春季，太阳温暖了土壤。种子会发芽，或者说是苏醒过来。

3.一棵幼苗快速成长。

动物宝宝出来啦

下一张照片里，拉瑞正用手指着一只兔宝宝。是的，在小怪兽的世界里也有各种各样的小动物。不过，它们和我们平常见到的不太一样。

在莉莉的生日野餐会上，一只兔宝宝
蹦蹦跳跳地跑过去了。

兔宝宝也在享受自己的野餐，吃着新鲜的嫩草。许多动物宝宝会在春季出生。在这个季节，它们身边的食物很丰富。这里有一条简单的食物链：

植物在春季生长。

蜗牛吃植物。

我们还在公园里看到了很多别的动物宝宝！
叽叽！叽叽！
咩咩！

鸟妈妈正在给鸟宝宝们喂食。

两只狐狸宝宝正在一起玩耍。

两只羊宝宝正在玩“城堡之王”的游戏。

还有一只鹿宝宝，它就躲在树后面呢！

所有植物和动物的生命都在春季开始吗？

不是的，小莫。比如有些熊会在冬眠期生宝宝，熊宝宝出生后就住在巢穴或洞穴里，直到春季天气暖和了才会出来。

鸟吃蜗牛。

体形大的鸟吃体形小的鸟。

春雨

小莫，你手里的这张照片是春季吗？你们看起来都像刚游过泳似的。

是有些像，可我们没有游泳！那天，前一分钟还阳光明媚，没想到突然乌云笼罩，然后就下起了雨。

春季经常下雨，而且雨水有时会来得很急。雨的形成原因有很多种，下面就是其中一种：

水渗入土地中。

气温升高时水分就蒸发到了空气中。

春雨对植物的生长有好处，可对在外面野餐的人来说就不那么友好了。

小莫，我们做个小测试好吗？看看关于春季的知识你记住了多少。做完之后记得去第32页对一对答案哟！

春季知识小测试

1.春季比冬季暖和，最主要的原因是什么？

A.下雪少了

B.太阳直射点近了

2.许多动物宝宝会在春季出生，这是因为什么？

A.下雨多，它们想学游泳

B.周围有很多食物

3.在春季，你更需要下面哪件衣物？

A.羊毛帽子

B.防水外套

水蒸气上升，在高空中遇冷凝结成云。

从云中降落的水滴便是雨。

骑车去郊游

夏季实在太热了！有一次里奇都差点中暑了！

春季结束了，接下来是夏季。这是太阳直射点离我们最近、太阳在天空中停留时间最长的季节，也是一年中最热的季节。

清晨的太阳还比较低。
我们都带了盒饭和水。清晨出发的时候，天气晴朗，很凉快。

然后就越来越热了。
我忘记带水了，唉！头也有些晕晕的。
太阳升得越来越高，温度也越来越高。

啊，真糟糕！水喝少了对身体很不好哇，尤其是天热的时候。因为我们的身体会通过排汗来调节体温。这时要是不补充水分，会中暑的！

夏季是大多数植物最需要水的季节，因为高温会加速土壤中水分的蒸发。水是所有动植物生存及生长的必需品。

戏水公园

这张照片展示的是在炎热的旅途中，小伙伴们是怎样降温的。这是在艾米遇到“水母”之前拍的。

我们骑车来到一个有戏水池的公园。里奇还是觉得很热，所以，我们就停好车，去池里玩玩水，降降温。

小伙伴们互相泼水的时候，有一只“水母”撞到了艾米的身上。

啊，水母！
别担心，艾米！我来救你！

这不是水母，而是一棵被
风吹到池子里的杂草。
虚惊一场……

对大部分植物来说，除了充足的水分与阳光，空气也是它们需要的。小莫，你觉得为什么戏水池周围会长这么多植物呢？

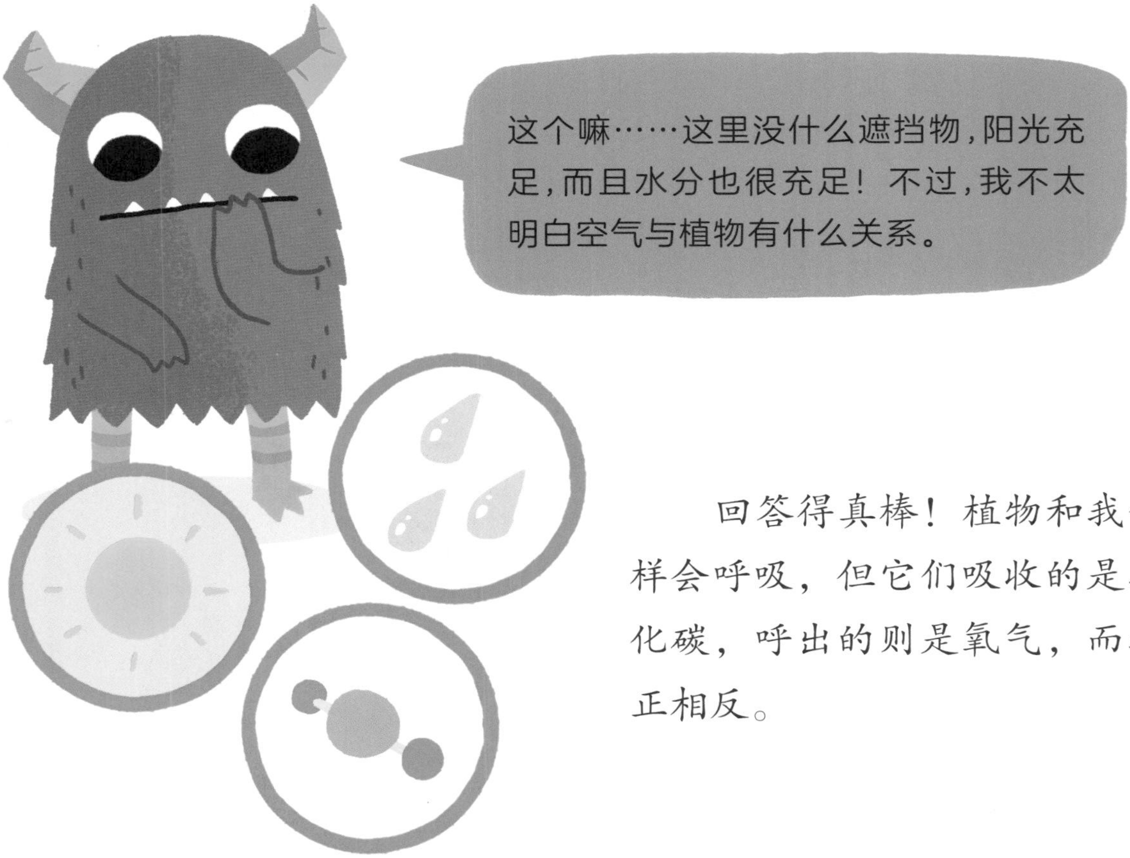
这个嘛……这里没什么遮挡物，阳光充
足，而且水分也很充足！不过，我不太
明白空气与植物有什么关系。

回答得真棒！植物和我们一样会呼吸，但它们吸收的是二氧化碳，呼出的则是氧气，而我们正相反。

漫长的夏日白天

小伙伴们玩累了，纷纷在公园里睡着了。他们醒来的时候都到傍晚了。大家的自行车上都没有车灯。还好，夏季的白天比其他季节的都要长。

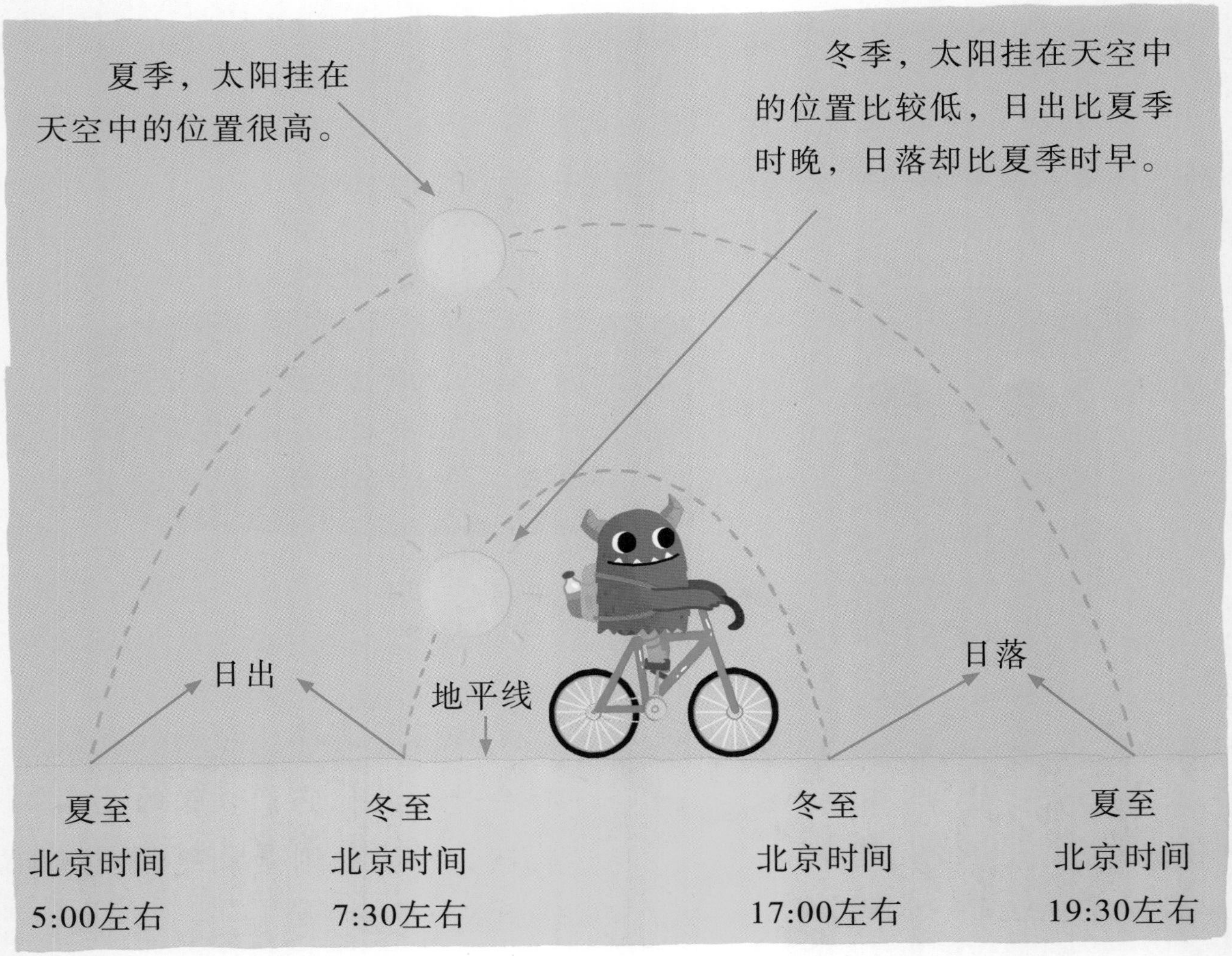

日落的景色可真美呀！但我们没有驻足欣赏。从公园里出来后，我们就全速前进了——必须在天完全黑下来之前到家。
终于到家了，我的脸晒得又红又疼，因为我出门之前忘记涂防晒霜了。

夏季时拍的照片我们都看完了。小莫，你从这些照片中学会了关于夏季的哪些知识？通过下面的小测试测一测，参考答案在第32页。

我喜欢小测试！我会像上次一样全答对的！

夏季知识小测试

1.夏季比其他季节都热，这是因为什么？

A.下雨少了

B.太阳直射点比较近，白天比较长

2.植物在夏季生长得更快的原因是什么？

A.阳光、雨水更多了

B.空气中的二氧化碳更多了

3.在炎热的日子出行，你应该做什么？

A.出发前涂防晒霜

B.随身带些水

C.两个都要做

秋季足球赛

夏季过去，秋季就来了。太阳直射点会离我们越来越远。太阳挂在天空中的时间会越来越短，在天空中的位置也会越来越低。

看这张照片，你们好像不太开心。

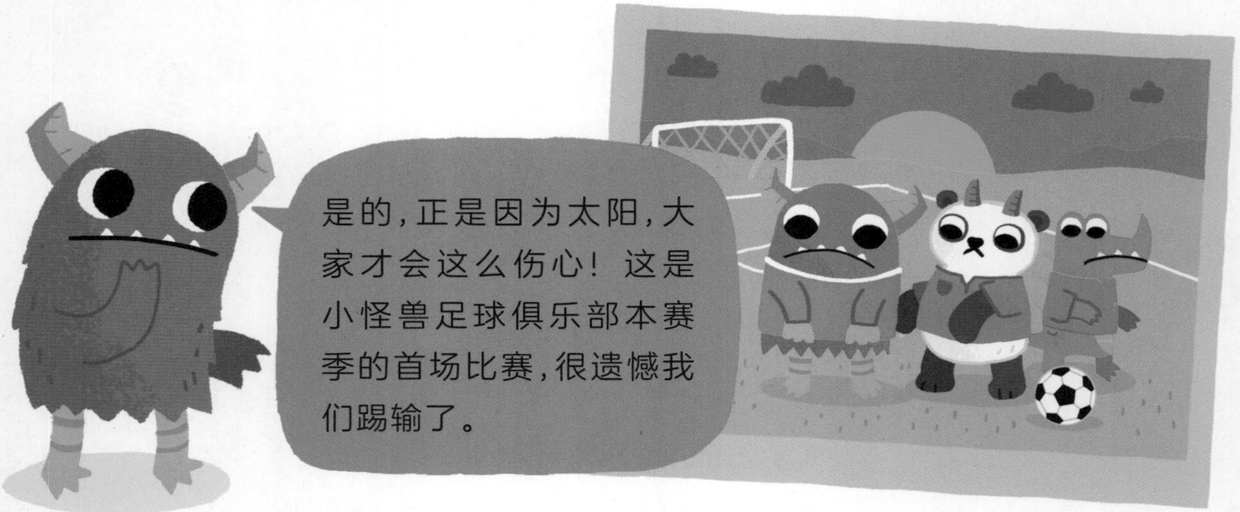

是的，正是因为太阳，大家才会这么伤心！这是小怪兽足球俱乐部本赛季的首场比赛，很遗憾我们踢输了。

跟我们说说吧，小莫。

刚开始，太阳一直照着我的眼睛，让我连球都很难看清楚！

秋季，日落的时间每天都会比前一天提前两分钟左右。每过一个星期，日出的时间大约会晚一刻钟，而日落的时间会早一刻钟。

注意！什么时候都不能直视太阳！

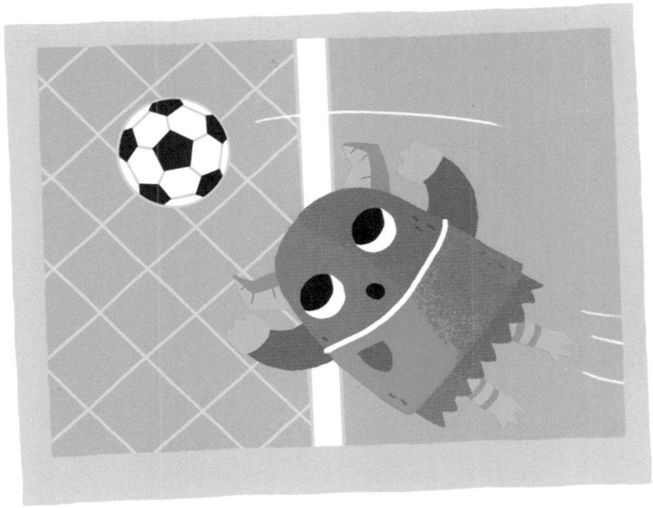

只有这一个问题吗，小莫？

不是的！等我能看清楚球的时候，我的手冷得使不上力气，根本抓不住球。

小怪兽足球俱乐部	0
玩具城联队	1

这真糟糕！夏至后，我们与太阳直射点的距离逐渐变远，接收到的热量也就逐渐减少。

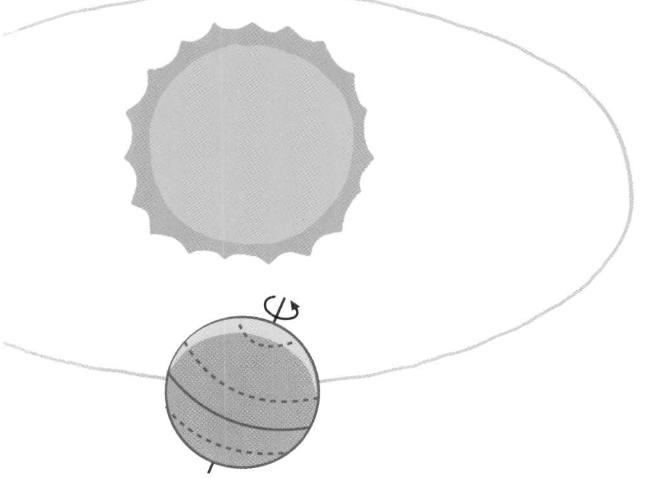

送给小莫的礼物清单
·保暖的守门员手套
·运动太阳镜

太阳挂在天空中的时间也缩短了。随着气温越来越低，有些鸟会在冬季到来之前飞到更暖和的地方去，留下的鸟也会寻找一个好地方来保暖。

大丰收

艾米，你为什么挑了这张拍拉瑞的照片？

这张照片拍得不算特别好，但是很有意思！我们一直在摘果实，拉瑞吃得太多了，他以为自己要生病了。

秋季是许多植物结果的季节。整个夏季，这些植物都在吸收太阳的能量，来保证果实顺利生长。到了秋季，果实成熟后，若不及时采摘就会落到地上。这里有一些例子哟：

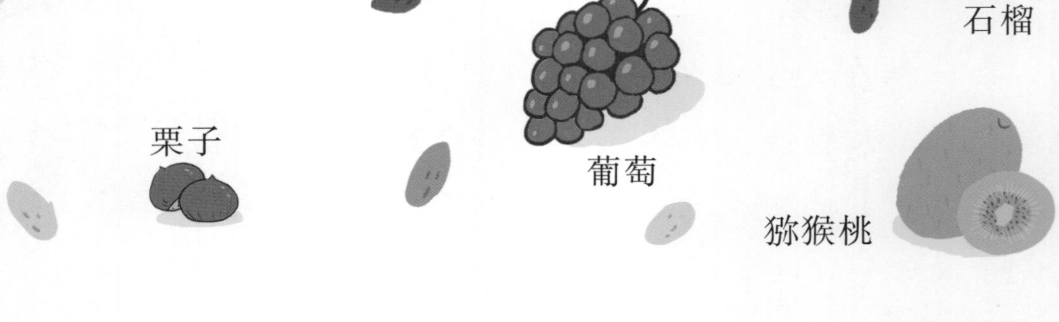

你在果树附近看到了哪些动物，艾米？

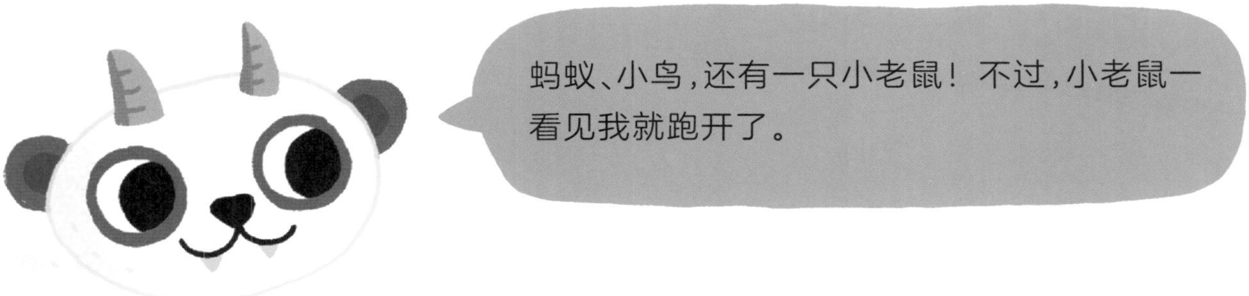

蚂蚁、小鸟，还有一只小老鼠！不过，小老鼠一看见我就跑开了。

许多动物会吃掉落的果实或种子。有些动物甚至会把一大堆食物储藏起来，留着过冬吃，比如松鼠。

动物得到了食物，同时植物也有所得。植物的种子被吃掉后，会通过动物的粪便被排到土壤中。这样，植物的种子就可以被散播到更多地方。

篝火派对

在秋季，有一件大事在等着大家——拉瑞要举办一场生日派对，地点就是他家的花园。

起初，西德、里奇和杰克不想来，因为派对是露天的。他们都讨厌冷天气！所以，拉瑞的爸爸说要帮我们燃起一堆篝火……
我们去捡了很多被吹到地上的树枝和树叶。

秋季经常会刮风，秋风会吹掉很多枝叶。落叶植物的叶子会落光，其树木还会在冬季停止生长。但常绿植物的叶子在冬季不会掉光哟！

我们燃起篝火之前，还检查了一下这块地上有没有刺猬。

暖烘烘的篝火

做得真不错，小莫！每年的这个时候，许多动物都会寻找隐蔽的地方作为自己的冬眠场所，比如一些小刺猬会住进落叶堆里。

以上就是小怪兽们在秋季时拍的照片。又是一次小测试，你准备好了吗，小莫？参考答案依旧在第32页。

秋季知识小测试

1.秋季的天气是怎样的？

A.非常热　　B.非常冷　　C.有时候暖和，有时候凉快

2.在秋季，有些植物会怎样？

A.种子和果实落到地上　　B.叶子掉光　　C.两种情况都有可能

3.在秋季，有些动物会怎样？

A.飞去暖和的地方　　B.寻找冬眠场所　　C.两种情况都有可能

堆雪人

秋季过完，就是冬季了。这是太阳直射点离我们最远，太阳在天空中的位置最低的季节。接收到的太阳热量减少了，天气也就变冷了。

我们上周堆了这些小怪兽雪人。不过，西德、里奇和杰克不肯出来。他们说天太冷了！

冬季是最有可能下雪的季节。只有温度低于0℃的时候，才有可能下雪。下面是一片雪花形成的过程：

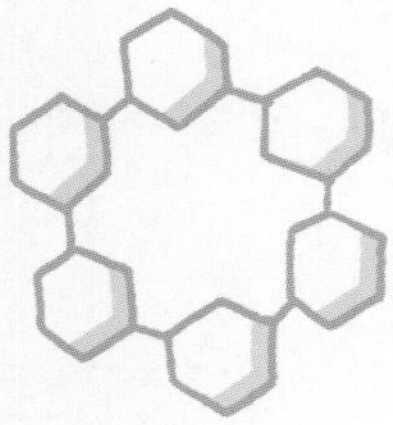

1. 云层中的小水滴结成小冰晶。

2. 水汽与水滴和小冰晶粘在一起，小冰晶变成大冰晶。

3. 大冰晶越来越大、越来越重，便会从天而降，这就是我们看到的雪花。

在寒冷的冬季，不仅云朵里的小水滴会结冰，地面上的水也会结冰，形成光滑的冰面。

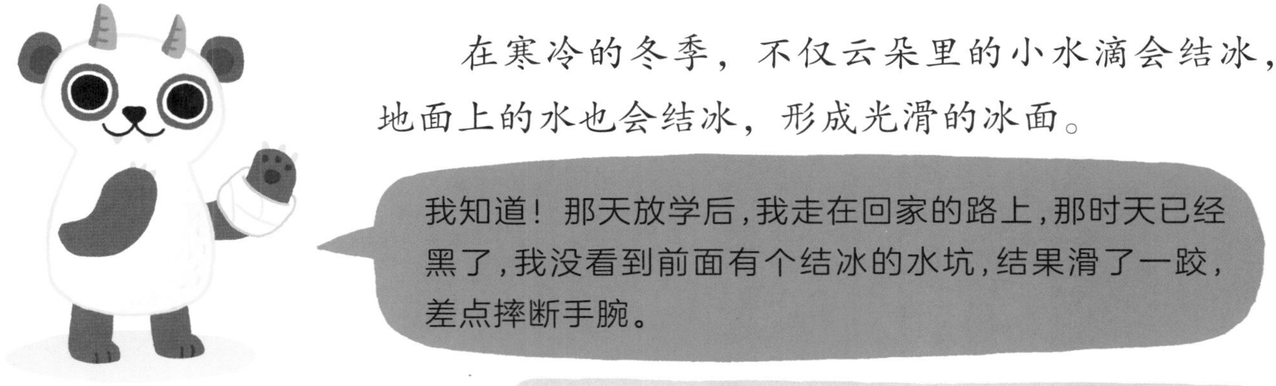

我知道！那天放学后，我走在回家的路上，那时天已经黑了，我没看到前面有个结冰的水坑，结果滑了一跤，差点摔断手腕。

一小片冰

哎呀！天很冷的时候，要当心路上光滑的冰面哟！还有，永远不要去刚结冰的池塘或者湖面上走，因为冰必须非常厚才能承受住你的体重。好啦，我们来进行最后一次小测试吧，小莫！不知道答案的话，就去第32页找找吧！

好险！我差点掉进去。
咔嚓

冬季知识小测试

1.在冬季，动物冬眠的原因是什么？

A.太冷了，没办法出去　　B.没有东西吃　　C.两个原因都有

2.低于多少温度时才有可能下雪？

A.0℃　　B.10℃　　C.15℃

3.为什么在刚结冰的池塘上行走不安全？

A.冰可能会裂开，你可能会掉进去

B.你可能会滑倒，把自己摔伤

C.两种情况都有可能

季节庆典

艾米给大家看了看他找到的一幅旧画，画的是维京人庆祝冬至的场景。

这些维京人正在举办一场盛大的篝火晚会。

你说得对，艾米。在维京人生活的地方，冬至这天是一年之中黑夜最漫长的。他们会在这晚举办派对，来庆祝白天将越来越长。所以，冬至曾被视为一年的开始。

我们也可以举办冬至庆典吗？

可以呀，小莫！不过，别的小伙伴似乎想在别的季节举办庆典……

我们想要举办一个春季庆典！在春季，我们最喜欢吃的草和竹笋都是最鲜嫩的。

我们喜欢夏季庆典！别的季节天气可能会太冷……

我们更想要一个冬季庆典！像我们这样的小怪兽是不介意寒冷的。不过，我们为什么不每个季节都举办一场季节庆典呢？

对呀！所以不要忘记秋季，那可是大丰收的季节呀！

词汇表

气温
指空气的温度。天气热就是气温高，天气冷就是气温低。

冷血动物
又称变温动物，它们的体温会随着周围温度的变化而变化。当周围温度过高或过低时，它们都无法正常活动，甚至可能因此而死亡。

种子
显花植物的一个小器官。在一定条件下，种子能萌发成新的植物体。

发芽
种子的胚发育长大，突破种皮而出。

食物链
一连串的吃与被吃的关系。

冬眠
某些动物在寒冷的冬季休眠。

巢穴
鸟兽住的地方。通常较为温暖、隐蔽。

蒸发
液体表面缓慢地转化成气体。

水蒸气
气态的水。

二氧化碳

一种无色无臭的气体，比空气重，空气中含量约为0.04%。

地平线

向水平方向望去，天跟地交界的线。

果实

植物体的一部分。注意，不是所有果实都可以食用哟！

落叶植物

指秋冬季节或旱季叶全部脱落的多年生植物。

常绿植物

一种全年保持叶片的植物。

维京人

“维京”是英文“Viking”的音译，意为“来自峡湾的人”。维京人通常泛指生活于公元800年~1066年之间所有斯堪的纳维亚人。

参考答案

第13页

1.B

2.B

3.B

第19页

1.B

2.A

3.C

第25页

1.C

2.C

3.C

第27页

1.C

2.A

3.C

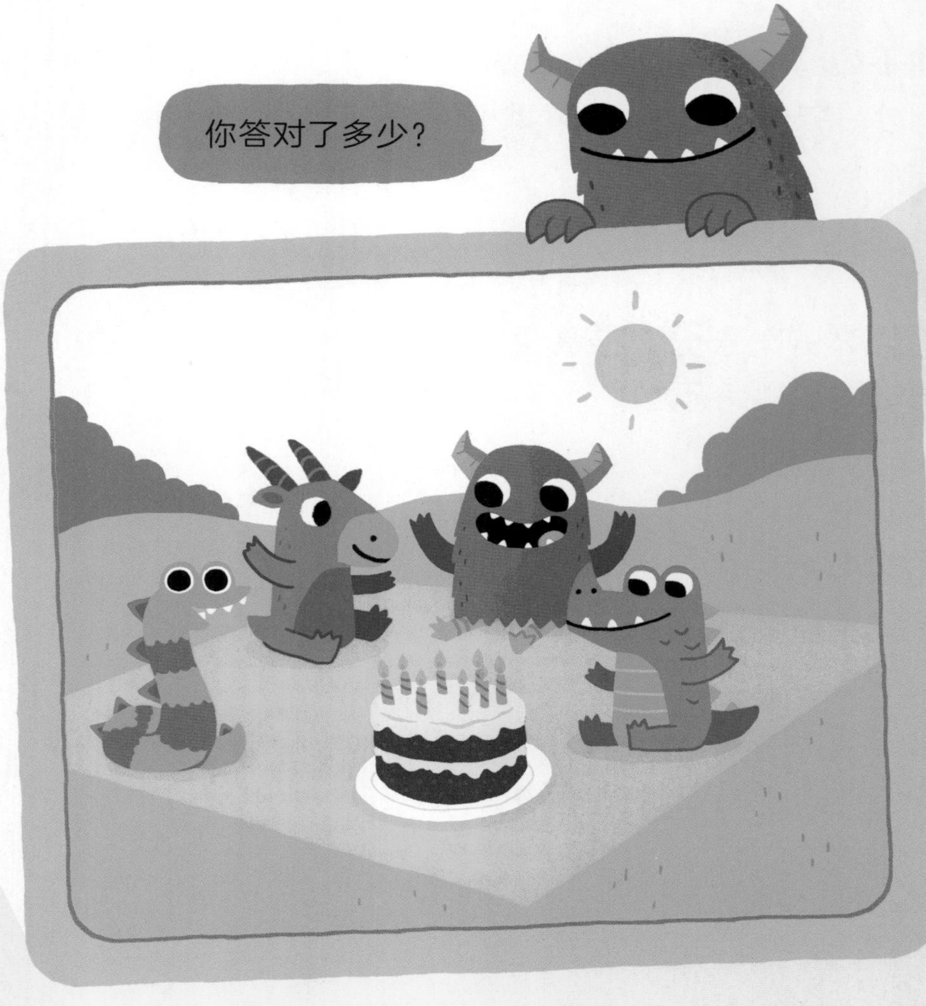

小怪兽爱科学

多样栖息地

[英] 保罗 · 梅森/著　[英] 迈克尔 · 巴克斯顿/绘　唐　男/译

天津出版传媒集团
新蕾出版社

图书在版编目 (CIP) 数据

多样栖息地 / (英) 保罗·梅森著 ; (英) 迈克尔·巴克斯顿绘 ; 唐男译 . -- 天津 : 新蕾出版社, 2024. 9. -- (小怪兽爱科学). -- ISBN 978-7-5307-7783-1

Ⅰ. Q14-49

中国国家版本馆 CIP 数据核字第 2024Z65L64 号

Learn Science with Mo: Habitats
Text by Paul Mason
Illustrations by Michael Buxton
First published in Great Britain in 2023 by Hodder and Stoughton

津图登字：02-2022-198

书　　名：多样栖息地　DUOYANG QIXI DI
出版发行：天津出版传媒集团
　　　　　新蕾出版社
http://www.newbuds.com.cn
地　　址：天津市和平区西康路 35 号（300051）
出 版 人：马玉秀
版权引进：毕之莹　吕　玥
责任编辑：张　菁　潘晶雪
美术编辑：白晓燕
责任印制：朱　琳
电　　话：总编办（022）23332422
　　　　　发行部（022）23332351　23332677
传　　真：（022）23332422
经　　销：全国新华书店
印　　刷：河北赛文印刷有限公司
开　　本：889mm × 1194mm　1/16
字　　数：26 千字
印　　张：2
版　　次：2024 年 9 月第 1 版　2024 年 9 月第 1 次印刷
定　　价：16.50 元

地址：天津市和平区西康路 35 号
电话：（022）23332351　邮编：300051

目录

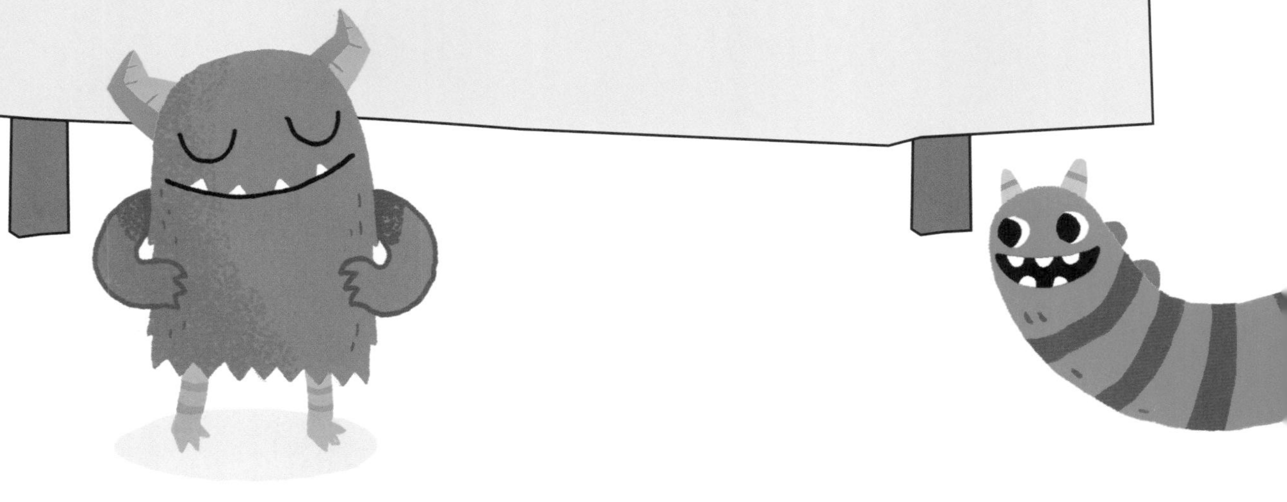

去大自然里踏青

小莫要和小伙伴们一起去踏青。他们要到大自然里寻找各种动物和植物。

大家来到一个池塘。杰克和里奇向水里看个没完！他们看到了什么呢？

快看哪，蜻蜓！
这些鱼长得好漂亮啊！
那儿有一只蜗牛！
还有很多植物呢！

原来，池塘里生活着很多种动物和植物。

一条小路把小探险家们引进了一片小树林。一截圆木挡住了小路，于是，好朋友们一齐动手，把它滚到了路边。可是，他们很快就感觉到，自己好像做错了什么……

原来，这截圆木是很多小生物的家。他们赶快又把圆木滚了回去。

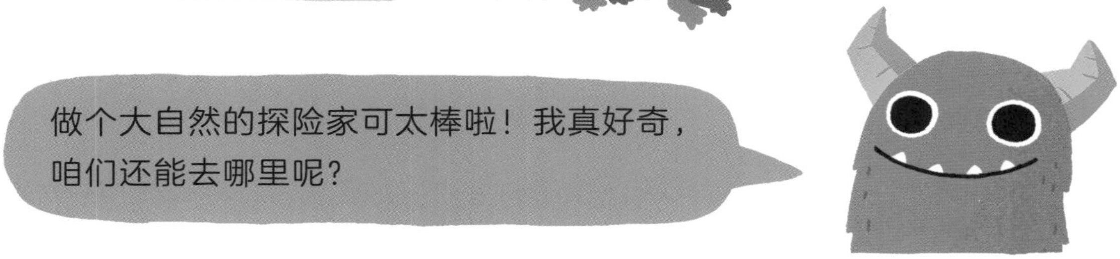

做个大自然的探险家可太棒啦！我真好奇，咱们还能去哪里呢？

为什么不一起度个假，去更多地方探索呢，小莫？你和你的小伙伴们都有很多亲戚，住在哪里的都有。大家可以商量一下去拜访谁。

真是个好主意！

谢谢夸奖。大家都说一说自己的亲戚住在什么地方吧，然后我们再决定去哪里。

栖息地

欢迎来到栖息地
探索俱乐部!

小伙伴们要徒步探索的地方叫作栖息地。某种动物的栖息地，通常情况下就是它们一直生活的地方。

大多数动物都只适应在自己的栖息地里生活。因为别人的栖息地可能太热、太冷、太潮湿，或者太干燥，也可能很难找到食物或庇护所。

小莫，你能把这些动物跟它们的栖息地匹配起来吗？答案在书的第32页。

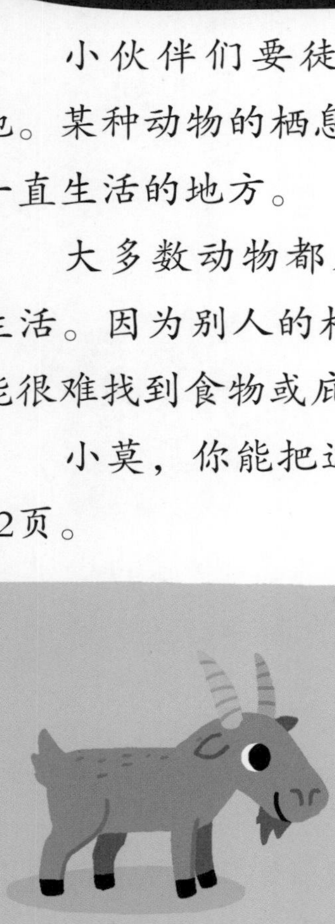
山羊

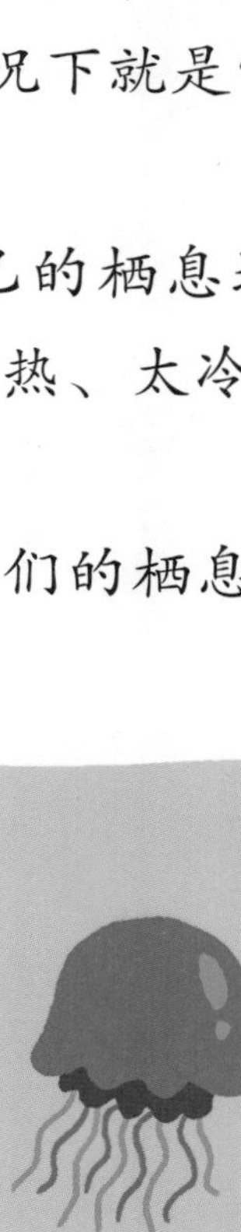
水母

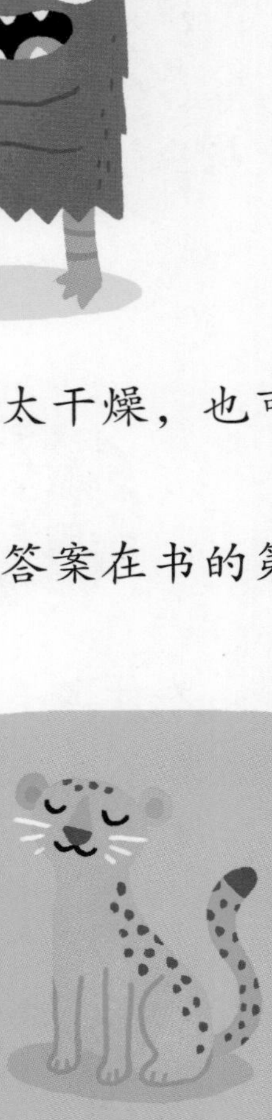
猎豹

稀树草原

高山

海洋

有些动物是能够在一种以上的环境中生存下来的。比如，山羊在稀树草原也可能生存下来，但在河流或大海里就不行了。

这倒是真的。我们可不擅长游泳。

企鹅住在河边也可能生存下来，但要是换到高山上生活的话，它们就受不了啦！它们天生不擅长爬山。

一对小翅膀根本抓不住东西
小短腿

骆驼

企鹅

河狸

极地

沙漠

河流

一天的划分

啊呜！啊呜！金枪鱼！
我最爱吃了。

小莫和小伙伴们饿坏啦！他们都准备得很充分，带着午餐包呢。

想想看，要享用金枪鱼，得先去抓上一条哇！野生动物们是需要自己找食物吃的。我们可以给大家讲一个叫作“食物链”的概念，了解一下它是怎样运作的。

食物链
植物吸收光能，把二氧化碳和水转化成自己的食物
鼻涕虫吃植物的叶子
青蛙吃鼻涕虫
蛇吃青蛙
猛禽吃蛇

许多动物习惯在自己的专属栖息地里寻找食物。比如，猛禽习惯抓它们身边的小动物吃。小莫，看看你能不能把猛禽和它们的食物用线连起来。

1. **猫头鹰**
· 有出色的听力
· 在黑暗中也能看得一清二楚

鱼

2. **隼**
· 动作迅速
· 擅长在飞行中改变方向

老鼠

3. **海雕**
· 爪子尖利，能抓住滑溜溜的东西
· 有出色的视力

小鸟

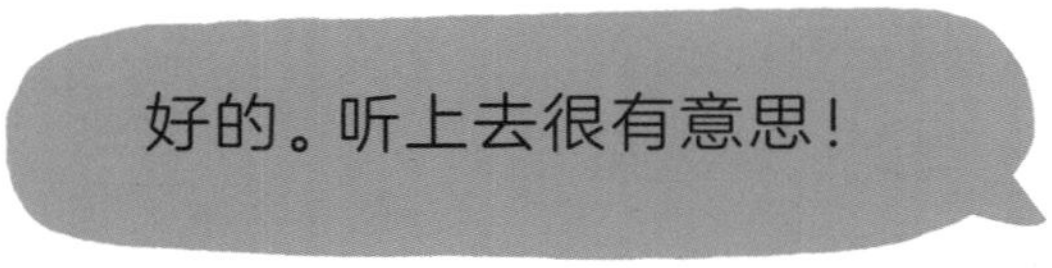
好的。听上去很有意思！

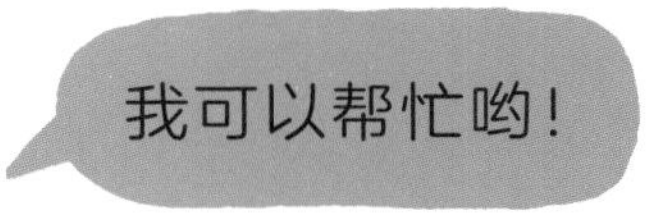
我可以帮忙哟！

翻到第32页，看看你做对没有。

微型栖息地

微型栖息地是一片非常小的地方，但住在那里的动物都能找到自己生存所需要的所有东西。

微型栖息地和它们周围的环境是不一样的。小莫，你还记得第4页的那个池塘和第5页那截倒在路上的圆木吗？那两个地方就是微型栖息地。它们跟周围的环境有什么不一样吗？

我知道池塘远处的土地是干的，长满了草，但池塘边是湿的，还有泥。池塘里长着一些植物，很多昆虫住在那里。
森林里光线比较暗，那截圆木下面很潮湿，它正在腐烂。

回答得太棒了，小莫！
谢谢你的夸奖。
所以，在这些微型栖息地里，都生活着什么样的动物和植物呢？
在池塘里
池塘植物都是生活在水里的。它们是小动物的食物或者家园。
在圆木下面
那里的动物个子很小，喜欢生活在潮湿、阴暗的地方。有些动物会吃腐烂的木头。

回答得太棒了，小莫！

家族栖息地

小莫，现在西德和其他小伙伴都生活在同一个地方了，然而最初，他们是从不同的栖息地搬过来的。

拉瑞来自北极地区，那里特别冷。

我们的皮毛大衣可暖和了。

西德的家族曾经住在干燥的沙漠里。

我们不怎么需要喝水。

马塞尔原先住在热带雨林里。

为了在树上生活，我们的尾巴能抓住树枝，就像另一只手一样。

艾米的祖先来自高山森林。

那里又阴冷又潮湿。我们的皮毛很保暖哟！

以前，莉莉的家族生活在稀树草原上。

那里还有狮子呢！
所以，我们全都跑得特别快。

杰克和里奇的祖辈曾经生活在一条河边。

我们经常吃鱼。我们尖利、外凸的牙齿可以把鱼咬得粉碎。

奥莉的祖父来自一块彩色的珊瑚礁。

我们的皮肤会变色。这个本领能帮助我们融入环境，隐藏自己。

每个小伙伴都给小莫讲述了很多关于他们家族的栖息地的情况。小莫写下每个栖息地的三个特点，这样大家就能通过小莫写的笔记决定去哪里度假啦！

拉瑞和北极地区

小莫的表弟拉瑞来自北极地区。也许，小伙伴们的下一次大自然探索之旅会到那里去。跟我们讲讲北极地区吧，拉瑞。

好哇！在北极地区，靠近北极点的地方，我们只有两个季节——冬季和夏季。
冬季
太阳要么根本不升起来，要么只升起来很短的时间。
天气特别冷。
到处都是冰雪。
我可不喜欢那么冷的地方。
这么说，到那里徒步可不容易呀，拉瑞。

北极地区的夏天就很不一样了。天暖和起来(一点点而已),动物和植物都出现了。

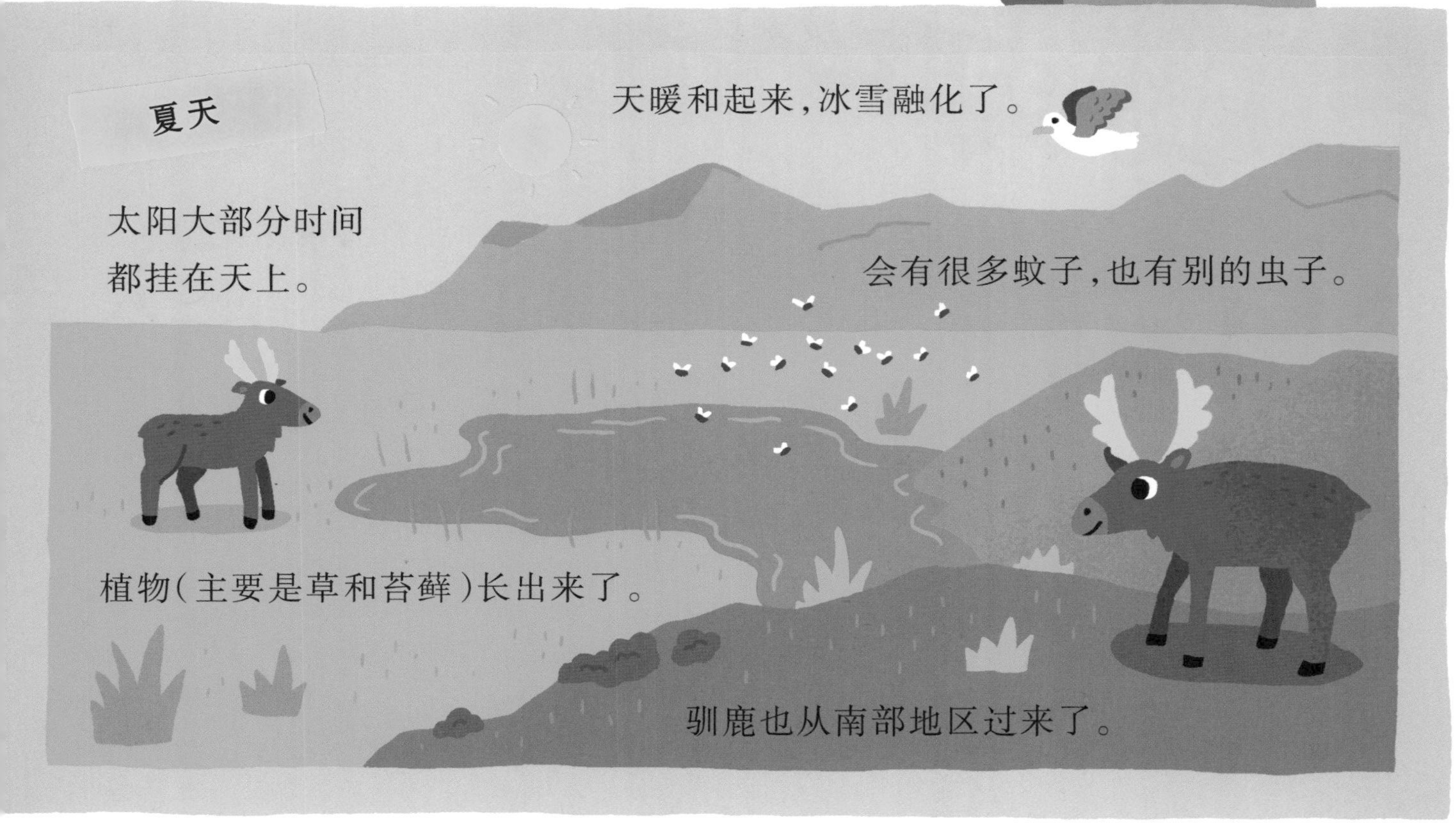

夏天
天暖和起来,冰雪融化了。
太阳大部分时间都挂在天上。
会有很多蚊子,也有别的虫子。
植物(主要是草和苔藓)长出来了。
驯鹿也从南部地区过来了。

所以,小莫,你能列出北极地区的三个特点吗?

1. 北极地区的季节要么是寒冷的夏天,要么是特别寒冷的冬天。
2. 一整年都没有多少动物和植物生活在那里。
3. 景色看起来真的很漂亮!

西德的故乡：撒哈拉沙漠

西德的家族最初是从非洲的撒哈拉沙漠搬过来的。那个栖息地是什么样的呢，西德？那里都生活着哪些动物？

沙漠很漂亮，但中午的时候会特别热！几乎没有水。

那动物们怎么生存下来呢，西德？

大多数动物都会到地下去躲避太阳，等晚上再出来，那时候就凉快多了。很多动物个子都挺小的。为了适应环境，它们还有些别的特点。

1.非洲刺猬

可以连续好几天不喝水。

2.耳廓狐

大大的耳朵能把大部分热量散发出去。

3.跳鼠

鼻孔可以闭合起来挡住沙子。

西德，你的家族是从世界上最热的沙漠里搬过来的。有没有什么大型动物能在那里活下来呢？

有哇，沙漠里有骆驼。他们看起来挺喜欢沙漠的。

这里覆盖着厚厚的驼毛，能保护皮肤不被太阳晒伤。
其他部位的毛很少，可以散发热量。
他们几乎不出汗，也不小便，来保持身体里的水分。
宽大的脚掌非常适合在沙地上行走。

所以，小莫，你写下了哪三个特点让大家记住沙漠呢？

1. 白天真的很热，不过晚上会凉快一点。
2. 几乎没有水。
3. 动物们白天都会躲起来。

马塞尔的雨林

雨林嘛，当然经常下雨了。雨林分为两种，一种凉爽，另一种温暖。马塞尔的家族来自一个温暖的热带雨林。

而且，马塞尔认为，每个小伙伴都应该去雨林里看看！

雨林里的动物和植物比地球上其他任何栖息地里的都多。

为什么雨林里有那么多动物和植物呢，马塞尔？

我们必须先了解一点科学知识：生物可以分成几大类。

1.植物，它们自己会生产食物。

阳光+水+空气=食物

这样的生物被称为生产者。

2.动物，它们必须去找食物吃。

这样的生物被称为消费者。

在热带雨林里，阳光明媚，雨水也很多。植物长得特别快。

有很多植物可供给草食动物吃。

也有很多动物能供给肉食动物吃。这只貘最好小心点。

听起来很有意思，马塞尔，但也有点危险。小莫，关于热带雨林，你都记下了些什么？

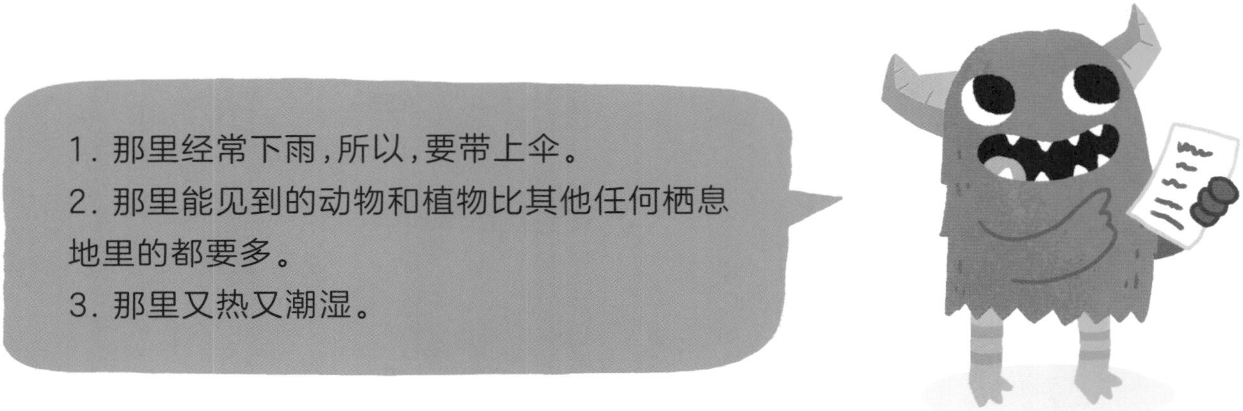

艾米的高山森林

从前，艾米的祖先住在平地上的森林里。后来森林被砍伐，土地成了农田。于是，她的家族就搬到了高山上。

陡峭的高山上经常下雨，几乎每天都是雾蒙蒙的，天气也很冷。这里生活着各种珍稀动物。

1. 小熊猫

2.扭角羚

3. 金丝猴

到这里玩的话，最好带上一件防水外套。充沛的雨水一定对植物生长很有好处吧。

这里的植物大多数是松树，还有很多竹子呢——那是我们最喜欢的食物！
下雨了。
我永远都吃不腻竹子。
竹林
啊呜！
啊呜！

那么，小莫，你写下了哪三条，让大家记住高山森林呢？

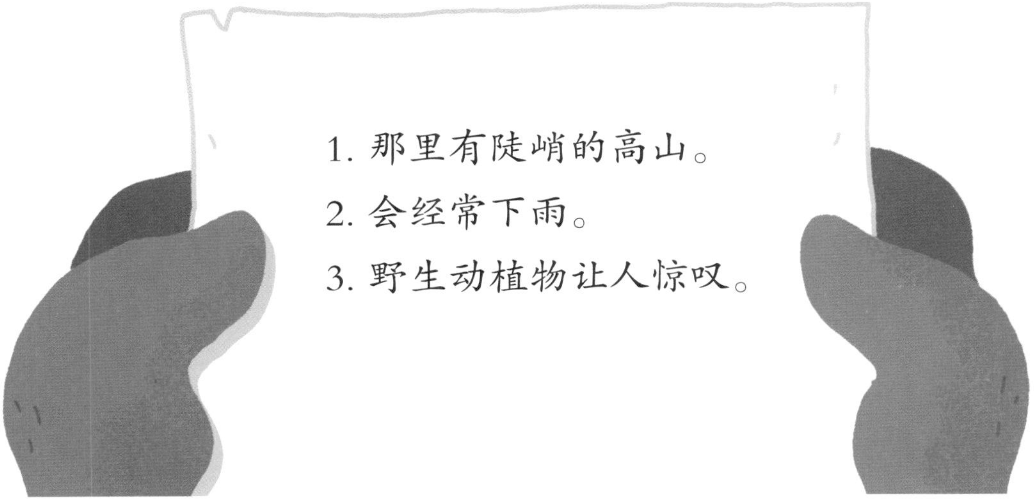

1. 那里有陡峭的高山。
2. 会经常下雨。
3. 野生动植物让人惊叹。

莉莉和稀树草原

莉莉的家族最初来自一个叫作稀树草原的栖息地。莉莉，告诉小莫，稀树草原有哪些有趣的地方。

稀树草原是一片树不太多的草地。生活在那里的动物有小小的白蚁、光滑的蛇、高大的长颈鹿和爱咆哮的狮子。

稀树草原上的植物

对植物来说，这里的阳光很充足。不过，水并不多。土壤中的营养也不太丰富。野火时而发生。植物们必须特别顽强才能活下来。

野火和稀树草原

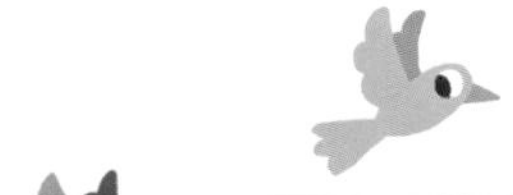

动物们只能四散逃命。
野火会烧毁草地和树干。有时候整棵树都会被烧死。

烧黑的树干上叶子都没了。
地面
野火过后

树上长出了新叶子。
新草长了出来。

你写下了哪三个特点来让大家记住稀树草原栖息地呢，小莫？
1. 旱季不要去那里，因为可能会遇到野火。
2. 带上防晒霜，阳光会很强烈。
3. 带上充足的水，天气会很干。

奥莉的珊瑚礁

奥莉的表亲们住在一片温暖海洋里的一个珊瑚礁上。珊瑚礁一般会出现在热带海域靠近海边的地方，是由一种叫作珊瑚虫的微小生物建造的。给小莫讲讲吧，奥莉。

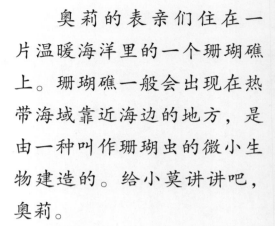

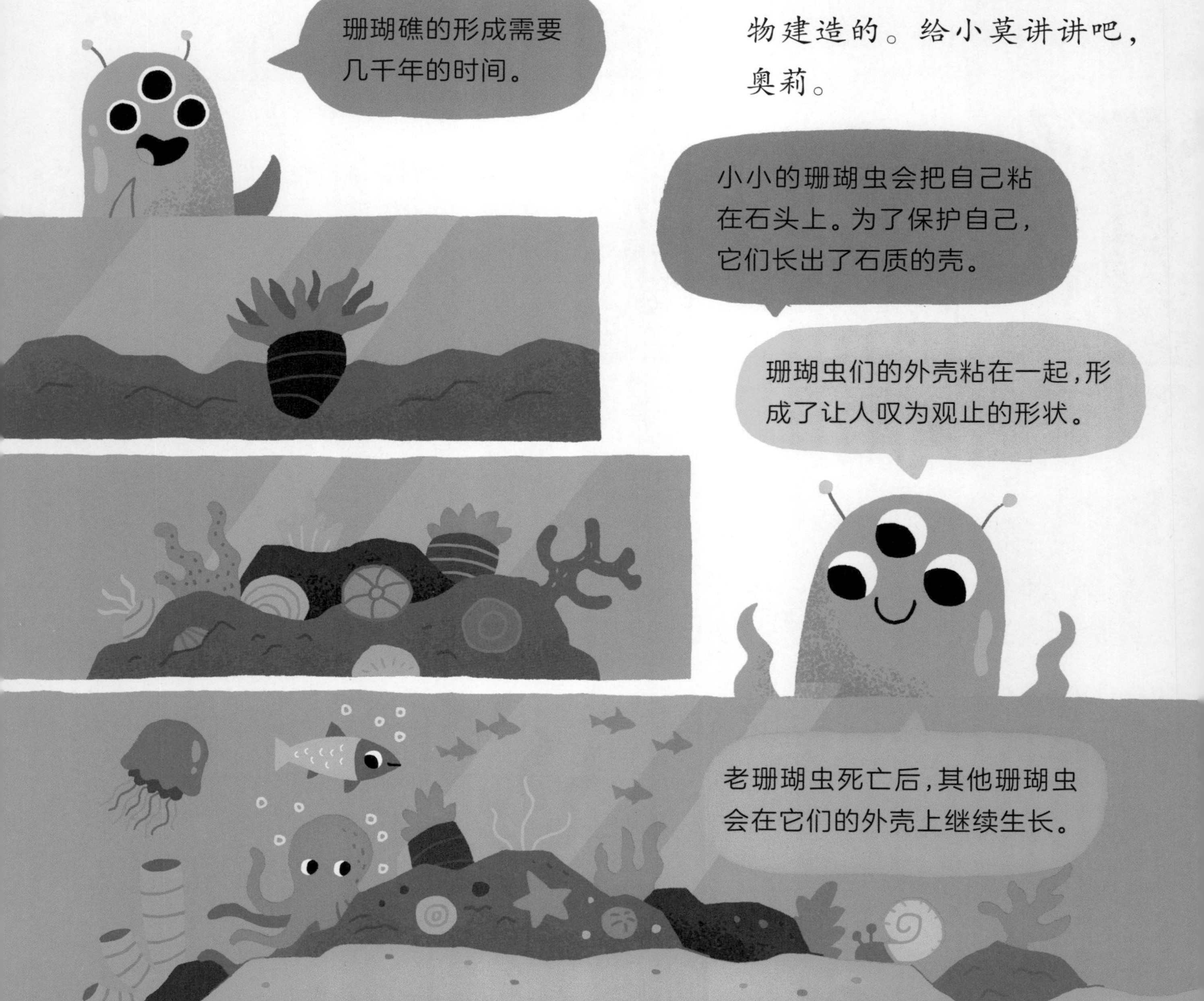

珊瑚礁的形成需要几千年的时间。
小小的珊瑚虫会把自己粘在石头上。为了保护自己，它们长出了石质的壳。
珊瑚虫们的外壳粘在一起，形成了让人叹为观止的形状。
老珊瑚虫死亡后，其他珊瑚虫会在它们的外壳上继续生长。

珊瑚虫是很小的动物，不过，它们能建成巨大的珊瑚礁。最大的珊瑚礁是澳大利亚的大堡礁，面积差不多有整个德国那么大。

珊瑚礁是许多生物的家园。它们被称为海洋里的热带雨林。

水温：理想温度为23℃～29℃。
海水很清澈，阳光能照射到各种水下植物。
波浪和洋流给珊瑚礁带来了营养。
个子较大的鱼会吃珊瑚礁上的植物，或者体形小一些的鱼。
鲨鱼是海洋中的顶级掠食者。
海草生长在阳光充足的浅水中。
个子比较小的鱼会藏在暗礁中躲避捕食者。

小莫，你写下了哪三个特点来让大家记住珊瑚礁呢？

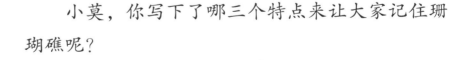

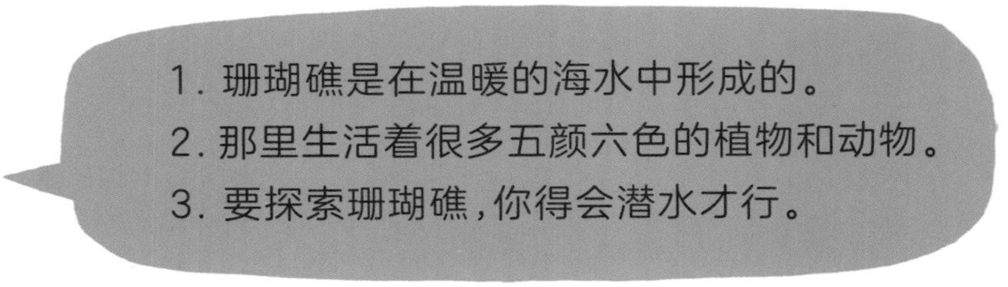

1. 珊瑚礁是在温暖的海水中形成的。
2. 那里生活着很多五颜六色的植物和动物。
3. 要探索珊瑚礁，你得会潜水才行。

杰克和里奇的河流

杰克和里奇不喜欢干燥的栖息地，比如沙漠或稀树草原。他们喜欢潮湿的地方。

没错！
潮湿的地方！

一般情况下，他们是住在河边的。他们也想带自己的小伙伴们去看看生活在那里的动物和植物。那里是什么样的呢？

我们给你们画了一张我们家族的栖息地——河流的画，主要包括三个区域。

1. 河岸

这是我们的表亲短吻鳄们住的地方。他们在河里捕猎，在河岸上休息。

河水带着一些细碎的泥土和小石子奔流。水流的速度慢下来的时候，泥土和小石子就会沉下去，沉淀到河床上，成为沉积物。

小莫，你写下了哪三个特点来让大家记住河流呢？

1. 有三个区域可以探索。
2. 要带上驱虫剂，因为那里有很多昆虫。
3. 水下生活着很多动物和植物。
水鸟
3. 泛滥平原
有时候河水太满，会从河道中溢出来淹没附近的土地。这种地方被称为泛滥平原。
水生植物
又湿又软的土壤中生长着许多植物。

假日时间

那么，小伙伴们会到哪个地方去度假呢？现在，该看看小莫的笔记，做出决定了。

春天去北极？天气仍然很冷，不过，还是有动物和植物可以看。

寒冷会要了我的命。我可不想去那里！

好吧……那么，沙漠应该不错，那里热！当然，也很干燥。

我喜欢潮湿，不喜欢干燥！

雨林里又潮湿又温暖！还有很多种动物和植物可以看。

去那里的话，我穿着这一身皮毛会热晕的。

这就不好办了！又凉快又潮湿的高山森林里怎么样？
可是，鳄鱼天生不擅长爬山哪！
小短腿
稀树草原怎么样？那里阳光明媚，又温暖又干燥。
干燥？你是说干燥吗？
好吧，不去稀树草原。奥莉的珊瑚礁呢？唯一的问题是你得生活在水下……
可是我们做不到哇！
对了，还有最后一个选项：杰克和里奇的河流。
我们可以找些植物来吃。
我们可以躲起来，然后跳出去吓唬别人！
我可以晒日光浴。
我可以爬树。
我们可以去抓鱼。

最终，小怪兽们选择了去探索河流栖息地。其实所有栖息地都棒极了，也都很珍贵。不过它们面临着被人类（还有小怪兽们）活动污染的风险。所以，我们要保护它们，来保证我们的子孙后代还能在那里安全度假。

词汇表

珊瑚礁

主要由珊瑚堆积成的礁石，住满了各种动物和植物。

栖息地

某种生物在大自然中的家园，一个特别适合它们生活的地方。

适应

根据客观条件或需要做出改变。

极地

紧邻北极点或南极点的地方。

食物链

乙种生物吃甲种生物，丙种生物吃乙种生物，丁种生物又吃丙种生物……这种一连串的食与被食的关系，叫作食物链。（在第8页有一个例子）。

猛禽

凶猛的鸟类，如鹫、鸮、隼、雕等。

热带

赤道两侧的地区，赤道是一条想象出来的环绕地球的线。

季节

一年中天气和温度都相似的一段时间。世界上有些地方分四个季节——春季、夏季、秋季和冬季，也有些地方只有两个季节——雨季和旱季。

蚊子

一种小飞虫。雌性蚊子靠吸动物们的血填饱肚子。

苔藓
一种没有根的小型植物，生长在阴湿的地方。

竹子
一种很高的常绿植物，茎圆柱形且坚硬，中间是空的。

营养
生物生存、生长和保持健康所必需的东西。

野火
荒山野地燃烧的火。

草原栖息地
那里最常见的植物是草，大部分时间气候干燥。

洋流
海洋中向同一个方向流动的水。

幼虫
昆虫的胚胎在卵内发育完成后，从卵内孵化出来的幼小生物体。

洪水
暴涨的水流，通常会淹没土地。

参考答案

第6页和第7页

山羊当然住在高山上啦！它们的腿强壮有力，能帮助它们从陡坡上爬上爬下。

水母生活在海洋里，到处寻找小生物吃。

猎豹生活在稀树草原上，奔跑速度特别快，以便它们在开阔的空地上追逐猎物。猎豹的皮毛是棕色的，有助于它们和周围的环境融为一体。

骆驼生活在沙漠里。为了在这种干燥的地方生存下去，它们身上有很多适应性特点——在第17页可以看到更多介绍。

企鹅生活在南极周围的极地区域。它们的游泳技术高超，能帮助它们抓鱼吃。

河狸生活在河里。它们的牙齿尖利有力，能啃倒用来建造水坝的树木。

第9页

要听到老鼠在周围跑动的细碎脚步声，需要有很好的听力。猫头鹰的听觉极其敏锐，所以它能抓到老鼠。

要捕捉其他鸟类，需要很快的速度。隼的飞翔速度非常快，所以能捕猎小型鸟类。（它还擅长快速改变方向，这也很有用。）

现在只剩下海雕了。海雕会利用它们尖利的爪子、出色的视力来抓鱼。

小怪兽爱科学

机械的运转

[英]保罗·梅森/著　[英]迈克尔·巴克斯顿/绘　唐　男/译

天津出版传媒集团
新蕾出版社

图书在版编目 (CIP) 数据
机械的运转 / (英) 保罗·梅森著 ; (英) 迈克尔·巴克斯顿绘 ; 唐男译. -- 天津 : 新蕾出版社, 2024. 9. -- (小怪兽爱科学). -- ISBN 978-7-5307-7825-8
Ⅰ. TH-49
中国国家版本馆 CIP 数据核字第 2024SY5473 号

Learn Science with Mo: How Machines Work
Text by Paul Mason
Illustrations by Michael Buxton
First published in Great Britain in 2024 by Hodder and Stoughton

津图登字：02-2022-199

书　　名： 机械的运转　JIXIE DE YUNZHUAN
出版发行： 天津出版传媒集团
新蕾出版社
http://www.newbuds.com.cn
地　　址： 天津市和平区西康路 35 号（300051）
出 版 人： 马玉秀
版权引进： 毕之莹　吕　玥
责任编辑： 张　菁　潘晶雪
美术编辑： 白晓燕
责任印制： 朱　琳
电　　话： 总编办（022）23332422
发行部（022）23332351　23332677
传　　真：（022）23332422
经　　销： 全国新华书店
印　　刷： 河北赛文印刷有限公司
开　　本： 889mm × 1194mm　1/16
字　　数： 26 千字
印　　张： 2
版　　次： 2024 年 9 月第 1 版　2024 年 9 月第 1 次印刷
定　　价： 16.50 元

目 录

小莫的俱乐部

小伙伴们来小莫家里玩，把小莫的房间搞得乱七八糟！每次都是这样。

大家有点兴奋过头了……
咱们需要成立一个俱乐部，到家外面去撒欢！
这个主意可真棒！

有了俱乐部，大家玩得会更开心！

咱们该怎么建造俱乐部呢？

建造一个完美的俱乐部需要三个步骤：

1. 设计
2. 找到需要的建筑材料
3. 建造

这可是个大工程！

为了让工程简单一点，小莫和小伙伴们得学会使用一些简单机械，比如滑轮和杠杆。

第一项工作是做出一个让所有小伙伴都赞成的设计方案，而且，得是能建成的哟！

机械和力

我们经常用到“机械”这个词。机械就是我们用来干活，或者让活干起来更容易的东西。

自行车算机械吗？
算！
滑板也算。

简单机械是人运用力的最基本的机械装置。力可以让物体动起来，也可以让物体停下来。

就像我踢球这样？

没错，小莫。力可以改变一个物体运动的方向或者速度。

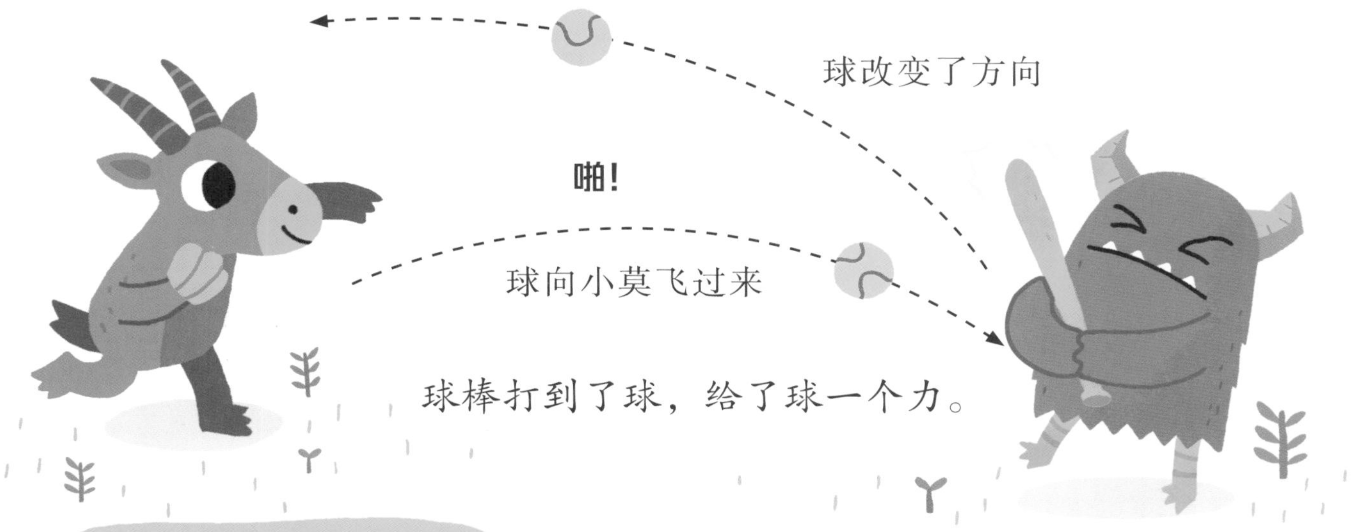
球改变了方向
啪!
球向小莫飞过来

球棒打到了球，给了球一个力。

小莫，你打垒球的时候，会把球打出去很远吗？

特别特别远。莉莉要花很长时间才能找到球。

要是你用手来打，不用球棒，球还会飞那么远吗？

那肯定差多啦！

垒球棒就是一种简单机械。它改变了球运动的方向，还增加了你打到球上的力。

锤子也是一种简单机械。它能让钉子更容易被钉进木板。

可别砸到自己手上啊！

咣!

嗷——

俱乐部的设计图

小莫和小伙伴们得好好想想俱乐部的设计图，因为每个人的想法都不一样。

谁也不知道童话城堡或者超级大树屋该怎么建造。最后，艾米画了一个大家能真正建成的东西。

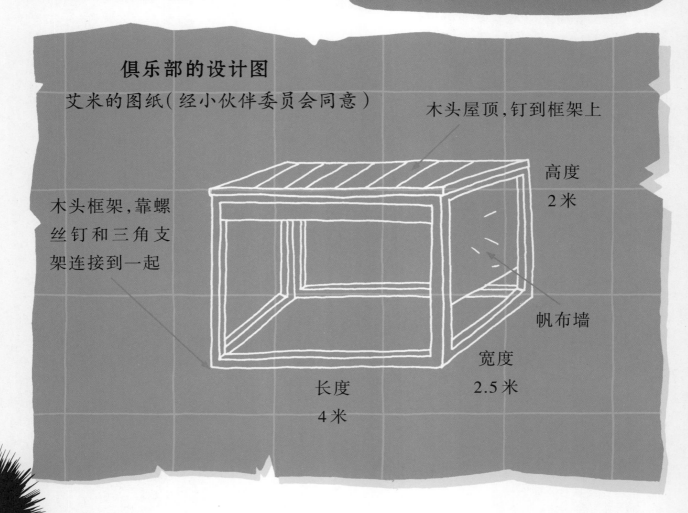

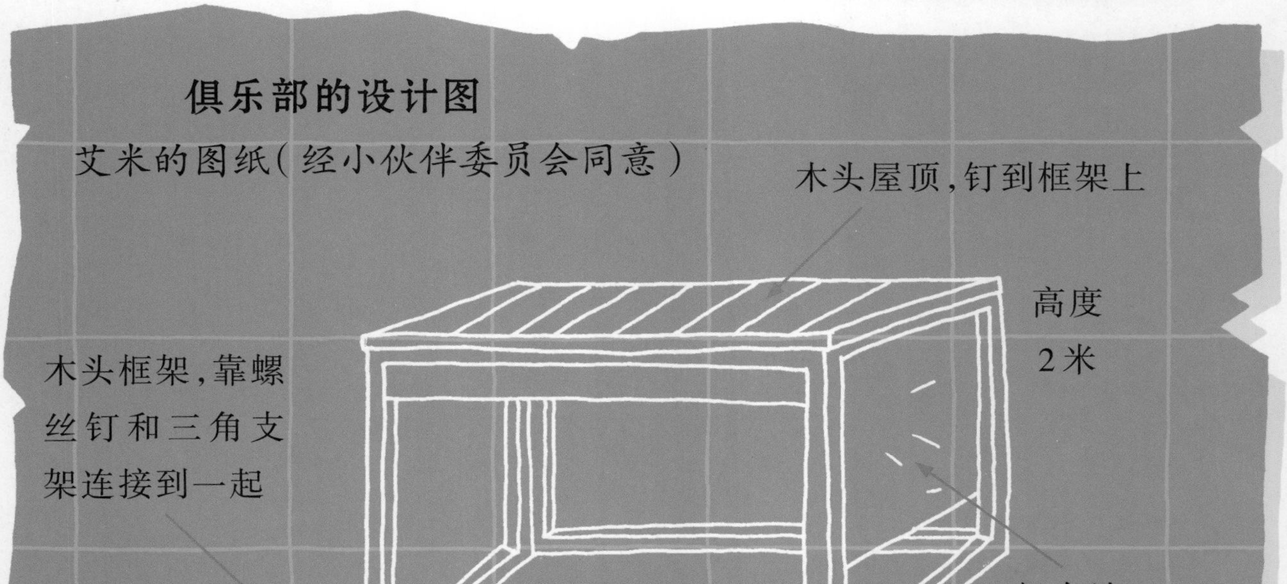

小莫，接下来，就是确定你们需要做的工作，以及准备工具和材料。

1. 材料

做框架用的木材

螺丝钉

三角支架

做屋顶用的木材

钉子

做墙壁用的帆布

2. 工作

把木板切割成合适的长度

用螺丝钉和三角支架把框架固定到一起

钉屋顶

添加帆布墙

工具

卷尺

电钻

螺丝刀

梯子

锤子

锯

干得好，小莫！看来你们已经开始准备了。

搬运材料

小莫和小伙伴们需要把木材、帆布和其他材料搬到准备开工的地方。

木材太重了，搬不起来呀！

杰克想把木材推过去，可木材一动都不动。

就算杰克和里奇一起使劲，他们也推不动。

还记得我们说过的话吗？机械通常能让活干起来容易些。小莫，你和你的小伙伴们需要的是可以帮忙干活的机械。

这个推车上有一种最古老也最有用的简单机械：轮轴。

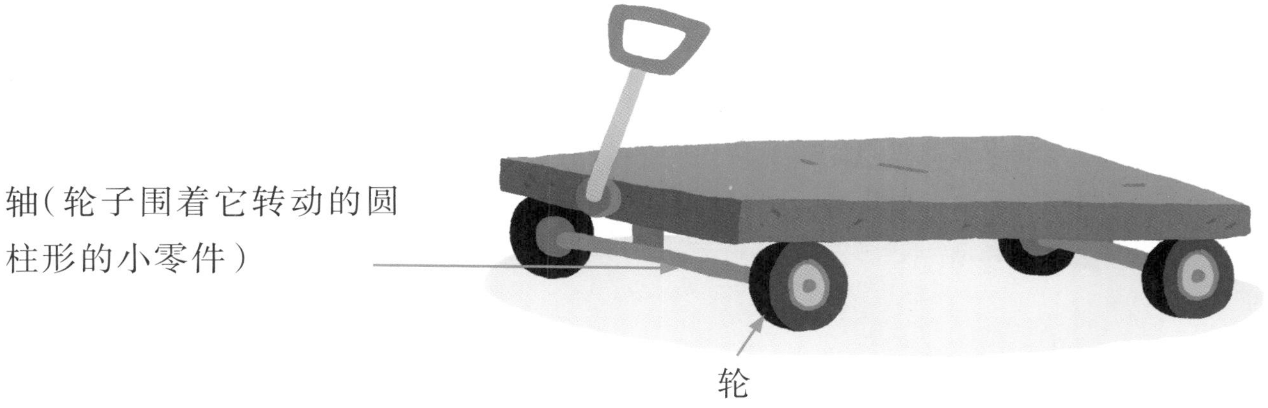

直接推推不动，我们可以用推车来帮忙！

现在你要做的就是，把推车上所有的材料都卸下来！

1. **重力**

木头太重了，杰克和里奇推不动。现在，他们把木材一块一块地搬到推车上了。推车成了搬运工。

2. **摩擦力**

有一种力叫作摩擦力，它是产生在两个互相接触的物体之间的阻力。由于滚动的轮子与地面产生的摩擦力要比推动平放在地上的木板所产生的摩擦力小得多，所以把木材放在推车上再移动就容易多了。

用杠杆移走石头

小莫，在开始建造之前，还有最后一项工作要做。你和你的小伙伴们得保证地面是平的。

真倒霉，有两块大石头竖在那里，正好在我们准备建造俱乐部的地方！

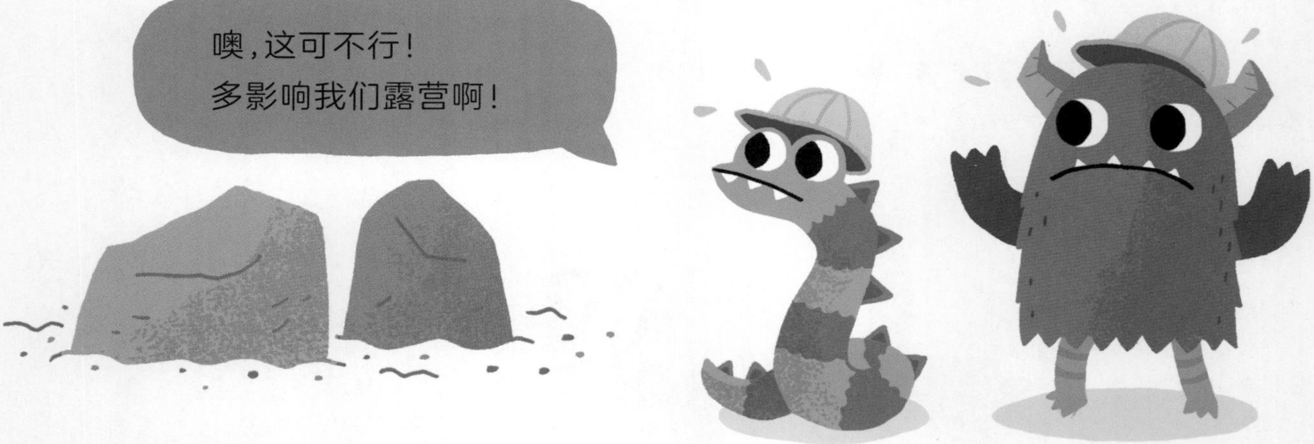
噢，这可不行！
多影响我们露营啊！

别担心，西德。要弄走这些石头，只要用上两个工具就行了——一个是铁锹，一个是撬棍。你妈妈来了，她会确保你们安全使用这两个工具的。

铁锹插进土里，把土分成一小块一小块的，就能挖出来了。

这可能管用。

等土挖完了，你们就可以用撬棍来弄走这两块石头了。撬棍是一种杠杆，可以改变力的方向。

杠杆就是靠动力和支点来移动重物的。杠杆有三种类型，大家可以看看第 22 页、第 23 页的介绍。

小莫，你知道下面哪些东西应用的是杠杆原理吗？

A. 跷跷板　　B. 船桨

C. 钉子　　D. 剪刀

答案在第 32 页。

测量和切割

现在，地面已经清理完成了，材料也都运过来了。小莫，你们可以开始做俱乐部的框架啦！

首先，做框架需要多长的木板呢？

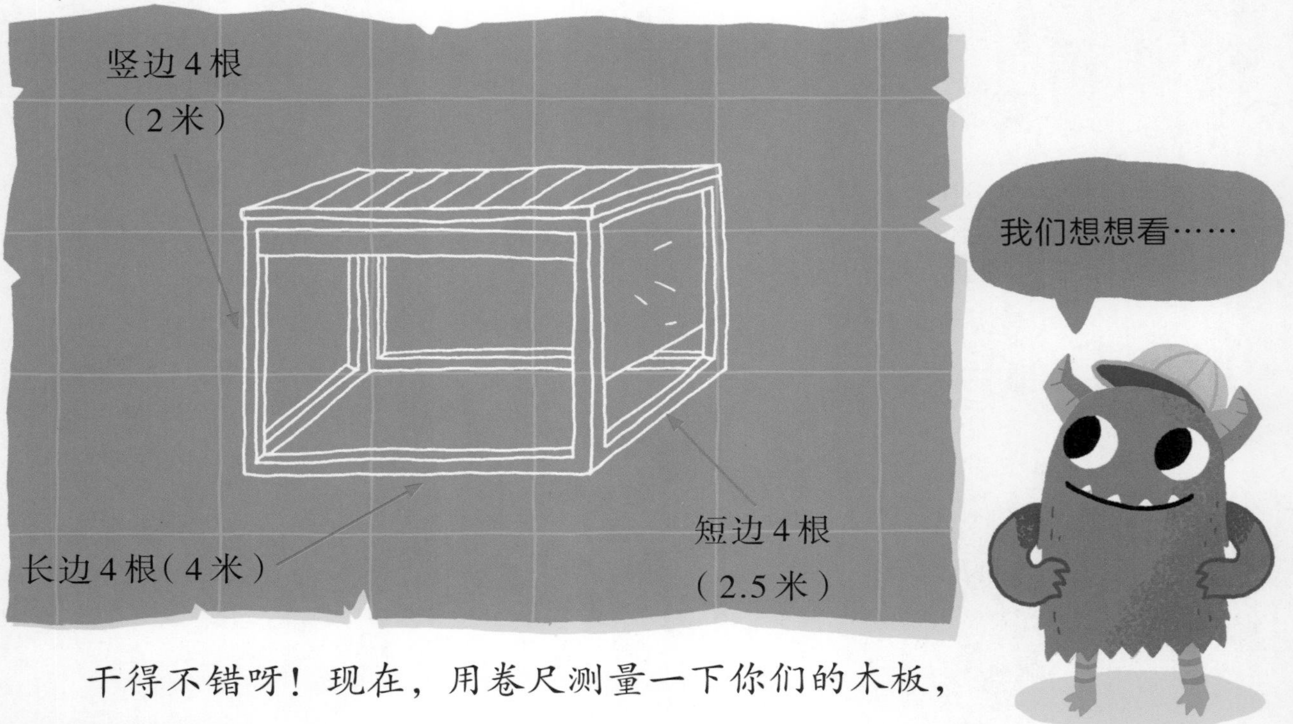

干得不错呀！现在，用卷尺测量一下你们的木板，看看都有多长。

我来拉住这一头。
谢谢你，莉莉！
最长的木板正好是4米，有8块2.5米的。所以，我们需要把其中4块锯掉0.5米。

艾米的爸爸来帮忙锯木头了，用的是电动圆锯。

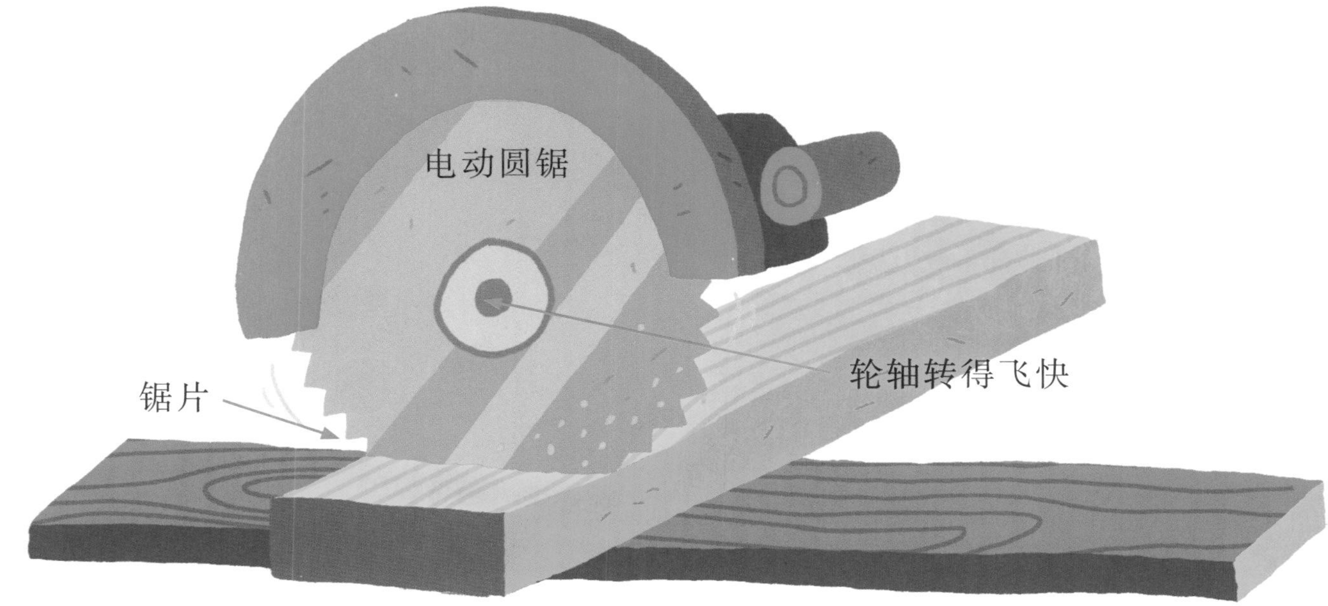

电动圆锯
锯片
轮轴转得飞快

那么，小莫，今天用到了哪几种机械呢？你能说出来吗？
卷尺内部是不是用到了轮轴？
电动圆锯里有一套轮轴。
锯片用的是什么呢？

回答得不错，小莫！

锯片使用的是一种叫作“斜面”的简单机械。铁锹是斜面的一种。在第 24 页，我们还会学到更多。

用螺丝钉连接框架

现在，木板已经被锯成了合适的长度。小莫，该把这些木板固定到一起了。

太棒啦！
我们该怎么做呢？

大家会用到一种叫作螺丝钉的简单机械工具。螺丝钉是一种带螺旋脊或螺旋槽的零件，也是斜面的一种应用。

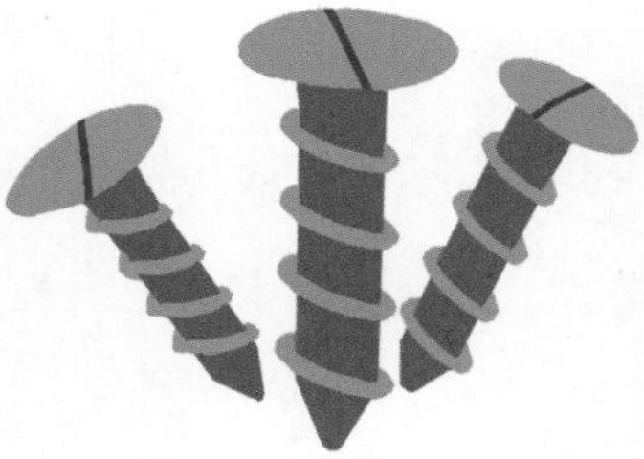
螺旋脊

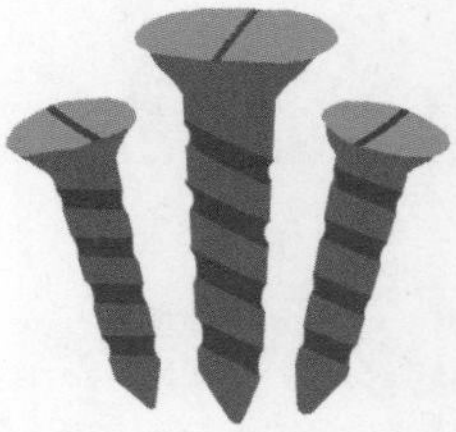
螺旋槽

下面我们要用到带螺旋槽的钻头。

我可以钻孔吗？

抱歉，小莫，这是大人们的工作。

钻头会利用旋转摩擦产生的向外的拉力把木屑拉出来，在木板上留下一个洞。

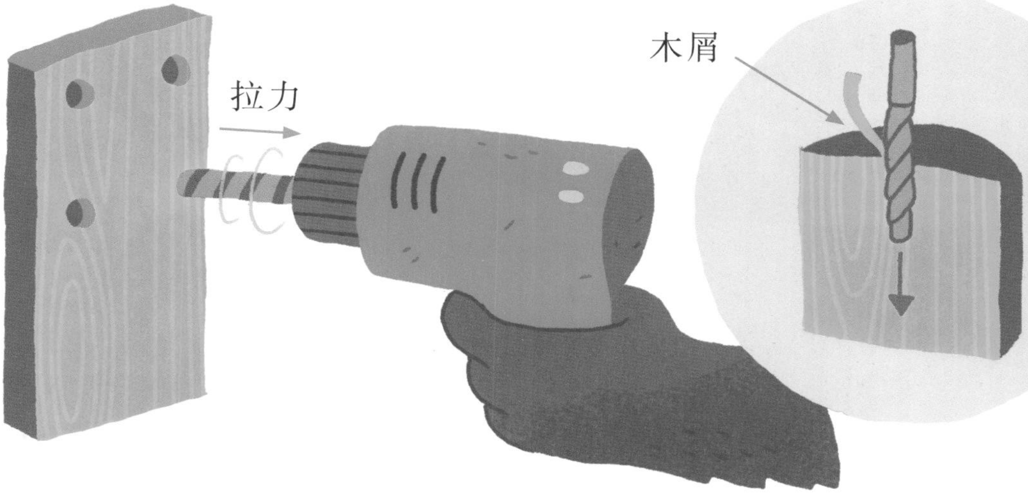

现在轮到你们干活了，小莫。你和艾米要用螺丝钉把这些木材连接到一起。

螺丝钉和支架成功固定到一起了

干得不错，小莫和艾米！现在，咱们来做一个小测验吧，看看你们记住了哪些关于螺丝钉的知识。

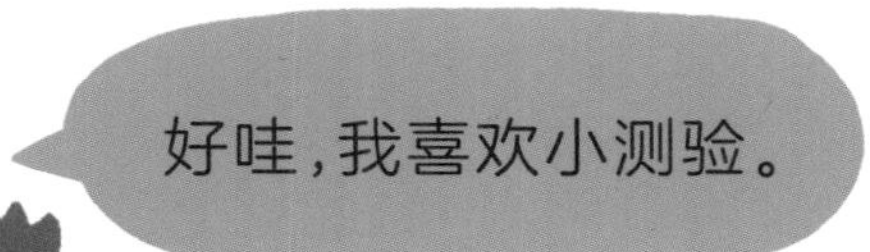

螺丝钉属于哪一种简单机械？

A. 轮轴　B. 杠杆　C. 斜面

翻到第32页，看看你是不是做对了。

莉莉骑自行车

下一项工作是把俱乐部的屋顶钉上去。可是，大家找不到钉子了！

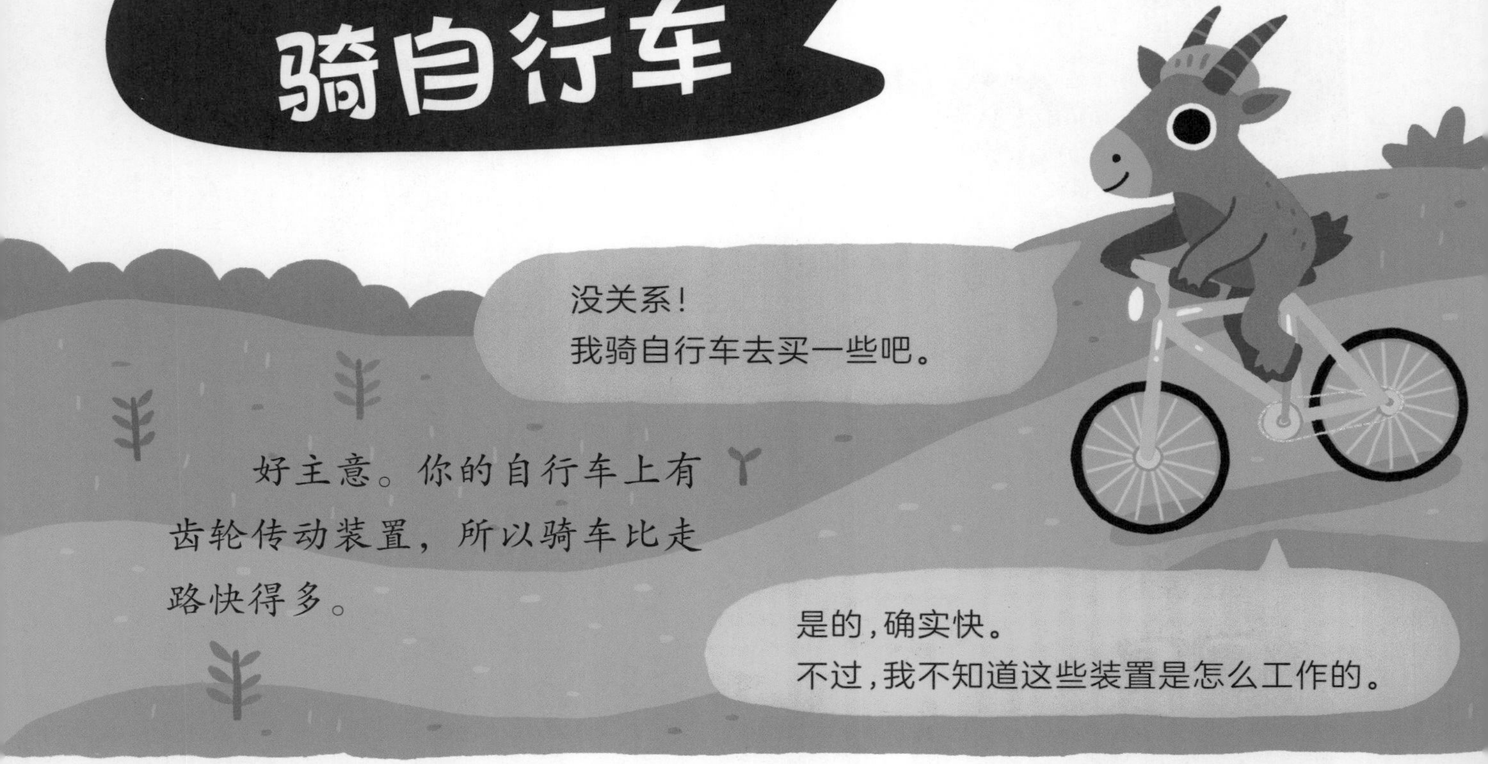

没关系！
我骑自行车去买一些吧。
是的，确实快。
不过，我不知道这些装置是怎么工作的。

好主意。你的自行车上有齿轮传动装置，所以骑车比走路快得多。

没关系。你骑车去商店，再骑回来，这可是一个发现答案的好机会哟！

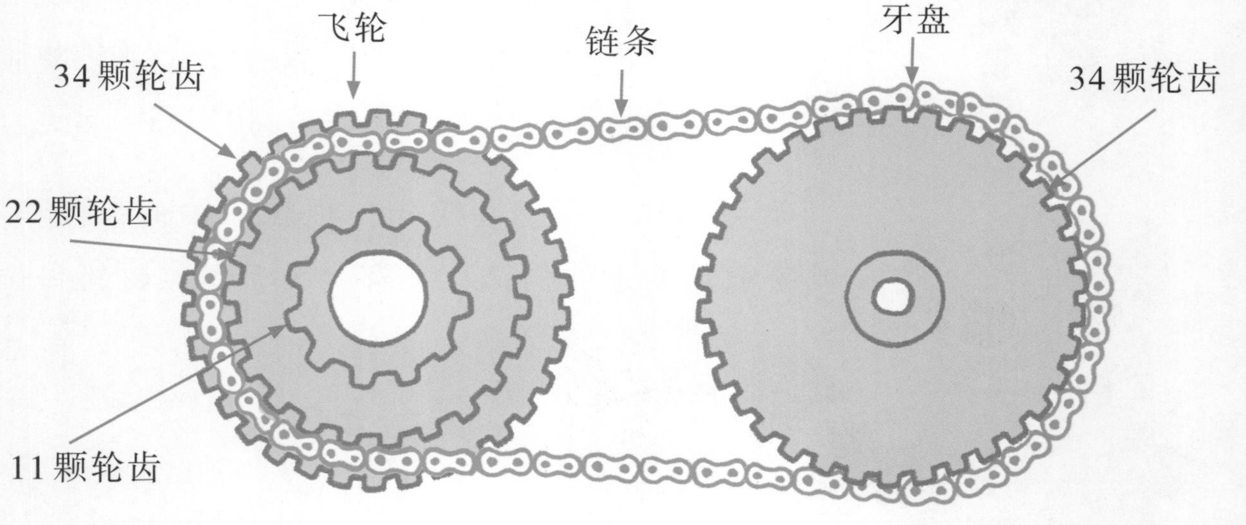

不同大小的飞轮，适用于不同的骑行速度和路况。飞轮越小，档位越高，骑行速度越快，脚踩的力度也需要更大。

在平坦的路面上，莉莉挂上了中档位，飞快地骑了过去。

挂上中档位的自行车

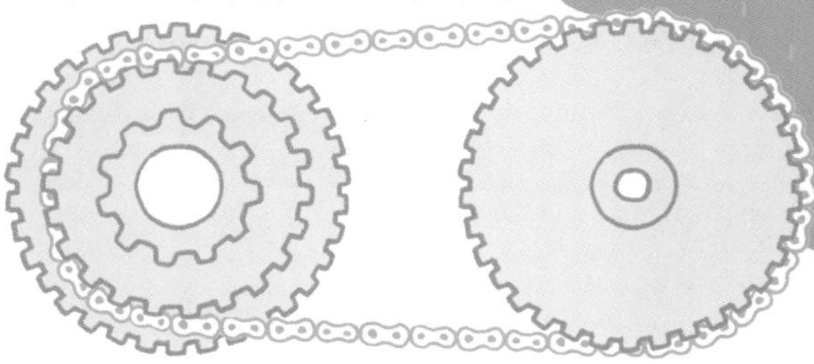

22颗轮齿　　34颗轮齿

不过，开始上坡了。莉莉，你得换个档位啦！把链条换到最大的飞轮上。

省力的低档位

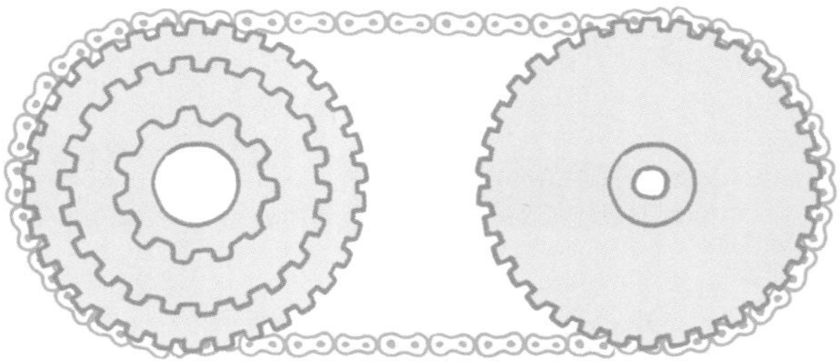

34颗轮齿　　34颗轮齿

你说得对，这样确实轻松了！可是，速度不快呀……
呼哧！
呼哧！

那么下山时，你需要用哪一个飞轮呢？

嗖——
用最小的飞轮呗！哟——哈！

费力的高档位

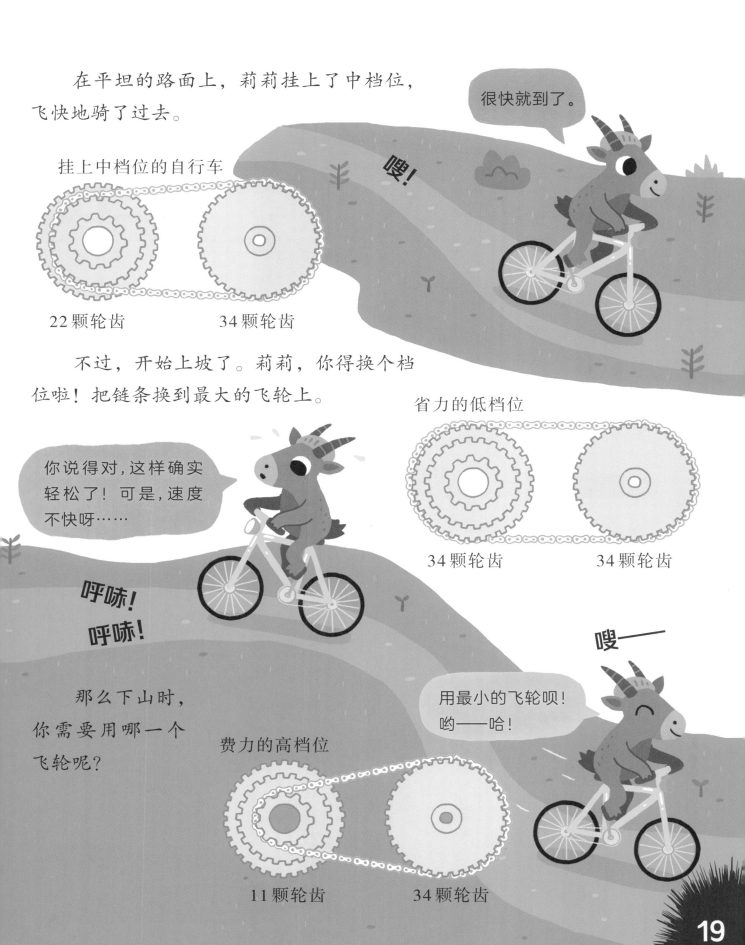

11颗轮齿　　34颗轮齿

木板和滑轮

拉瑞来做俱乐部的屋顶。

他喜欢攀爬，飞快地爬上了梯子。

不过，木板可不会爬梯子。
我们该怎样把木板运上去呢？

小莫，咱们要用到一种叫作滑轮的简单机械啦！滑轮可以改变拉力的方向，让工作变得更容易些。

要是拉瑞爬到一棵树上，在树枝上绑一个滑轮，把木板运上去就容易些了。

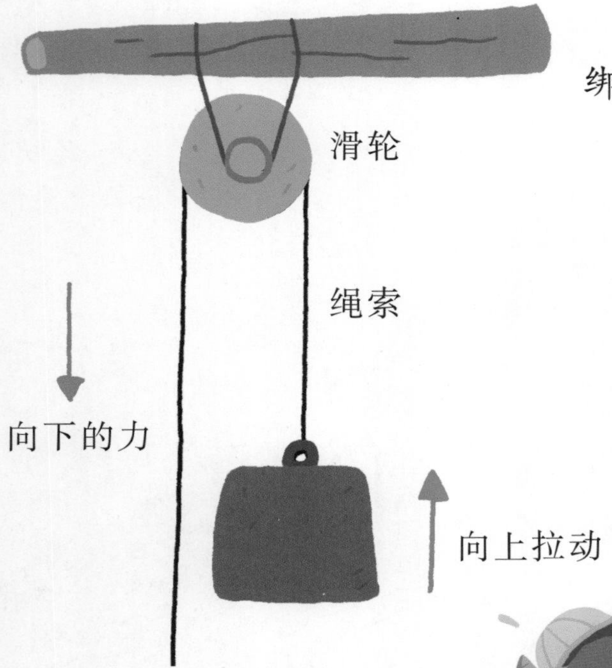
滑轮
绳索
向下的力
向上拉动

尽管如此，这仍然是个
挺费劲的活……

移动重物的时候，使用好几个滑轮组成滑轮组会让你更省力些。（不过，绳子也必须拉得更远些。）现在，我们需要再加一个滑轮！

两个滑轮
绳子也拉远了一些
这样，难度降低了很多呢！
省了不少力
同样的重物

小莫，你还记得滑轮是怎么工作的吗？

滑轮是……啊，不好了！
扑通！
哎呀！

用上好几个滑轮，到底会让拉重物这件事变得更容易，还是更难呢？会让你更费力，还是更省力呢？

翻到第 32 页看看你是不是答对了。

不同种类的杠杆

现在，拉瑞要把做屋顶的木板钉到合适的位置上。完成这一步，俱乐部就成形啦！

拉瑞打算用钉子把做屋顶的木板固定到框架上。

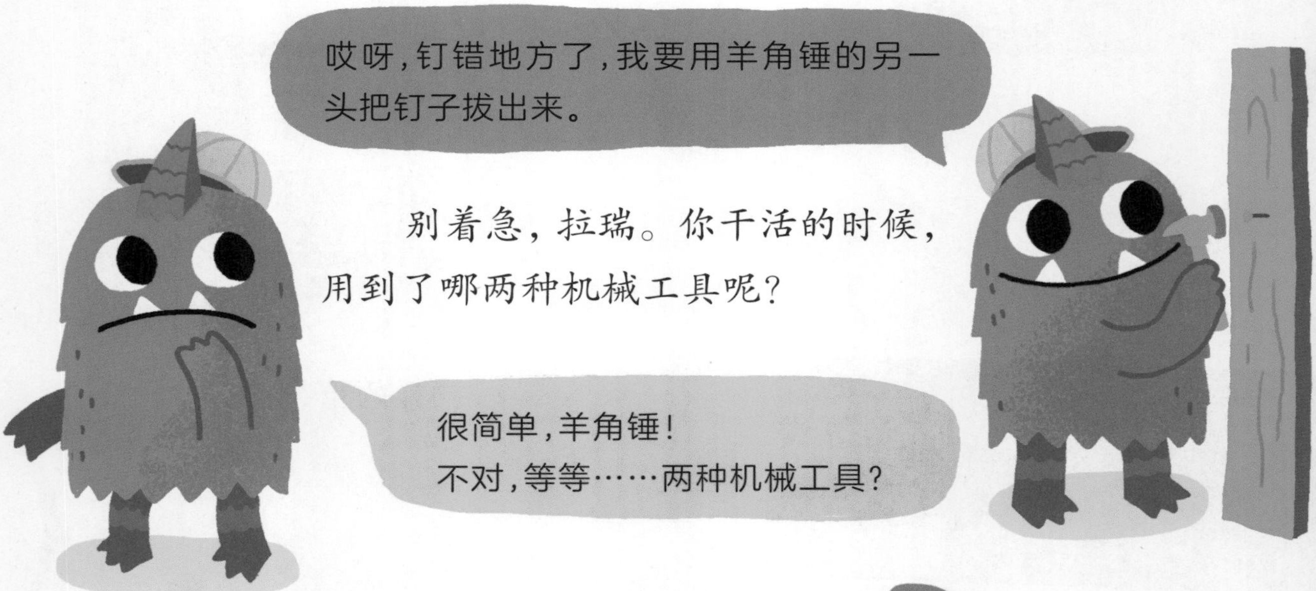

哎呀，钉错地方了，我要用羊角锤的另一头把钉子拔出来。
别着急，拉瑞。你干活的时候，用到了哪两种机械工具呢？
很简单，羊角锤！
不对，等等……两种机械工具？

对呀。羊角锤算是一种，这个你说对了。不过，钉子也是一种机械工具呀。

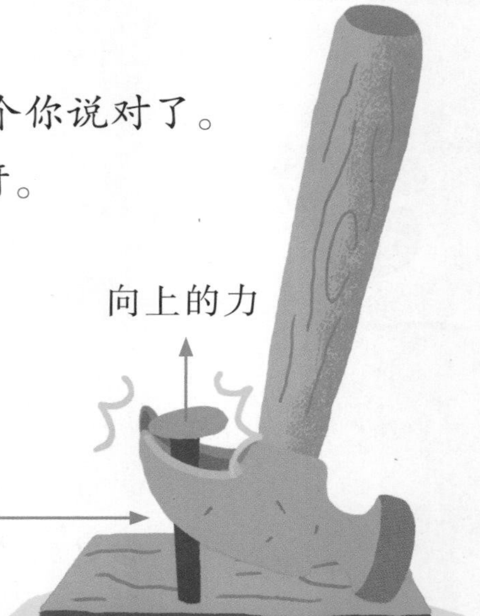

拔钉子时，拉瑞的羊角锤是一个杠杆装置。杠杆一共有三种：

省力杠杆

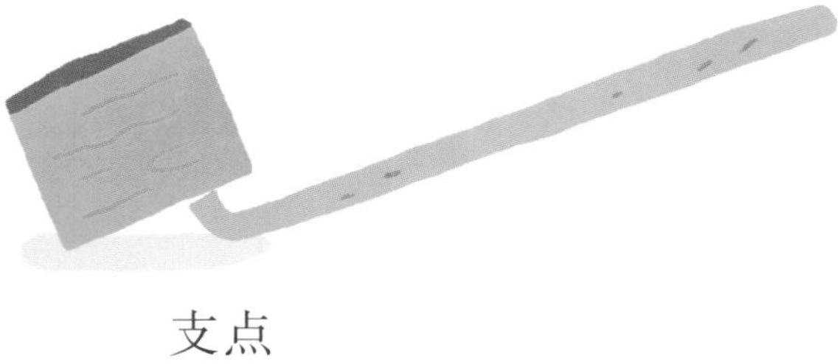

等臂杠杆

费力杠杆

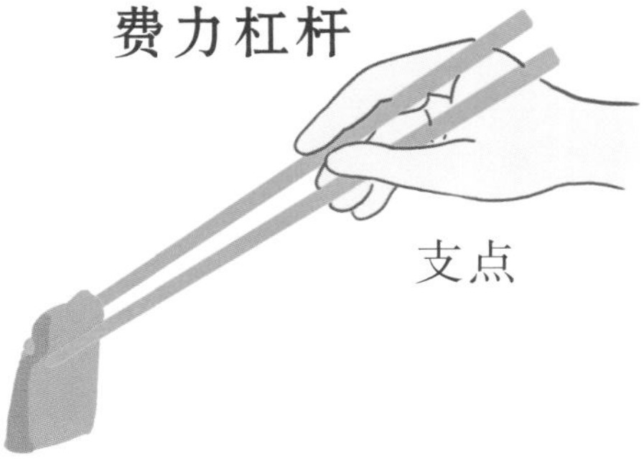

你用羊角锤拔钉子用到了哪种杠杆呢，拉瑞？

拉瑞在干活，你能帮他回答一下吗？

翻到第 32 页，看看你是不是答对了。

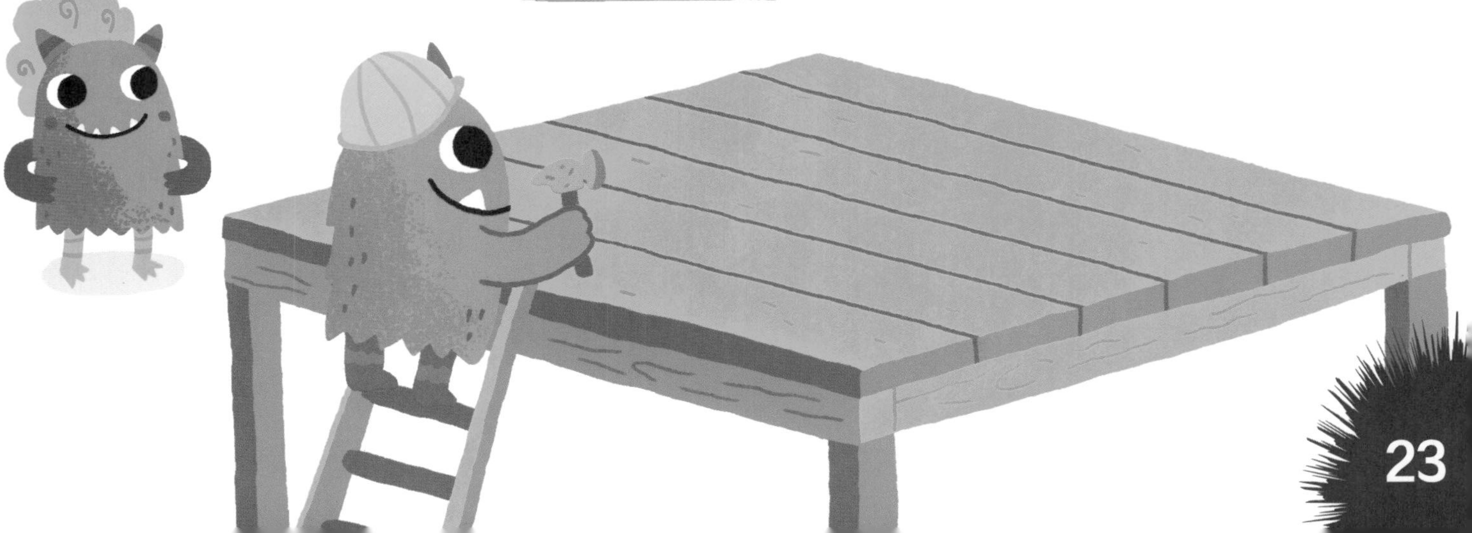

救援拉瑞

拉瑞正在把固定屋顶的最后一根钉子敲进去。这时，意外发生了。锤子敲到了拉瑞的大拇指上。

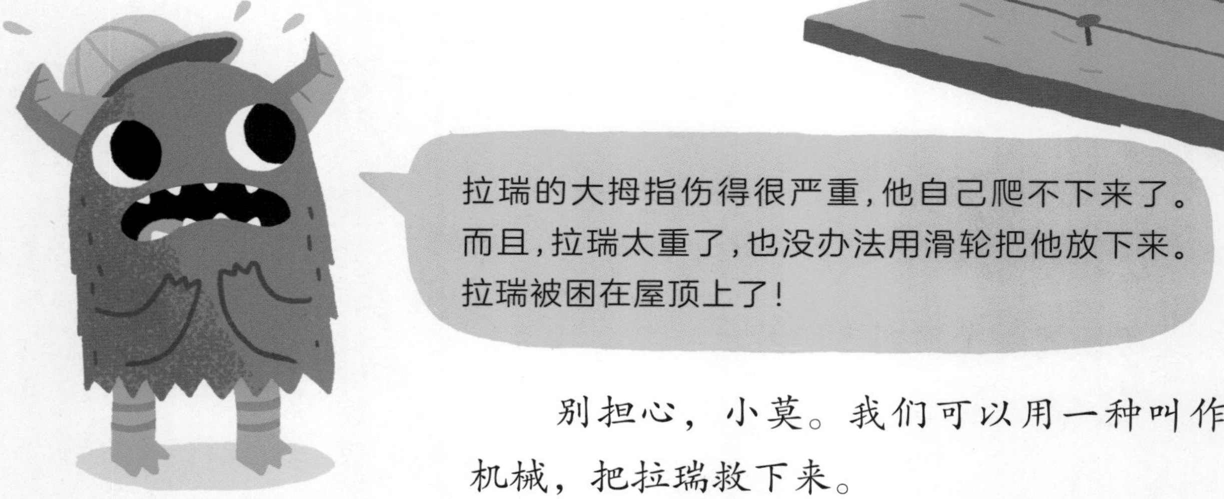

拉瑞的大拇指伤得很严重,他自己爬不下来了。
而且,拉瑞太重了,也没办法用滑轮把他放下来。
拉瑞被困在屋顶上了!

别担心，小莫。我们可以用一种叫作斜面的机械，把拉瑞救下来。

斜面就是一种斜坡。它会改变移动重物所需要的力的大小。不过，就像第 21 页上的滑轮一样，如果想省力，重物移动的距离就得远一点。

把独轮车推上斜面比较容易。但是，要把这些重物举起来，可就难多了。

小莫，你觉得比起把拉瑞直接放下来，要是把他从斜面上运下来，需要的力会更多还是更少呢？

更少吧。
拉瑞，我们来了！

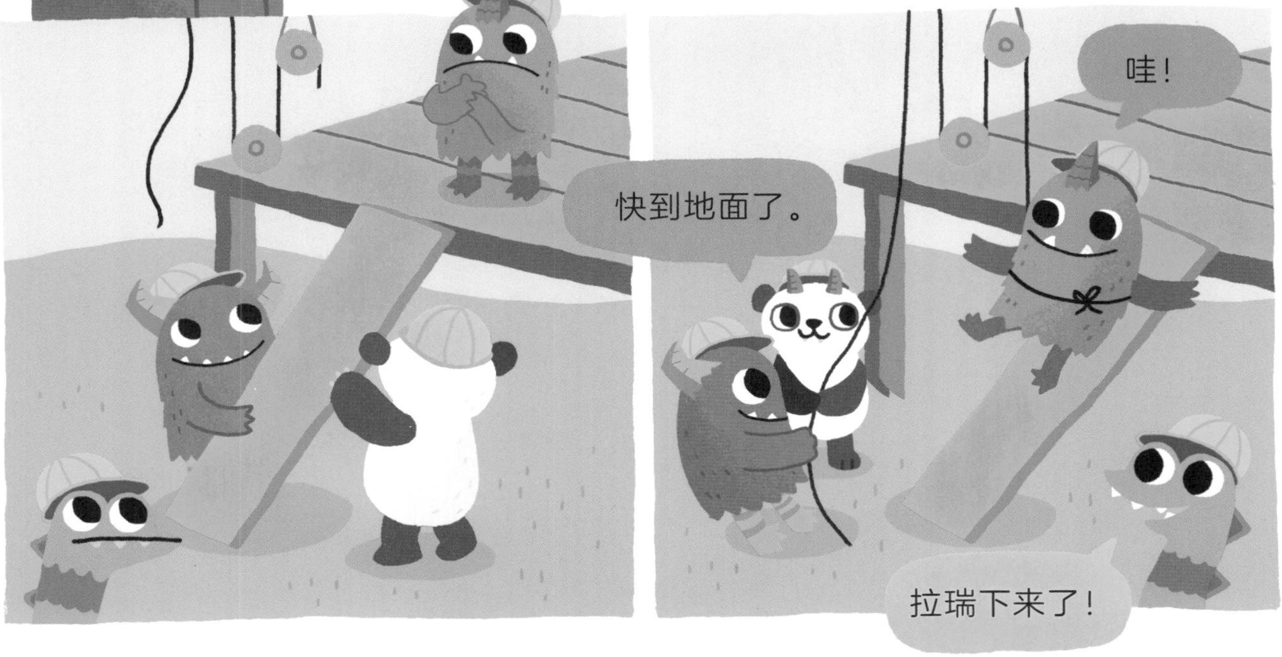

快到地面了。
哇！
拉瑞下来了！

小伙伴们把一块宽木板斜靠到屋顶上。　然后，把拉瑞安全地运了下来。

干得好！拉瑞要去打石膏了。趁着这个时间，大家想想，我们还见过别的斜面吗？

门挡。
滑板坡道！
自动扶梯？
游乐场滑梯。
山坡算吗？

都算，回答得很好。这些都是斜面。

墙壁和窗户

建造俱乐部的最后一项工作是装上帆布墙。

太好啦，已经有一位大人用剪刀把帆布裁成了合适的尺寸。小莫，剪刀属于哪种机械呢？

我觉得，剪刀可以算是杠杆吧。嗯——是两个杠杆，不过，只有一个支点。

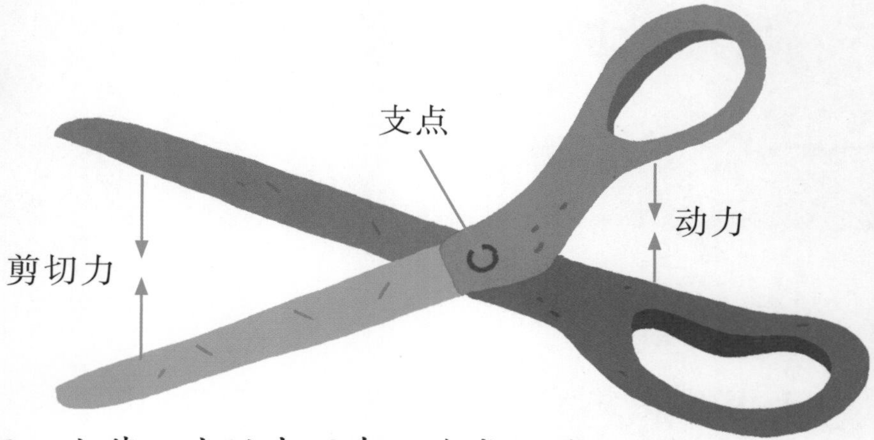

支点
动力
剪切力

回答得很好，小莫。生活中还有一些类似的工具，你能想到吗？

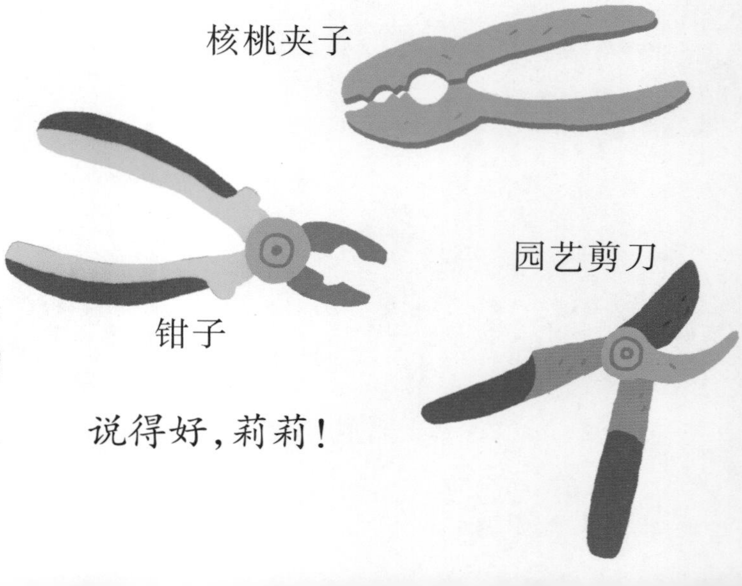

说得好，莉莉！

要把帆布固定起来做成墙，首先要在帆布的上下两端裹上长长的、平整的木条，然后把其中一根木条用螺丝钉固定到框架的顶部。现在，俱乐部看起来很像样了！

看起来棒极了！
里面会不会有点暗呢？
我们可以用滑轮把帆布墙吊起来！
有可能……

透明塑料
或者，我们可以在帆布上加几个窗户？

艾米的想法可能更好哟，小莫。

你们发现了吗？用上滑轮、杠杆、斜面、轮轴等简单机械，许多活干起来都简单多了。

小怪兽棉花糖

俱乐部建好啦！今天晚上小伙伴们就要举行一个聚会。家长们主动来帮他们准备篝火。

首先，烧火的原木会用独轮车运过来。

然后，需要把原木砍成小木块。

小伙伴们决定，要用火烤一些棉花糖吃。拉瑞用剪刀把棉花糖的包装剪开。

每个小伙伴都需要把自己的棉花糖插到一根小木棍上。

一开始，莉莉的棉花糖插不上去。一位大人帮大家把小木棍削尖了。

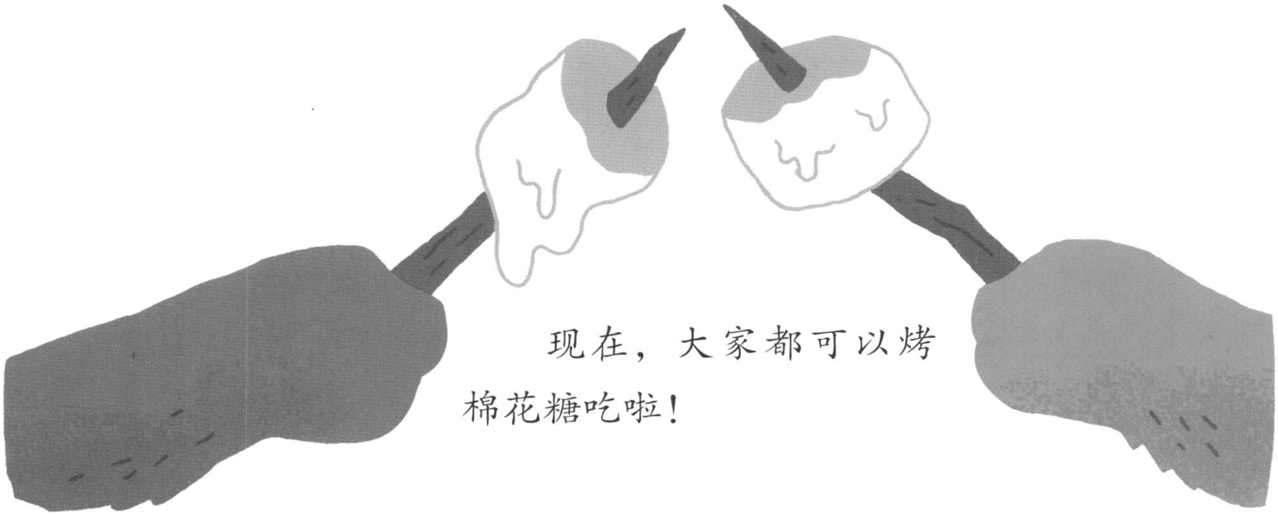

现在，大家都可以烤棉花糖吃啦！

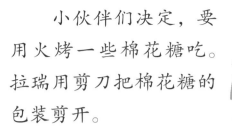

俱乐部建成可真不容易呀！
不过，想想看，要是没有机械的话，还要难得多……
呼噜！
呼噜！
呼噜！
没错。我们真的建成了一个俱乐部！

小莫和他的小伙伴们都使用过哪些简单机械，你能全部列出来吗？

词汇表

材料
在建筑工程中，材料就是建成一座建筑物所需的东西。

简单机械
人运用力的最基本的机械装置，包括杠杆、斜面、滑轮和轮轴等。

力
物体之间的相互作用，可以改变物体的形状、运动方向、运动速度等。

支架
在本书中指一种五金件，可以把两个物体连接到一起。支架两边分别用螺丝钉固定到一个物体上。

撬棍
一条长而结实的金属棍，用来撬起或移动重物。

重物
在杠杆结构中，重物是杠杆抬起或移走的东西。

动力
在杠杆结构中，动力是施加到杠杆上，让它动起来的力。

支点
杠杆上起支撑作用，绕着转动的固定点。

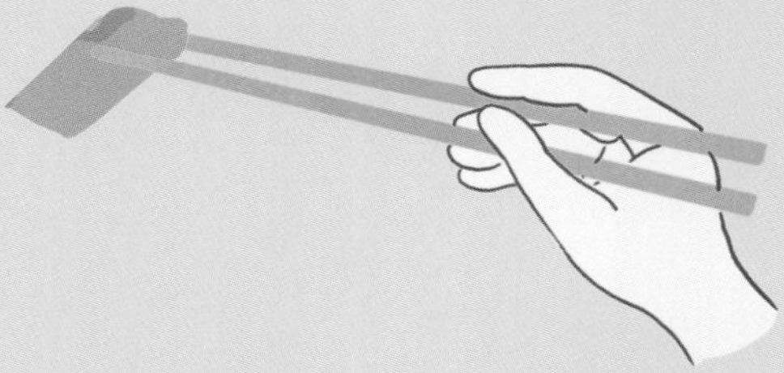

电动圆锯

锯片可以靠电力一圈圈转动，而不是靠人力前后拉动的锯。

螺旋

像螺蛳壳纹理的曲线形，比如螺丝钉外侧一圈一圈的螺旋形凸起（或凹陷）。

参考答案

第13页
A.跷跷板 B.船桨 D.剪刀

第17页
C.斜面

第21页
滑轮可以改变力的方向。使用好几个滑轮，会让拉重物这件事变得更容易，更省力。不过，用的力越小，需要的绳子就越长。

第23页
省力杠杆

第29页
独轮车是一个杠杆装置，还包括一套轮轴。
斧头是一种斜面装置。
小莫的剪刀是一种杠杆装置。同时也用到了斜面原理，来剪开包装。
削尖的棍子也是斜面装置。

小怪兽爱科学

神奇的材料

[英]保罗 · 梅森/著　[英]迈克尔 · 巴克斯顿/绘　唐　男/译

天津出版传媒集团
新蕾出版社

图书在版编目 (CIP) 数据
神奇的材料 / (英) 保罗・梅森著 ; (英) 迈克尔・巴克斯顿绘 ; 唐男译 . -- 天津 : 新蕾出版社, 2024.
9. -- (小怪兽爱科学). -- ISBN 978-7-5307-7778-7
Ⅰ. TB3-49
中国国家版本馆 CIP 数据核字第 2024GW2267 号

Learn Science with Mo: Materials
Text by Paul Mason
Illustrations by Michael Buxton
First published in Great Britain in 2024 by Hodder and Stoughton

Published by arrangement with Hodder and Stoughton Ltd through CA-LINK International LLC.

津图登字：02-2022-202

书　　名：神奇的材料　SHENQI DE CAILIAO
出版发行：天津出版传媒集团
　　　　　新蕾出版社
http://www.newbuds.com.cn
地　　址：天津市和平区西康路 35 号（300051）
出 版 人：马玉秀
版权引进：毕之莹　吕　玥
责任编辑：张　菁
美术编辑：白晓燕
责任印制：朱　琳
电　　话：总编办（022）23332422
　　　　　发行部（022）23332351　23332677
传　　真：（022）23332422
经　　销：全国新华书店
印　　刷：河北赛文印刷有限公司
开　　本：889mm×1194mm　1/16
字　　数：26 千字
印　　张：2
版　　次：2024 年 9 月第 1 版　2024 年 9 月第 1 次印刷
定　　价：16.50 元

目录

小莫今天真倒霉

小莫今天真倒霉。几乎所有的事情都不对劲。跟我们说说吧，小莫。

说真的，这算是我有生以来最倒霉的一天了。
首先，我的新枕头太硬了，硌得我睡不着。

……一百万八千零二十二只羊……
头痛
硬硬的枕头

然后，我和弗兰基一起玩滑板。下坡的时候，我的滑板坏了。

啊！
哇！
咔嚓！
一个人滑够结实，但两个人就不行啦！

后来下雨了，我的外套又不防水。
不过还好，弗兰基的外套是防水的。
你没看天气预报吗？
啪，啪，啪！
当然没有啦……

我想和弗兰基、拉瑞一起踢足球，好让自己暖和点……
可球被风吹走了。
球落下来的时候，又被一辆汽车轧扁了。
真的很轻
砰！
只剩一层薄薄的皮了

小莫，你的问题出在你不了解这些物品的材料上。用途不同的物品需要使用不同的材料。也许，这些倒霉事能帮你了解到这一点吧。

哇！我还没上过这么棒的课呢！

带着浓厚的兴趣去学习会更容易。所以，你和弗兰基去上帆船课吧，你们可以在课上学习一些关于材料的知识。

什么是材料？

这是个好问题。

上课之前，我们需要先了解“材料”到底是什么。

材料是用来制作东西的。比如，你的牙刷是用两种材料制成的：塑料把手和锦纶刷毛。

柔韧的、软软的刷毛能帮你清除牙齿上的脏东西。

硬硬的把手让你能够控制刷哪一颗牙。

要是这两种材料反过来用会怎么样呢？

把手弯来弯去的，真是一把糟糕的牙刷。
咔嚓！

看起来差不多的物品，也未必是用相同的材料做成的。小莫，看看你和弗兰基能不能弄清楚一个问题：为什么这些看起来差不多的物品会使用不同的材料呢？

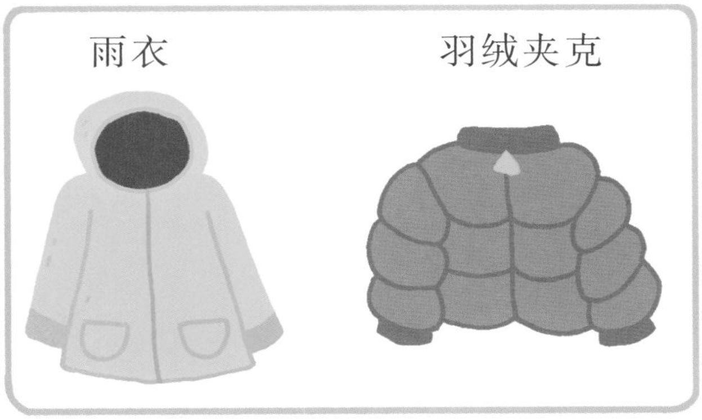

雨衣
羽绒夹克

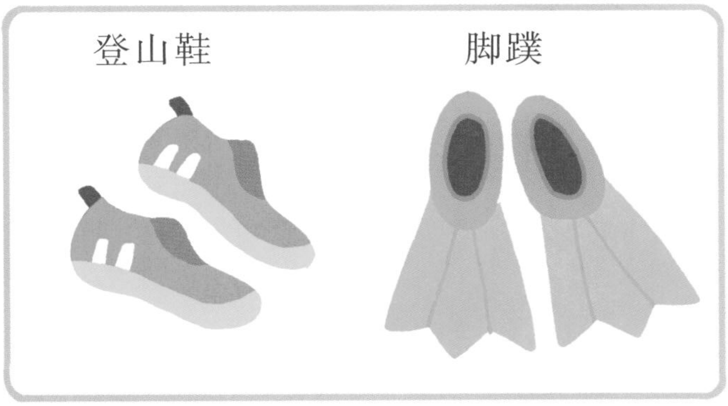

登山鞋
脚蹼

手提包
购物袋

一件衣服是防水的，另一件是保暖的。
登山鞋必须有抓地力（防滑），脚蹼必须柔韧，而且防水。
大多数情况下，手提包的样子必须漂亮。但购物袋呢，得足够结实才行，而且它既要可以装买来的东西，又要方便折叠，好放在衣服口袋里。

小莫、弗兰基，你们回答得非常好！很棒！

材料的特性

我们用来描述各种材料的词通常和它们的特性有关。也就是说，关注这些材料能为我们做什么。

小莫，你能把每种材料和它的特性用线连起来吗？

窗户　　　吸水

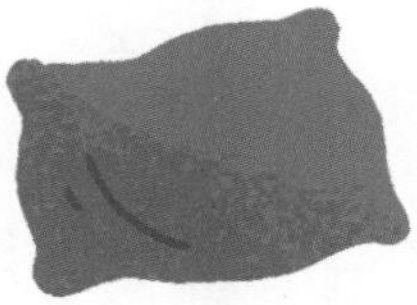
枕头　　　防水

弹弓　　　柔软

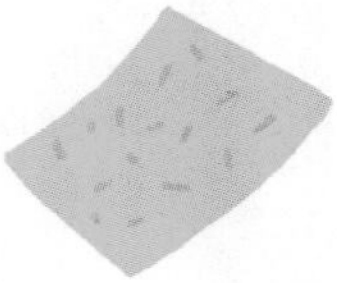
砂纸　　　有弹性

雨伞　　　粗糙

毛巾　　　透明

你能帮帮小莫吗？
答案在第 32 页。

要是一种物品可以用好多种材料来做，我们会根据具体需求选择最适合的一种。比如说，小莫，想想你经常用来喝水和饮料的容器：

纸杯

聚丙烯杯

塑料饮料瓶

陶瓷马克杯

这些容器中，哪些可以用来装热饮，哪些不能？

小莫觉得他知道答案。你知道吗？

到第 32 页找答案吧。

航海包

小莫和弗兰基收到了一份清单，上面列出了他们上帆船课需要带的东西。

我想知道这些东西都有什么用。

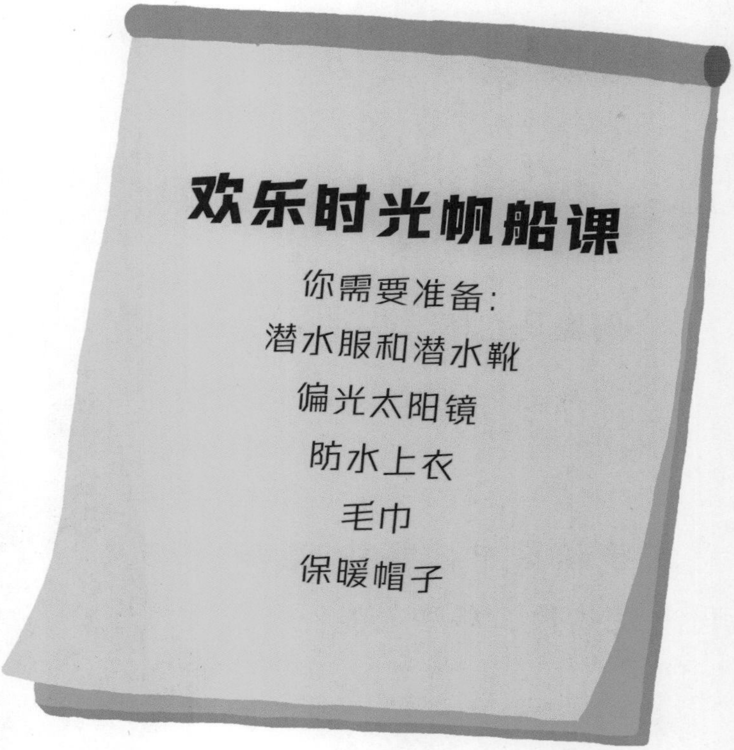
欢乐时光帆船课
你需要准备：
潜水服和潜水靴
偏光太阳镜
防水上衣
毛巾
保暖帽子

小莫，你和弗兰基都想想看，这些东西是用什么做的。这可能会帮助你们弄清它们的用途。

潜水服和潜水靴

制作材料:橡胶

功能:防水且保暖

偏光太阳镜

制作材料:透明树脂

功能:在不断变化的天气条件下保护眼睛

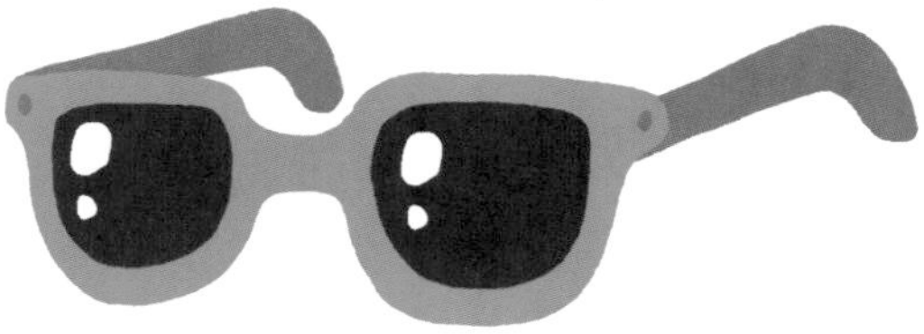

防水上衣

制作材料:防水锦纶

功能:保持干爽

毛巾

制作材料:棉花

功能:吸收液体

保暖帽子

制作材料:羊毛

功能:为头部保暖

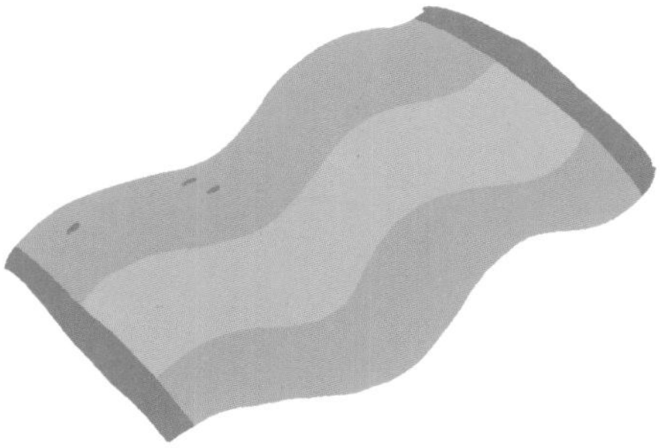

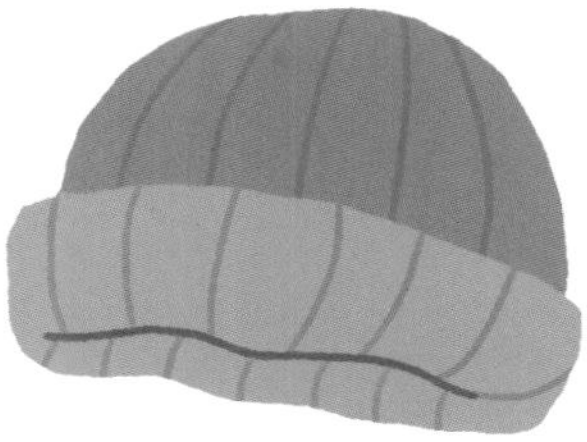

那么，小莫、弗兰基，通过这份清单，你们能猜到在帆船课上会遇到什么情况吗?

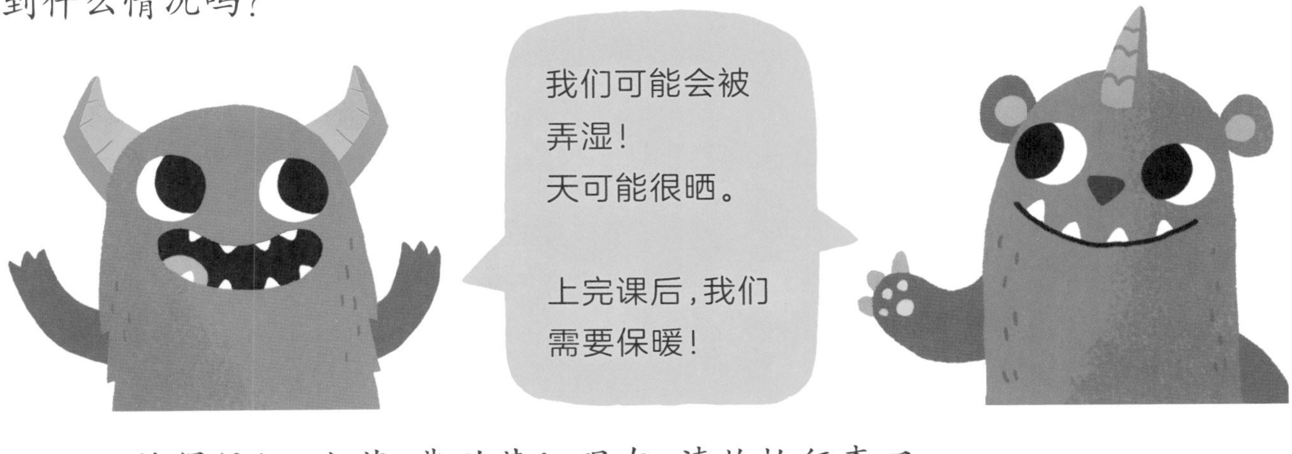

我们可能会被弄湿!
天可能很晒。
上完课后,我们需要保暖!

回答得很好,小莫、弗兰基!现在,请收拾行李吧。

穿好衣服
上帆船课啦！

小莫和弗兰基到了上帆船课的地方。他们还得准备些别的装备。

救生衣？说真的，小怪兽确实不太擅长游泳。
我想知道头盔有什么用。
救生衣
头盔

最后带上的这些都是安全装备。想想看，要是你不小心撞到了头，掉进了水里……

我可不想那样！

头盔可以防止你受伤，
救生衣则可以让你漂起来。

救生衣和头盔分别应该用哪种材料做呢？试着给这两种装备的三种特性打个分吧！0分表示“不需要”，1分表示“有用”，2分表示“必需”：

·防水　·漂浮　·弹性

我们想想看……

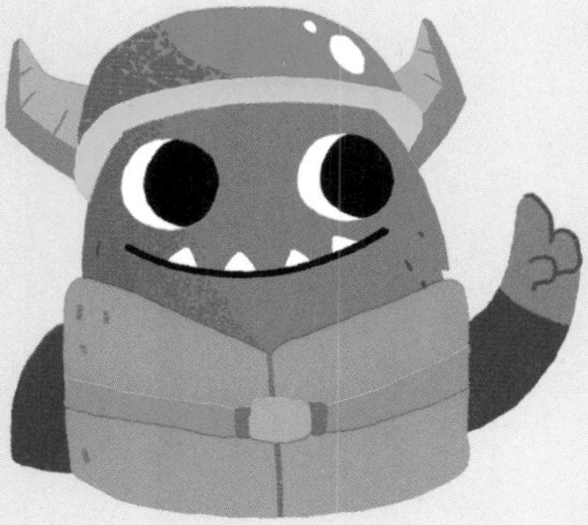

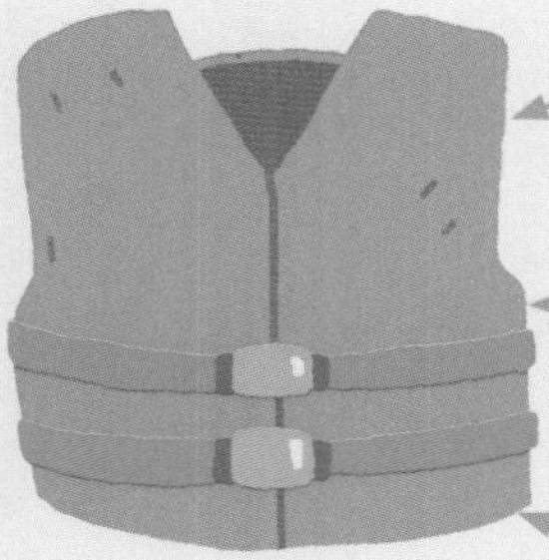

防水是必需的。防水2分。

一件漂不起来的救生衣一点用都没有。漂浮2分。

救生衣不一定要有弹性。弹性1分。

我来做头盔的题！

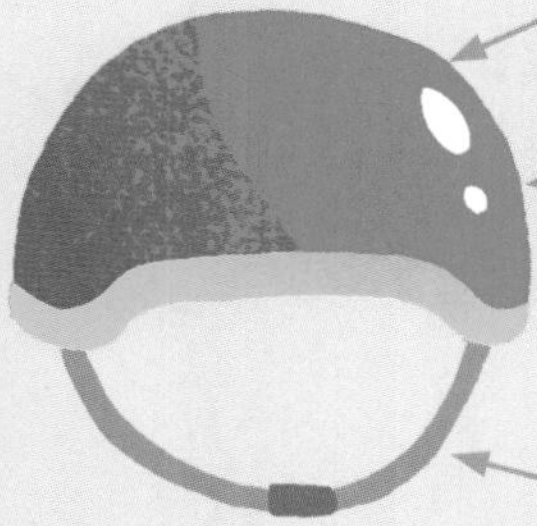

防水是必需的。防水2分。

头盔不一定非得能漂起来。漂浮1分。

有弹性的头盔可没法保护头部。弹性0分。

思考你需要的材料的特性，这能帮助你决定用哪种材料是最合适的。

皇家海军舰艇小怪兽号

小莫和弗兰基去码头看小帆船了，他们也会留意小帆船的制作材料。

因为他们两个都是小怪兽，所以，他们决定将小帆船命名为“皇家海军舰艇小怪兽号”。

小帆船的船身必须是防水的，否则小帆船就漂不起来了！它还必须坚硬、结实。

船身不防水的船

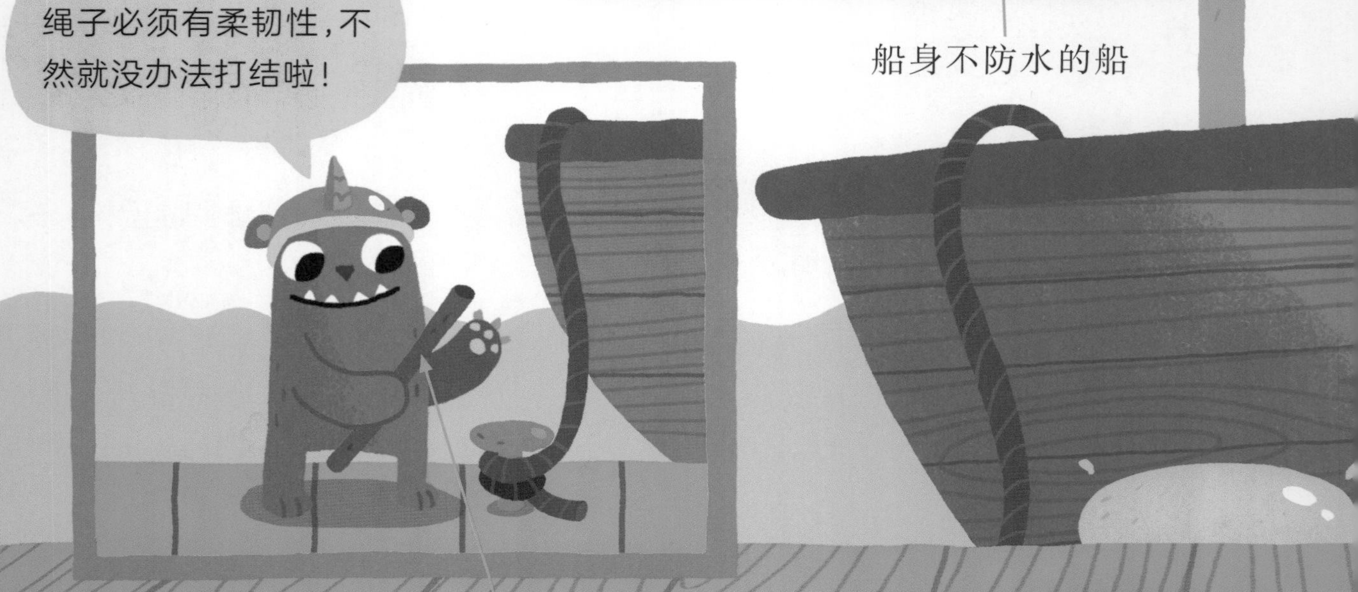

绳子必须有柔韧性，不然就没办法打结啦！

软管和绳子都又细又长，但软管不可以用来捆绑船只！

护舷可以防止船被撞坏。它们必须是柔软的。
咚!
不柔软的话,就不能抵挡撞击力啦!
我的脚湿了。
我的脚也湿了。
不防水的船罩会让小怪兽的脚湿漉漉的。
码头上的系船柱必须不容易弯曲,不然缆绳就会从上面滑落啦!那可就太烦人了。
容易弯曲的系船柱
绑啊,绑啊!

船罩必须能防止雨水灌入甲板里，所以应该由防水材料制成，而且要罩得严实！

这些想法真是太有意思了，小莫、弗兰基，干得不错！

水是什么做的？

就在他们登上皇家海军舰艇小怪兽号时，弗兰基出了点小意外，他的脚在船和码头的缝隙间踩空了。

幸运的是，弗兰基只是腿湿了点。

不过，就在这时，弗兰基提出了一个问题：

水是用什么做的？为什么我不能站在水上面呢？

这是两个问题呀，弗兰基。不过，这两个问题的答案是一样的。要了解水，你得先弄明白什么是液体。你能想到哪些液体呢？

嗯，水显然算液体。还有果汁……所有饮料都算。流动时的蜂蜜也算吧？嗯……岩浆算吗？

回答得真棒！尤其是岩浆，有人认为岩浆不是液体，因为它最后会变成岩石。不过，变成岩石的时候，它就不再是岩浆啦！

液体在某些方面跟固体挺像的，在某些方面又很不一样。

液体和固体的相像之处有：

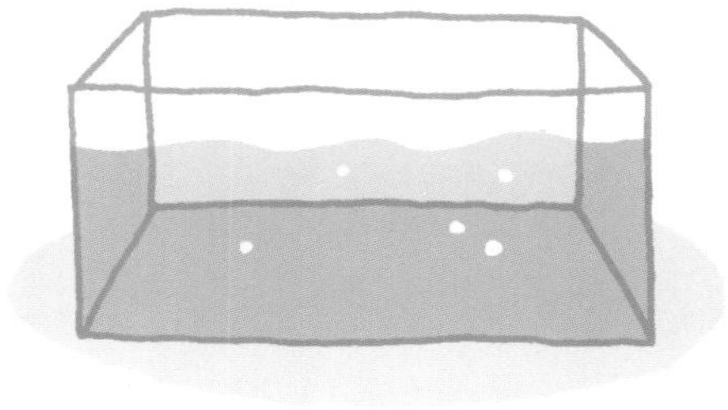

水（液体）

木头（固体）

它们通常都会占据一定的空间。

液体和固体又有显著的不同：液体可以改变形状，而固体是保持一种形状不变的。

水（液体）

木头（固体）

弗兰基，当你的脚接触水面的时候，水就会改变形状。所以，你的脚就被打湿啦！

把船拖出来吧！

教练要把皇家海军舰艇小怪兽号和帆船学校的其他船拖到水面上，排成一排。

船与船之间系着既结实又柔软的绳子。他们出发的时候，绳子会慢慢伸长，伸展到最长以后，绳子还能收缩回弯弯曲曲的样子。

我们似乎没动地方啊。
绳子接上了吗？
绳子完全伸展了。

摩托艇拉动绳子的时候，绳子就会改变形状，变长变直。

哇！
坚持住！
绳子停止伸展后，又会收缩起来。

像绳子一样，当力作用在某些材料上，其形状有时也会发生改变。

弗兰基、小莫，你们能想出来一些例子吗？

翻到第 32 页了解更多知识吧！

小莫站到滑板上的时候，滑板弯曲了。不过，等他一下来，滑板就又恢复了原来的形状。

这是因为滑板具有弹性。如果想描述一个物体具有能够恢复原来形状的性质，我们可以说这个物体是有弹性的。

罐头盒不能恢复到原来的形状，因为它没有弹性。

就像滑板能恢复到原来的形状一样，拉着皇家海军舰艇小怪兽号往前走的绳子也会恢复到原来的形状。它也是有弹性的。

风在航海中的作用

皇家海军舰艇小怪兽号一被拖出来，教练就解开了系在船上的绳子。船帆随风摇摆起来。于是，教练让弗兰基拉紧控制船帆的绳子。

弗兰基拉紧了绳子，帆就鼓满了风。船起航啦！弗兰基把绳子牢牢地固定在系索耳上，让帆保持不动。

系索耳

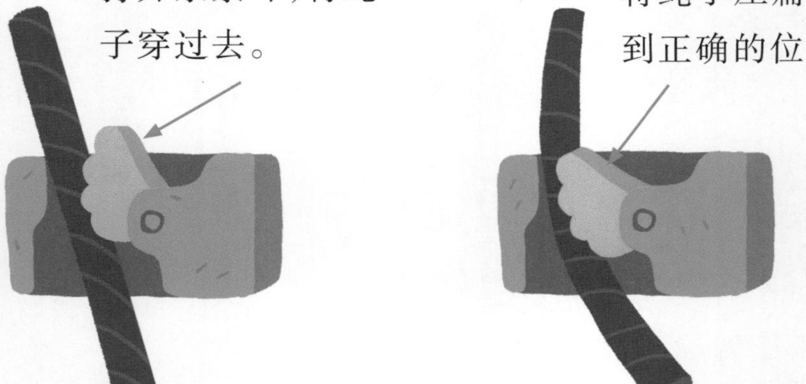
打开系索耳，将绳子穿过去。
关闭坚硬的系索耳，将绳子压扁，并固定到正确的位置。

绳子能拉住船帆，使其固定。

小莫驾驶着皇家海军舰艇小怪兽号穿过湖面，弗兰基松了口气。不过，好景不长，弗兰基抬头看的时候，发现船帆已经变了形。推动着帆前进的风已经把帆吹成弯曲的了。

然后，小莫注意到，金属桅杆也变弯曲了！

小莫、弗兰基，用来制作桅杆和帆的材料拥有一种非常重要的特性，你们知道是什么吗？

答对了。当风力减弱的时候，船帆和桅杆就会恢复正常了。

船翻了！

小莫和弗兰基正忙着看桅杆和帆，突然，又一阵大风吹了过来。

帆鼓满了风，桅杆弯曲着……

啊！这下咱们要成落汤鸡了！

他们还没反应过来，“哗啦”，皇家海军舰艇小怪兽号已经翻船了。

小莫，你们俩确实会成落汤鸡，不过不会感到冷，因为你们穿的都是潜水服。

确实，你真说对了。
为什么我不会感到冷呢？

你在水里不会感到冷，是因为你穿的潜水服是由一种叫作氯丁橡胶的材料制成的。

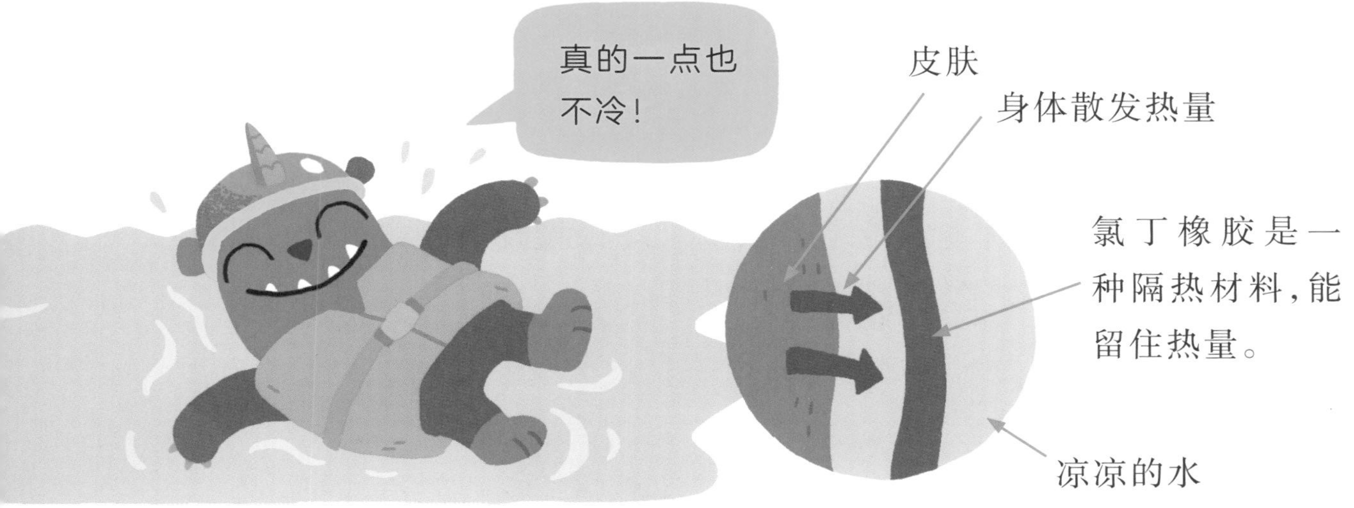

小莫，下面这些材质的衣服，还有可以当作潜水服的吗？

用来做潜水服的材料需要有很好的隔热性和防水性。

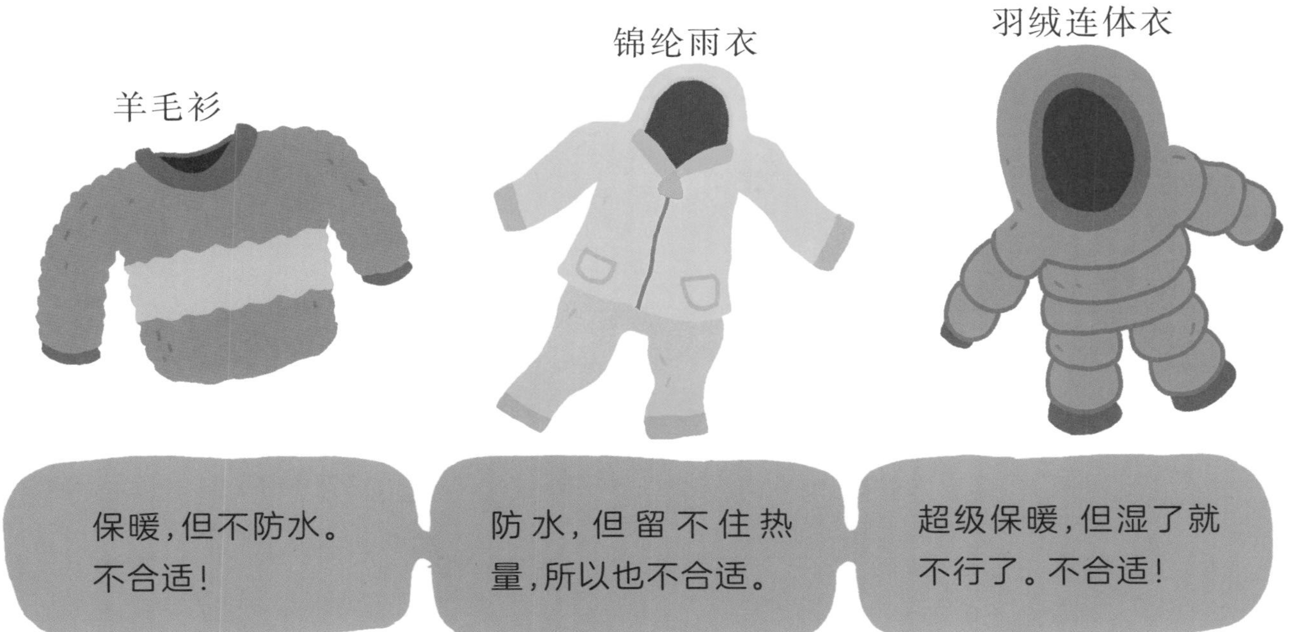

羊毛衫
锦纶雨衣
羽绒连体衣
保暖，但不防水。不合适！
防水，但留不住热量，所以也不合适。
超级保暖，但湿了就不行了。不合适！

你说得对，小莫，这些都不合适。

船帆上的窗口

虽然潜水服很暖和，但小莫和弗兰基还是要回到岸上的。幸运的是，他们学过怎样让皇家海军舰艇小怪兽号重新“站起来”。

小莫压在稳向板上，弗兰基拉起了连接桅杆顶部的绳子。

两个好朋友掉转航向，向码头驶去。船帆上有一个透明的塑料窗，能让他们看到要去的地方。

小莫、弗兰基，这里有各种各样的透明材料，你们能把这些材料和由它们制成的物品连起来吗？然后翻到第 32 页，看看你有没有做对。

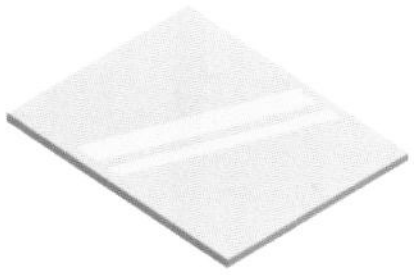
1. 玻璃

2. 透明塑料

3. 非常薄、有弹性和黏性的薄膜

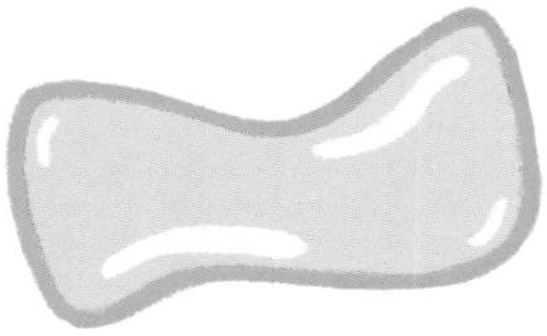
4. 结实的、外形像布的塑料

5. 有弹性的硅胶

a. 摩托车挡风板

b. 窗户

c. 船帆上的窗口

d. 仿真水母

e. 三明治包装

除了透明材料和不透明材料，还有第三类材料，叫作半透明材料。这种材料能允许部分光线透过，不过，你无法透过这种材料看清外面。

比如我浴室的窗户，还有某些一次性杯子，还有描图纸。

这些都是很好的例子，小莫！

开赛铃不响啦！

昨天剩下的时间和今天整个早上，小莫和弗兰基都在训练。现在，他们要去参加比赛了。

首先，他们将皇家海军舰艇小怪兽号从码头驶出，开到起点。大家都在等着开赛的铃声。

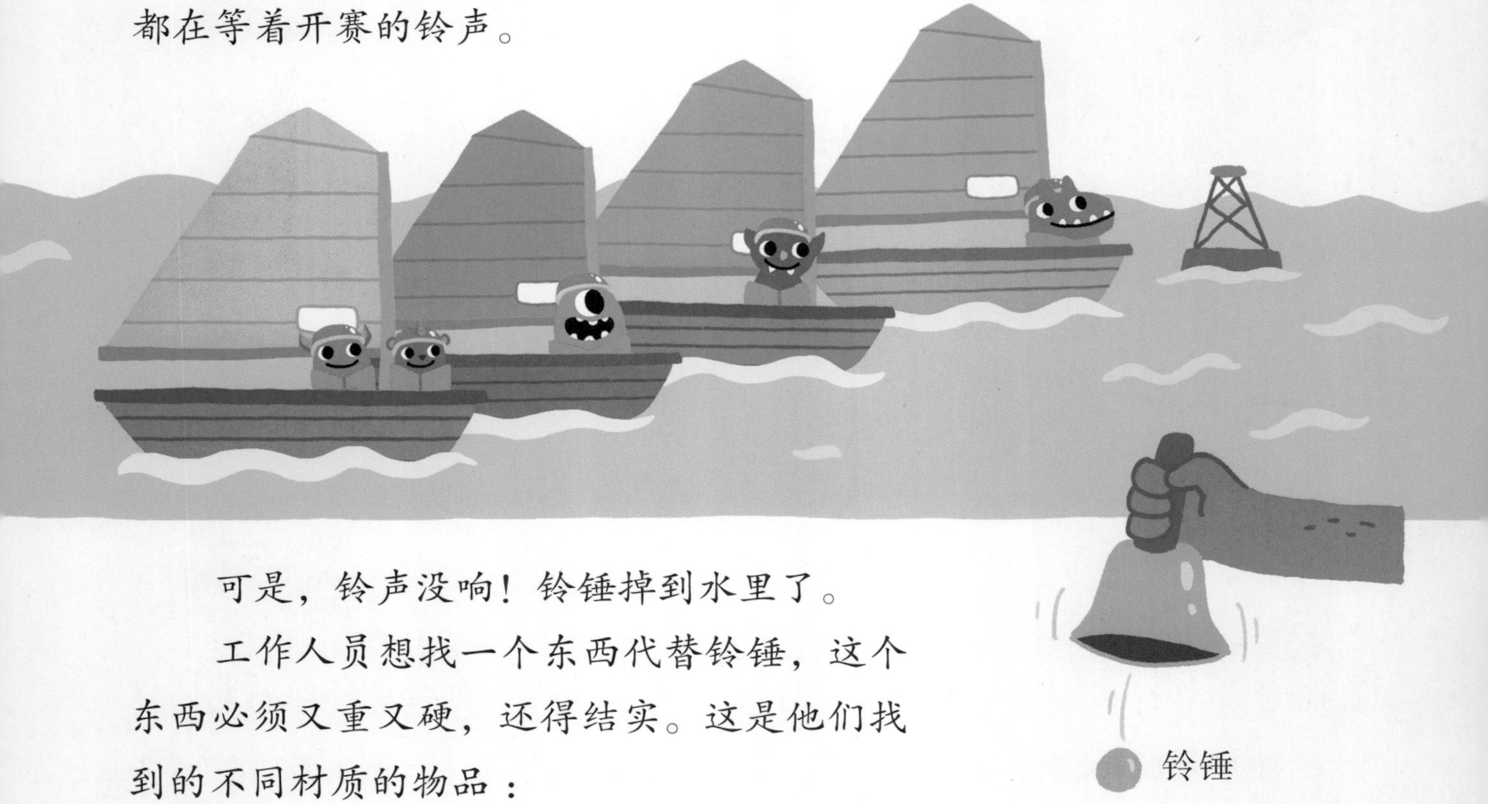

铃锤

可是，铃声没响！铃锤掉到水里了。

工作人员想找一个东西代替铃锤，这个东西必须又重又硬，还得结实。这是他们找到的不同材质的物品：

大块硬糖

戒指

鱼坠

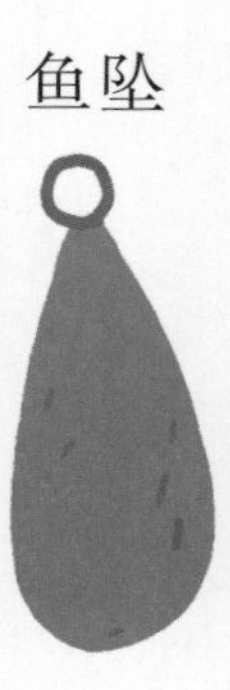

小莫、弗兰基，用哪种物品来代替铃锤最好呢？

大块硬糖是绝对不行的。糖还是不够结实。
碎掉了！

戒指倒是坚硬、结实，可是太轻了。敲出来的铃声没有人能听到！
丁零零……

叮当叮当！
鱼坠很硬，而且相当重，也很结实。

干得好，小莫、弗兰基！鱼坠确实可以，只有它具备我们所需的所有特性。

答案是鱼坠！
来吧，弗兰基，咱们出发！

叮当——
叮当——
叮当——

把鱼坠挂在铃铛里，比赛就可以开始了！

小莫的冰激凌化了

小莫和弗兰基参加了帆船比赛，度过了一个美好的上午。

他们比赛了三场——还赢了一场呢！

为了庆祝，参加帆船课的每位学员都获得了一大份冰激凌——有三个球呢！小莫选了草莓、焦糖和薄荷口味。

小莫太兴奋了，不停地跟大家讲他们赢了比赛的光辉时刻。

……就这样，我们一开始就一路领先……

冰激凌融化了，他没有注意到。

……弗兰基驾驶帆船的技术棒极了……

一半都化没了。

还是没有注意到！

滴答！滴答！

啪嗒！

……我们第一个驾船冲过了终点线！
现在，该吃冰激凌了……咦？
掉地上了！
太晚了，小莫！

某些物质也可以从固体变成液体。小莫、弗兰基，你们知道以下这些物质为什么能从固体变成液体，或者从液体变成固体吗？

冰川 → 海洋

液态铝 → 滑板车车轮的转轴

雪 → 水

蜡烛 → 蜡油

是温度！它们受温度变化影响，就像我的冰激凌……

没错，温度是物质状态发生变化的一个原因。举个例子吧，用会融化的东西做遮阳伞就是个很糟糕的想法。

蜡纸受热时会变软并下垂。
尼龙布不会下垂。

词汇表

材料
可以直接制作成成品的东西。

锦纶
人类制造的一种合成纤维，可以制成坚硬的或柔韧的物品。

偏光太阳镜
镜片用一种透明材料制成，能阻挡强烈的太阳光，保护佩戴者的眼睛。

吸收
把某些东西吸到内部，比如说，毛巾吸收水分。

液体
有一定的体积、没有一定的形状、可以流动的物质。

小帆船
一种带帆的小船，通常没有任何形式的船舱或顶篷。

固体
有一定体积和一定形状，质地比较坚硬的物体。

系索耳
专门用来系绳子的金属或木头。

坚硬
结实且难以弯曲。

翻船
船翻在水里，正面朝下漂浮着。

隔热材料
能够留住热量的材料。

稳向板
一块由木头、塑料或金属制成的薄板，从小船的底部伸入水中，能帮助小船在驾驶的过程中保持平稳的状态。

半透明
允许部分光线透过，并非完全透明的一种特质。

铃锤
铃铛的一个小部件，通过撞击铃铛内壁发出声音。

参考答案

第8页

枕头最好很柔软——不要像我的新枕头那么硬！

窗户一般是透明的，弹弓的皮筋要有弹性，砂纸需要粗糙，雨伞得防水，毛巾要能吸水。

第9页

聚丙烯杯和陶瓷马克杯适合盛放热饮。纸杯保温效果不好，塑料饮料瓶盛放热饮容易变形。

第19页

小莫的滑板有弹性，可以自行恢复成原来的形状。罐头盒没有弹性，它的形状会改变。如果后续没有外力，它就只能保持这个形状了。

第25页

1/b、2/a、3/e、4/c、5/d

小怪兽爱科学

有趣的植物

[英]保罗·梅森/著　[英]迈克尔·巴克斯顿/绘　唐　男/译

天津出版传媒集团
新蕾出版社

图书在版编目 (CIP) 数据
有趣的植物 / (英) 保罗·梅森著 ; (英) 迈克尔·巴克斯顿绘 ; 唐男译 . -- 天津 : 新蕾出版社, 2024. 9. -- (小怪兽爱科学). -- ISBN 978-7-5307-7785-5
Ⅰ. Q94-49
中国国家版本馆 CIP 数据核字第 2024PB4372 号

Learn Science with Mo: Plants
Text by Paul Mason
Illustrations by Michael Buxton
First published in Great Britain in 2024 by Hodder and Stoughton

津图登字：02-2022-203

书　　名：有趣的植物　YOUQU DE ZHIWU
出版发行：天津出版传媒集团
新蕾出版社
http://www.newbuds.com.cn
地　　址：天津市和平区西康路 35 号（300051）
出 版 人：马玉秀
版权引进：毕之莹　吕　玥
责任编辑：张　菁
美术编辑：白晓燕
责任印制：朱　琳
电　　话：总编办（022）23332422
发行部（022）23332351　23332677
传　　真：（022）23332422
经　　销：全国新华书店
印　　刷：河北赛文印刷有限公司
开　　本：889mm × 1194mm　1/16
字　　数：26 千字
印　　张：2
版　　次：2024 年 9 月第 1 版　2024 年 9 月第 1 次印刷
定　　价：16.50 元

目录

小莫闯祸啦

小莫、米莉和杰克在打垒球。小莫挥棒打到了球，感觉好极了。不过……

看球！
球飞得也太远啦！
哐当！
不好啦！

我闯祸了。

为什么不在这个周末去帮温室的主人干点活呢，小莫？砸坏了人家的温室，干活可是一个弥补错误的好办法哟！

康妮的花草树木

售卖绿植并提供园艺服务

这个温室的主人是康妮，这里是她的苗圃的一部分。她在这个温室里种植花草树木，再售卖出去。

我还以为这里是个托儿所呢。
这里一定是植物宝宝的托儿所吧。

出售植物

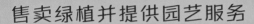

苔藓
室内盆栽植物
灌木
开花植物
树木

我有一个秘密计划——我要让这些小怪兽发现植物有多神奇。也许他们还会像我一样，决心成为一名园艺师呢！

各种各样的植物

星期六的早上，小伙伴们来到苗圃给康妮帮忙。

康妮向小莫介绍了苗圃里的植物，小莫又讲给他的小伙伴们听。

有一些是开花植物。开花是植物繁殖过程中的一步。
野花
向日葵
树

大家都知道野花、向日葵之类的，不过，许多树也是开花的哟！

小小的苔藓、大一些的蕨类植物，还有会长出球果的树木（比如冷杉），它们是不开花的。不过，它们依然很漂亮！

所有绿色植物都有一个共同特点，它们能进行光合作用，并通过这个过程来为自己制造“食物”。

什么？这怎么可能啊？

到后面的第 12 页、第 13 页，我们会观察叶子，那时你就能了解更多关于光合作用的知识了。你知道吗，植物还会为你制造食物呢！

不管你吃的是什么，只要往前追溯，它的来源一定是植物，其他动物的食物也一样。

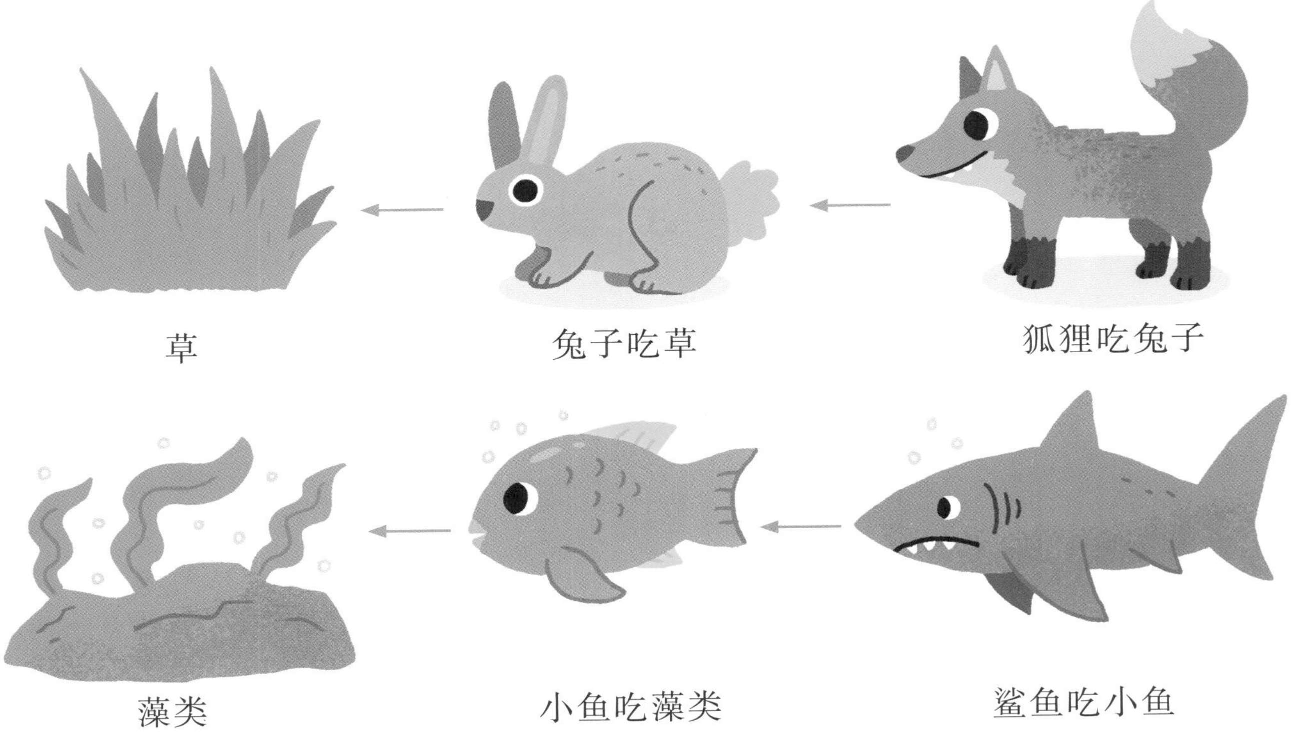
草
兔子吃草
狐狸吃兔子
藻类
小鱼吃藻类
鲨鱼吃小鱼

这么说，离开了植物，动物就没办法生存吗？

说得对，小莫。植物还会用别的方式来帮助地球上的生命生存。

第 28 页、第 29 页会介绍这些知识。

浇水任务

康妮又解释道，植物要给自己制造食物，就需要一些“原材料”，水就是其中之一。小莫的第一个任务是浇水。

我应该把水浇在哪里呢？

浇在土壤上，小莫。水通过植物的根进入植物体内。根长在地下。

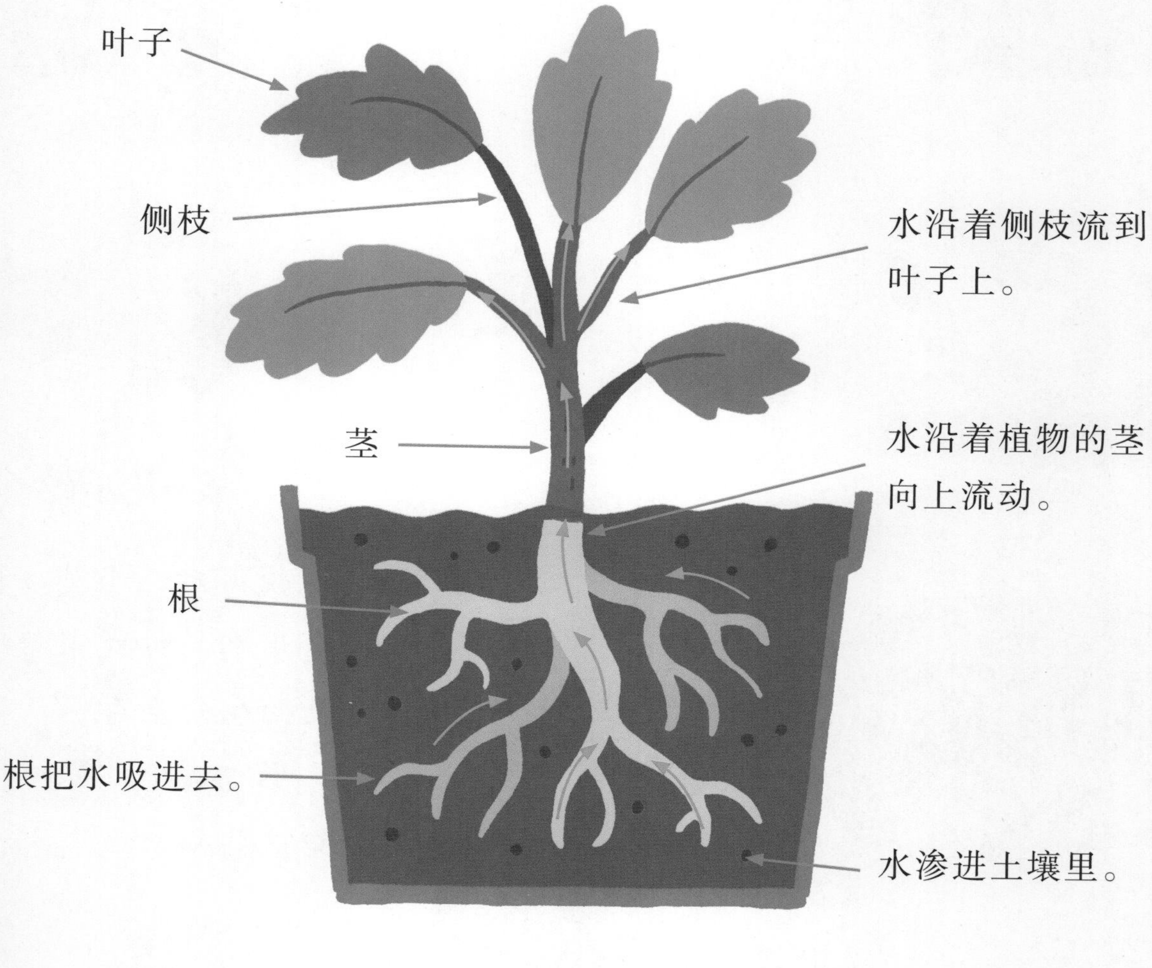

叶子
侧枝
水沿着侧枝流到叶子上。
茎
水沿着植物的茎向上流动。
根
根把水吸进去。
水渗进土壤里。

根还有别的活要干呢。小莫、米莉、杰克，你们研究一下，根还有什么作用？

A. 把植物固定住

植物要是没有根，可能会被吹走。

B. 帮助植物合成有机物

C. 从土壤里吸收养分

植物必须从某个地方获得养分。我猜这个是对的！

D. 为植物储存养料

嗯，根是植物的营养器官，供植物正常萌发、生长……这个也没错！

翻到第 32 页，看看小莫和他的小伙伴们有没有答对。

雨和阳光

小莫和小伙伴们去室外给一些种在花盆里的植物浇水。突然，一场大雨从天而降。

幸运的是，雨下了不一会儿，太阳就出来了。小伙伴们的身上很快就干了。

因为蒸发作用，湿的东西会变干。太阳的热量把水变成了一种叫作水蒸气的气体。

植物的水分也会通过叶子蒸发，这叫作蒸腾作用。

一般情况下，我们是看不到蒸腾作用的。不过，小莫，我们可以做一个实验，看看蒸腾作用到底是怎么回事。

好哇，我喜欢做实验！

用一个透明塑料袋罩住一棵绿叶植物，再用胶带封好口。

在阳光下放一个小时。

你注意到了什么呢，小莫？

袋子里面雾蒙蒙、湿漉漉的！

没错。水变成水蒸气通过树叶散发出来。水蒸气接触到塑料袋，就凝结成了水。

蒸腾作用不仅能够帮助植物散发热量，也能够帮助植物吸收和运输水分。

叶子

小莫和杰克很快就领到了下一个任务：康妮想让他们带一些植物去晒晒太阳！

不是的，小莫，这些植物是去外面“吃饭”的。绿叶植物会吸收阳光的能量，来制造生长必需的有机物。这个过程叫作光合作用。

光合作用会用到光、水和一种叫作二氧化碳的气体。

1. 叶子不仅吸收了光能，还从空气中吸收了二氧化碳。

2. 植物利用光能把水和二氧化碳转化成有机物和氧气。

小莫，和你的小伙伴们一起想想，生长中的植物会利用自己制造的有机物做什么呢？

下面这些图片藏着一些线索。

苹果树会长出苹果。
开花的过程一定会需要有机物。
玉米在长大，所以它也需要有机物。
胡萝卜的生长也需要有机物吧。

这些答案都棒极了！小莫，杰克！

翻到第 32 页，看看他俩有没有答对吧。（要是你也试着回答这个问题了，也看看你有没有答对吧。）

落叶树木和常青树木

康妮种的一些树下面有落叶了，小莫的下一个任务是扫落叶。

我喜欢篝火呀！

康妮想用小莫扫起来的落叶生一堆篝火。

说实话，我也不知道。

小莫，只要有适合生火的叶子，我们就可以生起一堆很棒的篝火啦！不过，从哪里弄这样的叶子呢？

没关系，我们一起想一想。我们可以从这两大类树木的叶子里面选一种：落叶树木和常青树木。

常青树木
叶子细长、像针一样，通常能在枝干上存活一年或更长时间。
许多常青树木上会长球果。
落叶树木
叶子又宽大又平整。
树叶会在冬天来临前干枯、飘落。

没错，小莫。我们需要宽大、平整、干燥的叶子来生起篝火。落叶树木的叶子是最好的选择。

花朵

康妮的苗圃里有很多漂亮的花。小莫正在闻花香。

说真的，我以前从来没有认认真真地看过一朵花。
闻哪！闻哪！

再走近一点，小莫，你就能看到花朵的各个器官了。

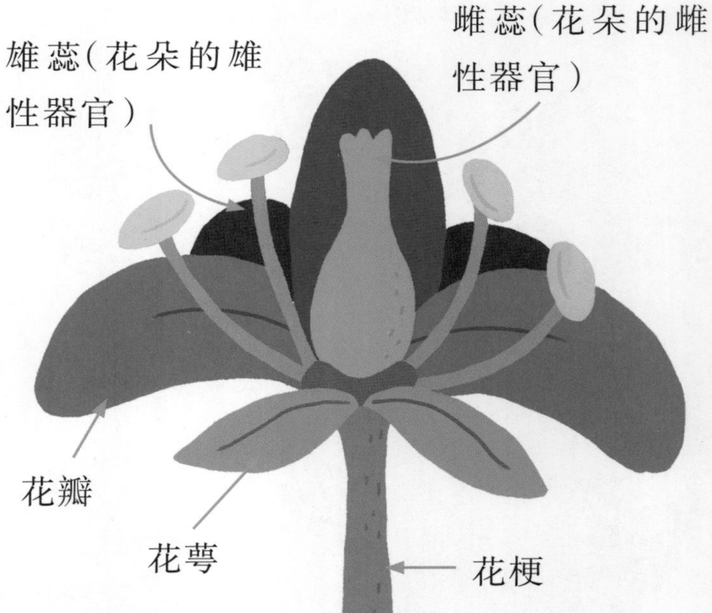

要理解这一点，你需要翻到第 18 页、第 19 页，去了解关于授粉的知识。

我们先来了解一下花的器官。

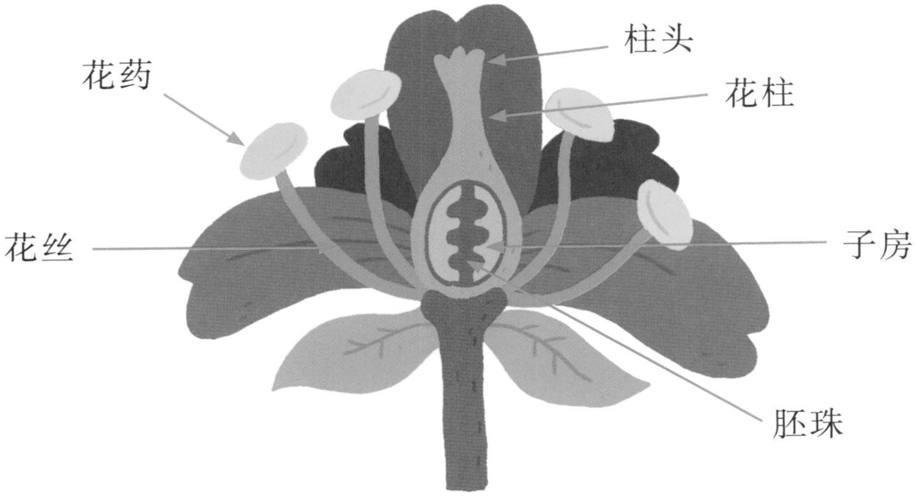

小莫，看看这几朵不同的花，它们是不是都拥有相同的器官呢？

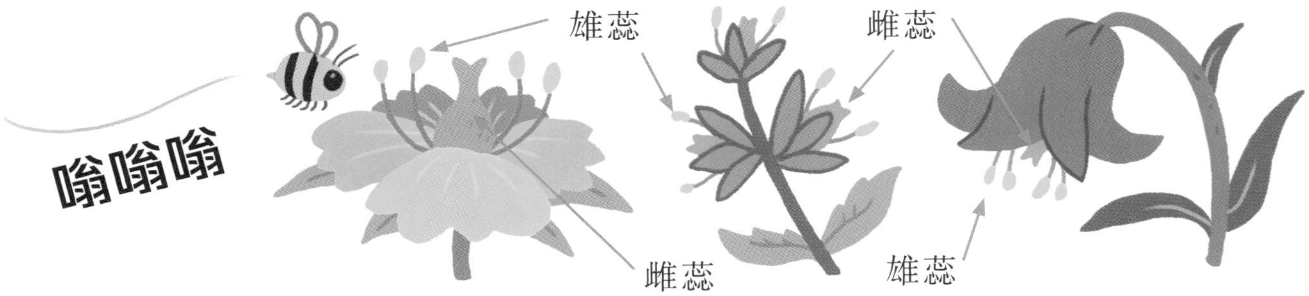

说对了。花看起来并不一样，但它们确实都有相同的器官。

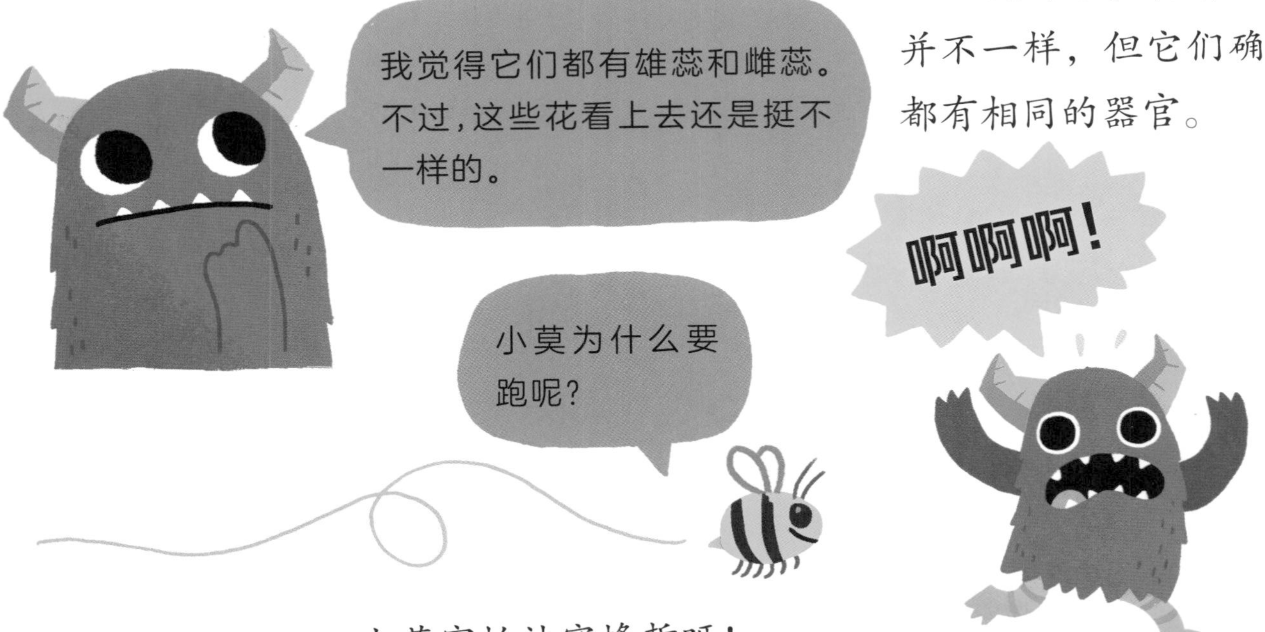

我觉得它们都有雄蕊和雌蕊。不过，这些花看上去还是挺不一样的。
啊啊啊！
小莫为什么要跑呢？

小莫害怕被蜜蜂蜇呀！

蜜蜂和其他昆虫

康妮告诉小莫，不用害怕蜜蜂。蜜蜂对花朵的兴趣可比对一个小怪兽要大得多！

花朵的“工作”就是吸引蜜蜂和别的昆虫啊！昆虫会帮助植物繁殖，这个过程叫作授粉。授粉是这样进行的（以蜜蜂为例）：

1. 花朵利用鲜艳的颜色和香甜的气味吸引蜜蜂。

2. 蜜蜂吸花蜜的时候，花粉会从雄蕊上落到蜜蜂的绒毛上。

3. 蜜蜂去另一朵花采蜜的时候，从它的绒毛上会掉下来一些花粉，落到这朵花的雌蕊上。

4. 花朵的雌蕊就会发生变化，子房会变成果实。

传粉昆虫

蜜蜂是最重要的传粉昆虫。不过，它们并不是唯一能帮助花朵授粉的生物哟！苍蝇、飞蛾和一些小型动物都爱喝花蜜，也会把花粉从一朵花传播到另一朵花。

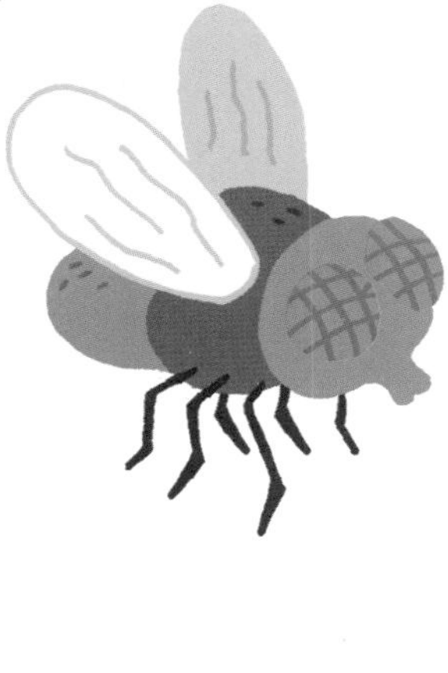

果实和种子

小伙伴们的下一个任务和种子有关。康妮告诉他们，在果实和种子里面，有新植物生长需要的全部营养。

康妮，你能给小莫、米莉和杰克讲讲果实和种子的知识吗？

很乐意！我们先来看看果实吧。苹果跟所有果实一样，是被子植物开花后长出来的。

果实

这里是苹果的果肉。

这个蒂曾经是花托，让花跟植物长到一起。

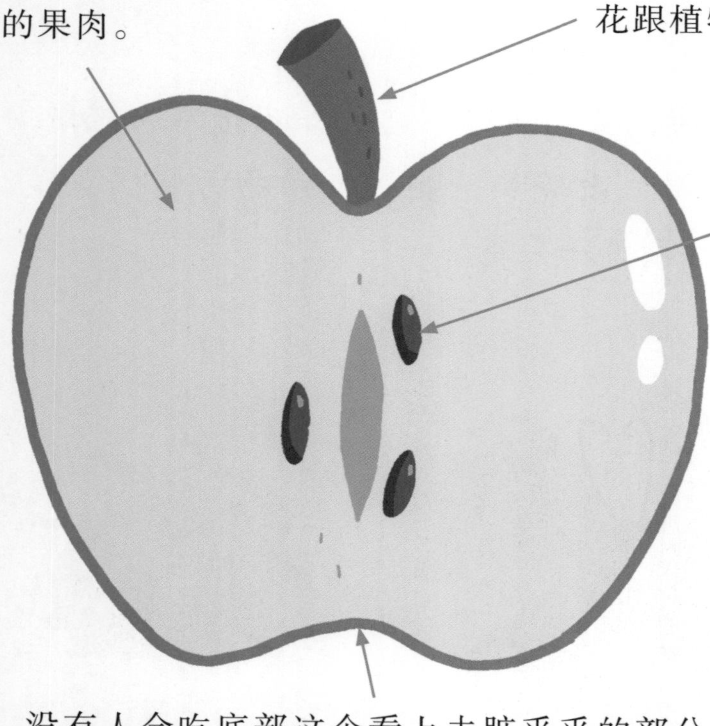

种子是由花朵子房内的胚珠长成的，也就是说，雌蕊的一部分变成了种子。

动物会吃掉果肉和种子，然后种子会随粪便一起排出。新植物就在新的地方长出来啦！

种子也可以通过其他方式传播。有些种子会被风吹走，有的会沾在动物的毛上，被动物带走。

没有人会吃底部这个看上去脏乎乎的部分！这是花萼、雄蕊、柱头和花柱干枯之后留下来的。（可以回忆一下第16页、第17页讲过的知识。）

种子是最重要的部分了。

有一天，可能会有一棵新的苹果树从里面长出来哟！

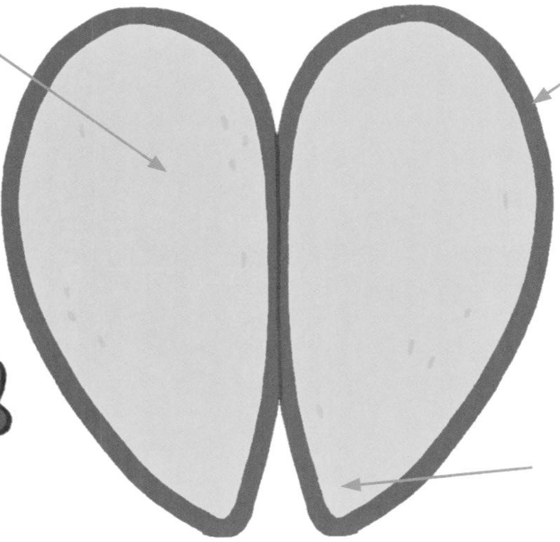

种子
种子里面是子叶，储存着种子生长需要的养分。
外面是一层坚硬的壳。
尖尖的一端，里面的东西会长成根和茎。这些东西太小了，你的眼睛是看不到的。

这么说，要是我把苹果种子吞到肚子里，我的肚子会长出苹果树吗？
不会的，小莫。一两天后，种子会随着你的大便排出体外。

正在生长的种子

讲到种子，康妮带着小莫和米莉来到了一间凉爽的储藏室。这里保存着各种各样的种子。

杰克不想进来。杰克是一只鳄鱼，鳄鱼可不喜欢寒冷的地方。

种子也不喜欢极端的温度哟，小莫。要是温度太低，它们就不会生长，或者说，不会发芽。这就是康妮把种子保存在凉爽的房间里的原因。等她准备播种时才会将种子拿出来。

并不是所有种子都会在相同的温度下发芽，比如说：

土壤的温度至少连续五天在13℃以上，菠菜才可能发芽。

土壤的温度至少连续六天在27℃以上，茄子才可能发芽。

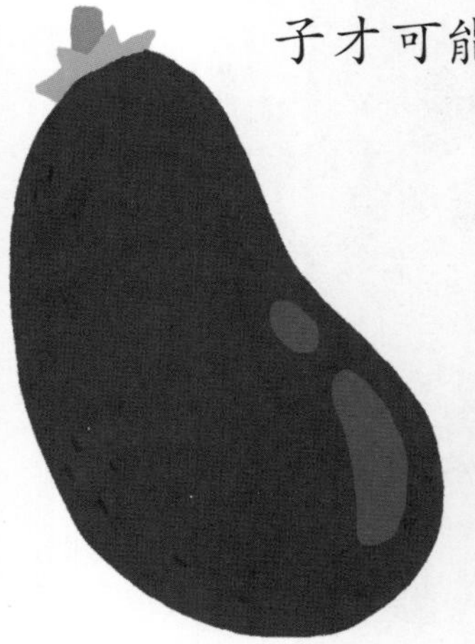

小莫和米莉的任务是先把花盆里的土划分成四块，然后在每一块土里种下一颗种子，总共种四颗种子。

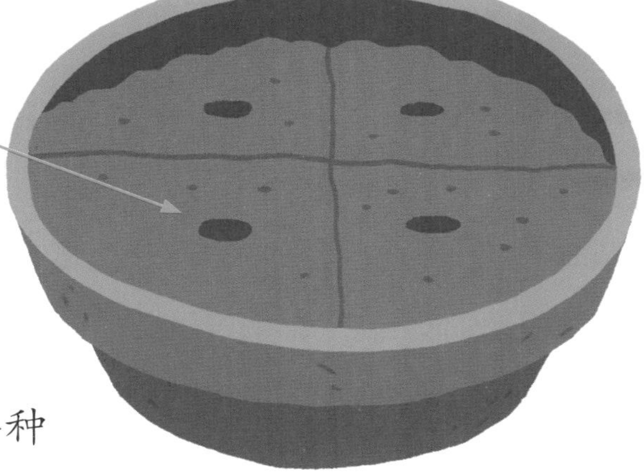

小莫，你觉得为什么种子需要种在每块土的中间呢？

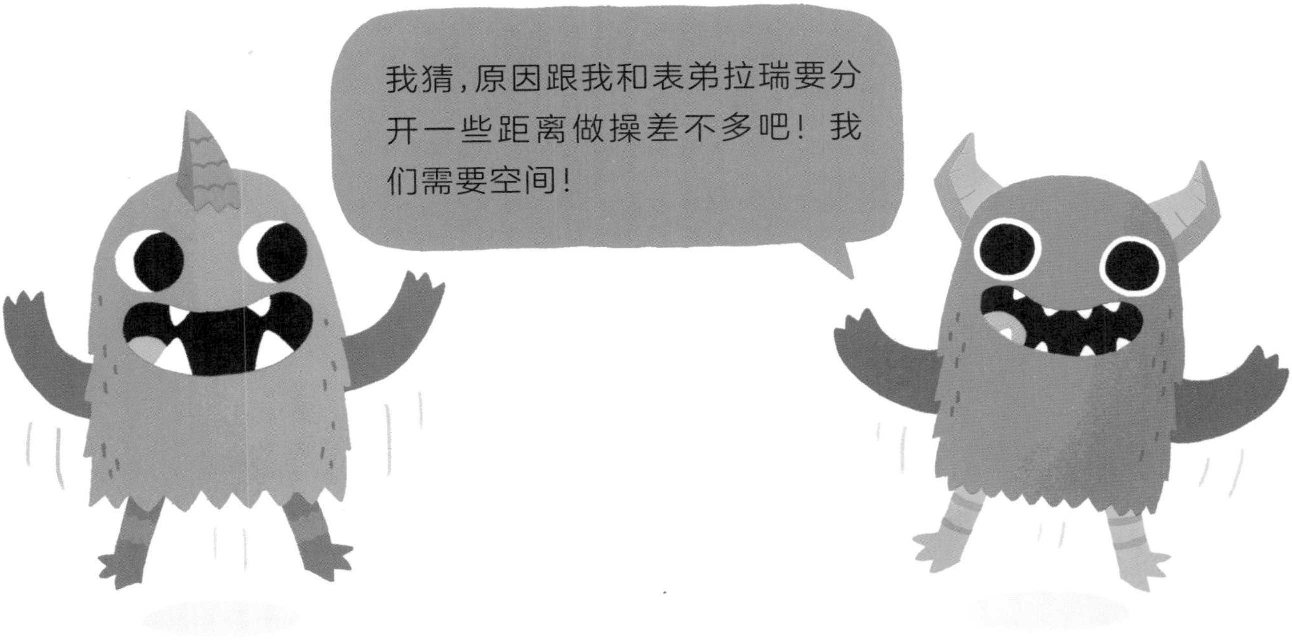

我猜，原因跟我和表弟拉瑞要分开一些距离做操差不多吧！我们需要空间！

答对啦！种子一开始生根，就需要空间来展开根系。

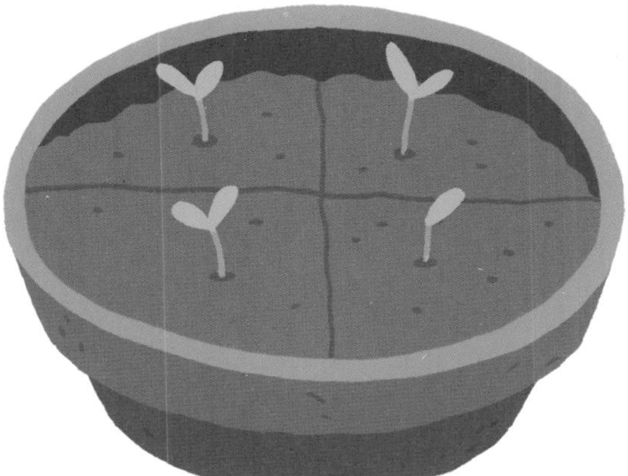

接下来，要把花盆搬到一个温暖的地方，还要浇足水。适宜的温度和水分会帮助种子发芽。

给幼苗分盆

从种子储藏室里出来，康妮要带小伙伴们去看一些植物宝宝，也叫幼苗。杰克也来了！康妮解释道，那些小幼苗已经长得太大了，它们的花盆有些挤。每棵幼苗都需要移入一个更大的花盆，这样它们的根才会有足够的空间生长。

植物的根越多，从土壤里吸到的水分就越多，水会帮助植物制造食物。

为什么根需要长那么多呢？

根越多，植物就长得越大、越快。

更多的根→吸收更多的水→制造更多的食物→长得更快

康妮给每个小伙伴安排好了任务。

我负责把幼苗从小花盆里取出来。对小怪兽的爪子来说，这个任务可没那么容易！

我负责往一个大些的花盆里填土，然后把幼苗种进去。

我的任务是给花盆插上标牌，让康妮知道里面种的是什么植物。

我们来检查一下吧，看你是不是还记得康妮给小怪兽们讲的关于根的知识。

1. 根会帮助植物获得：

A. 水

B. 阳光

2. 植物需要水分来：

A. 制造食物

B. 繁殖

翻到第 32 页，看看你有没有做对。

给树喂些营养物质

小伙伴们在康妮的温室帮忙，他们还有最后一项任务：给一些树喂些营养物质。

等等，你说什么？让我想想，植物不是能自己制造食物吗？

没错，小莫，植物确实能自己制造食物。不过，除了水、阳光和二氧化碳，它们还需要营养物质才能生长。下面是几种重要的营养物质：

钙——让植物更强壮。

镁——让植物保持健康、翠绿。

氮——帮助植物长出粗壮的茎。

磷——让植物的根部强壮，帮助植物结更多种子，还能帮它们对抗疾病。

钾——对根和种子有好处，能帮助植物在极端温度下生存。

大多数植物都是从土壤中获取营养的。不过，种在花盆里的树很快就会将土壤里的这点营养用完，所以就需要补充更多营养啦！

小莫，杰克不小心把水浇到你脚上了，想象一下你是一棵植物。

你需要哪些营养来——

长出健康的根？　长得又高又壮？　保持健康的绿色？

植物和地球

小莫，帮康妮干活的时候，你学了很多关于植物的知识吧。还有一件事要告诉你们：要是没有植物，地球上的生命很快都会死去。

植物如何拯救世界？

1. 植物为我们提供食物。即使我们吃的是肉或者鱼，它们的能量最初也来自植物。

2. 我们呼吸所必需的氧气是植物提供的：它们吸收二氧化碳，释放氧气。几乎所有动物都需要氧气才能生存。

3. 植物的构造使它们能够起到“固碳”作用。要是碳大量留在空气中，就会增加地球周围的温室气体，这些气体会留住大量热量，使地表变暖。

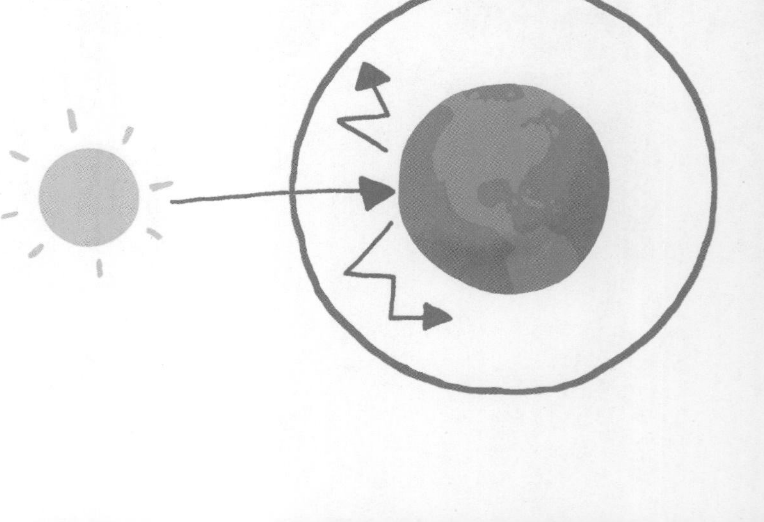

全球变暖

现在，温室气体留住的热量太多了，地球的温度在慢慢上升，这种现象被称为全球变暖。全球变暖正在产生可怕的影响。

干旱变得越来越普遍，沙漠正在蔓延。

暴风雨发生得更频繁了。暴风雨会让海水淹没陆地。

海平面在上升，淹没了低洼的地区。

动物的栖息地发生了变化，这让它们很难（甚至不可能）生存下去。

哇！真没想到植物会这么重要。

词汇表

苔藓
植物的一大类，植株矮小，有假根，多生长在阴湿的地方。

繁殖
生物产生新的个体（比如说，植物的种子掉落下来，然后长成一棵新的植物）。

球果
松、杉等植物的果实，球形或圆锥形，长成之后，鳞片常木质化，内侧有种子。

光合作用
绿色植物的叶绿素在光的照射下，把水和二氧化碳合成有机物并放出氧气的过程。

藻类
植物的一大类，通常生长在水里。

土壤
地球陆地表面的一层疏松物质，能生长植物。

侧枝
树的一部分，由植物主枝周围长出的分枝。

蒸发
液体表面缓慢地转化为气体。

气体
没有一定形状，没有一定体积，可以流动的物体。

二氧化碳
一种气体，在空气中含量大约为0.03%。尽管二氧化碳的含量不大，却会导致全球变暖。

授粉
雄蕊的花粉传到雌蕊的柱头上。

花蜜
花朵分泌出来的甜汁，能吸引蜜蜂和其他昆虫来传播花粉。

发芽
种子的胚发育长大，突破种皮而出。

温室气体
大气中能引起温室效应的气体，如水蒸气、二氧化碳等。

参考答案

第9页

A：正确。根确实能把植物固定在合适的位置。

B：正确。根能合成氨基酸等有机物。

C：正确。大多数植物确实通过根来吸收营养。

D：正确。根是植物储存养料的主要位置之一。

第13页

小怪兽们的每个答案都是对的。苹果、花朵、玉米和胡萝卜都需要有机物来帮助它们生长。

植物还需要能量来让茎长得更高大，长出新叶子。

第25页

1.答案是A。根长在地下，不能帮助植物获得阳光。

2.答案是A。因为水是植物制造食物时需要的三种物质之一，另外两种是光和二氧化碳。

小怪兽爱科学

时间的秘密

[英] 保罗 · 梅森/著　[英] 迈克尔 · 巴克斯顿/绘　唐　男/译

天津出版传媒集团
新蕾出版社

图书在版编目 (CIP) 数据
时间的秘密 / (英) 保罗·梅森著 ; (英) 迈克尔·巴克斯顿绘 ; 唐男译 . -- 天津 : 新蕾出版社 , 2024.9
(小怪兽爱科学)
书名原文 : Learn Science with Mo: Time
ISBN 978-7-5307-7772-5

Ⅰ . ①时… Ⅱ . ①保… ②迈… ③唐… Ⅲ . ①时间 - 少儿读物 Ⅳ . ① P19-49

中国国家版本馆 CIP 数据核字 (2024) 第 111489 号

Learn Science with Mo: Time
Text by Paul Mason
Illustrations by Michael Buxton
First published in Great Britain in 2023 by Hodder and Stoughton

津图登字：02-2022-207

书　　名：时间的秘密　SHIJIAN DE MIMI
出版发行：天津出版传媒集团
　　　　　新蕾出版社
http://www.newbuds.com.cn
地　　址：天津市和平区西康路 35 号（300051）
出 版 人：马玉秀
版权引进：毕之莹　吕　玥
责任编辑：吕　玥
美术编辑：白晓燕
责任印制：朱　琳
电　　话：总编办（022）23332422
　　　　　发行部（022）23332351　23332677
传　　真：（022）23332422
经　　销：全国新华书店
印　　刷：河北赛文印刷有限公司
开　　本：889mm × 1194mm　1/16
字　　数：26 千字
印　　张：2
版　　次：2024 年 9 月第 1 版　2024 年 9 月第 1 次印刷
定　　价：16.50 元

目 录

小莫错过了训练

今天，小怪兽足球俱乐部要进行本赛季第一次五人制足球训练啦！听到这个消息，小莫和小伙伴们都兴奋极了。

前一天晚上，他们聊了很长时间的足球。所以，小莫睡得比平时晚了很多。

小莫睡得太晚了，他不出意料地睡过了头。快点起床啊，小莫！9点钟训练就要开始啦！

小莫决定骑自行车去。可是，他发现，自行车的轮胎是扁的。

天哪，不要哇！这得花多长时间才能修好哇？

小莫求妈妈开车送他去。妈妈还没有换衣服呢！没时间了，妈妈只能穿着睡衣跳上了车。他们就这样出发了。

即便如此，小莫赶到俱乐部的时候，训练还是已经结束了。

别担心，小莫。
你是守门员，所以我们就先练习了射门。
每个人都得分啦！

没错，这可能会有用！

小莫，看起来，你似乎需要多了解一点关于时间的知识。

那么，我们来看看小怪兽足球俱乐部一年的安排吧！

一年的划分

对小怪兽足球俱乐部来说，足球赛季才刚刚开始。“季”在这里指的是一种特别的事情发生的一段时间。“足球赛季”就是人们踢足球比赛的一段时间。

世界上有许多地方把一年划分成四季。不过，四季的划分跟气温等因素有关，跟运动是没有关系的。

夏季

夏季是一年中平均气温最高的季节。这个季节太阳光照的时间较长，白天比晚上的时间长。在中国，夏季雨水较多，很多植物生长迅速。

秋季

到了秋季，白天开始变短，夜晚开始变长。中国的秋季，南方天气潮湿，北方爱刮风。有些树会掉叶子。

冬季

冬季是一年中平均气温最低的季节。大部分植物会暂缓甚至停止生长。冬季的夜晚很长，白天很短。

春季

春季一到，天气就开始暖和起来。白天会越来越长。植物逐渐恢复生机。

在中国，每个季节大约持续三个月。季节可以被视为记录时间的方法。

一天的划分

莉莉，一定要提醒我早点到哇！
这可不太容易。

周三下午放学后，小怪兽足球俱乐部将进行下一次训练。

下午6点开始训练。现在是夏季，所以下午6点时天仍然很亮，太阳还挂在天上。

下午6点钟的时候，天总是亮的吗？

不是的，小莫。在夏季，太阳挂在天空中的时间要长些，冬季就短了。在秋季和春季，太阳挂在天空中的时间介于夏季和冬季之间。

夏季的下午6点

冬季的下午6点

“白天”指的是一天当中太阳挂在天空中的一段时间。我们可以把白天大致分成两部分：上午和下午。

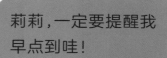

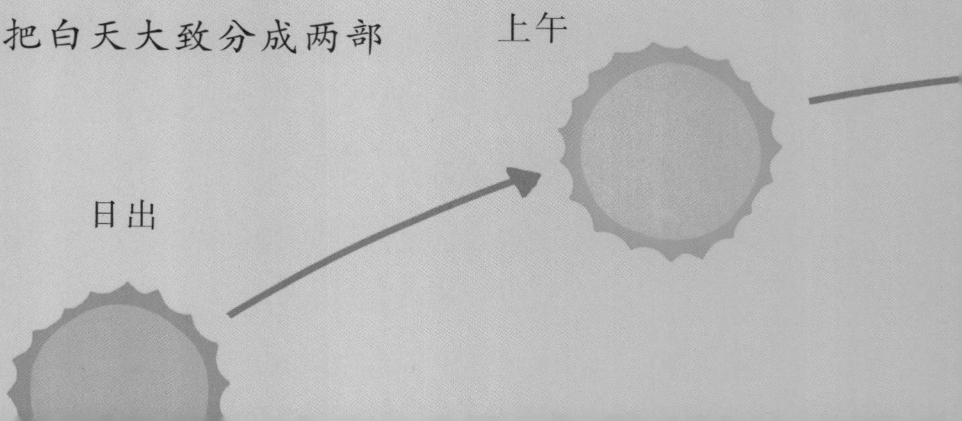

下午训练意味着我下午到就行，那我怎么还会迟到呢？

除了“上午”和“下午”，我们经常会把白天分成更小的时间段用来约定时间，这些更小的时间段被称为小时。

我知道“小时”！时钟上标着12个小时。

没错，小莫。在一天一夜当中，从0点到中午12点是第一个“12小时”，第二个“12小时”是从中午12点到次日0点。

所以……每天可以有两个5点，两个6点，两个7点……

说对啦！你最好现在就去训练吧！

好嘞！

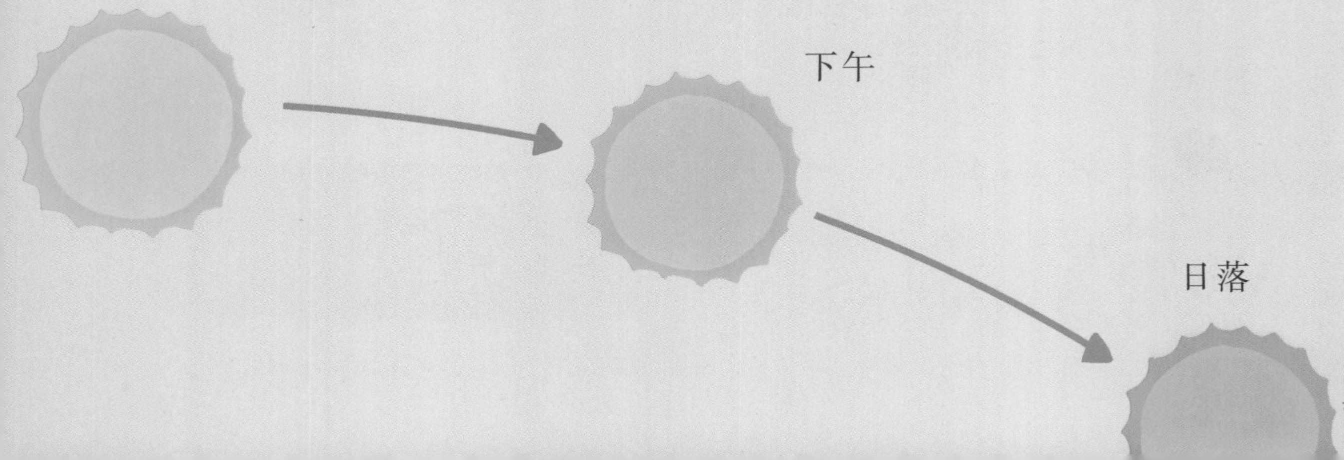

动物和时间

小莫，你看起来有点困哟！昨晚熬夜了吗？

醒醒啊！
该吃早饭了！

没有，我只是很早就醒了。天刚微微亮，窗外的鸟儿就开始叫啦！

这就是鸟儿的“黎明大合唱”，小莫。鸟儿歌唱意味着它们一天生活的开始。区分白天和夜晚是动物判断时间的方式之一。

黎明对于一些动物来说意味着该起床了。有了亮光，它们就能找食物吃啦！

现在我有时间做一些额外的足球训练啦！

在黑暗中我可看不到虫子……

有些动物会在晚上捕猎。对它们来说，日落就意味着起床。

蝙蝠
我就是在晚上捕猎的。
啊啊啊！
飞蛾
我都饿坏了。
夜晚正是好时候……
可以看足球！
狐狸

像狐狸这样的捕猎者，在晚上是不容易看清猎物的。

对被捕猎的动物来说，夜晚会安全一些。

正在长个子的小莫

小莫弯腰捡球的时候，听到了一阵尴尬的声音——小莫的短裤裂开了个口子！

这是因为，像你这个年龄的小怪兽一直在长个子呀，小莫！每过去一年，你都会长高一点，但你的短裤是不会跟着长的。人类的小孩子也一样。

人类的成长

1个月	4岁	8岁
54 厘米左右	104厘米左右	133厘米左右

出现这种情况的不止小莫一个。事实上，整个足球队的小怪兽都在长个子。去年的队服，几乎没有小怪兽穿着合身啦！

我的上衣已经遮不住肚子了！
为什么马歇尔的队服还很合身？
那是因为我妈妈去年给我买的太大了。所以，现在我的队服正好合身。
拉瑞身上的运动裤太瘦了。
我还能穿着它跑步，只不过看起来有点傻。

成长——无论是小怪兽、花草、树木，还是别的什么生物——是让我们知道时间在流逝的一种方式。

12岁
159厘米左右

16岁
173厘米左右（男孩）
162厘米左右（女孩）

20岁
177厘米左右（男孩）
166厘米左右（女孩）

比赛时间变长啦

小怪兽足球俱乐部的球员们都长大了一岁，所以，他们升级到新的联赛啦！

经过一年的成长，球员们都变得更健康了，也更强壮了。他们可以踢更长时间的比赛了。

去年，一场比赛只能持续20分钟。今年的比赛能多出来10分钟。

是的，小莫！分钟也是计量时间的单位之一。1小时有60分钟。

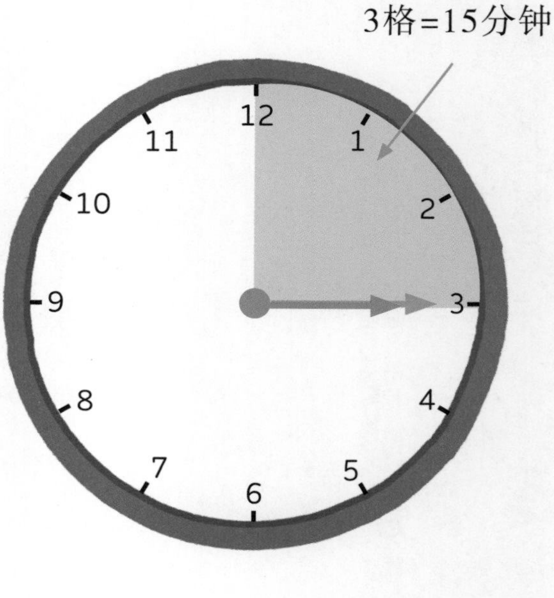

用小时和分钟来表示时间，是两种不同的说法。有时候，人们用“小时加分钟”来描述，比如：

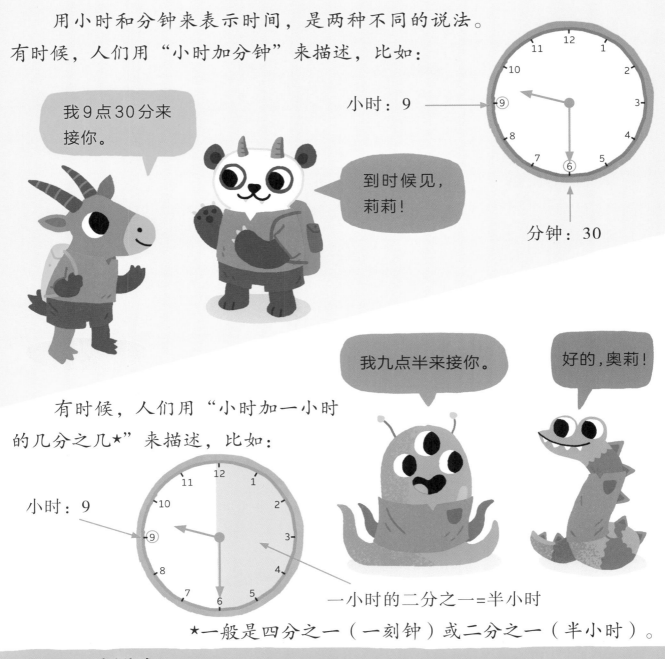

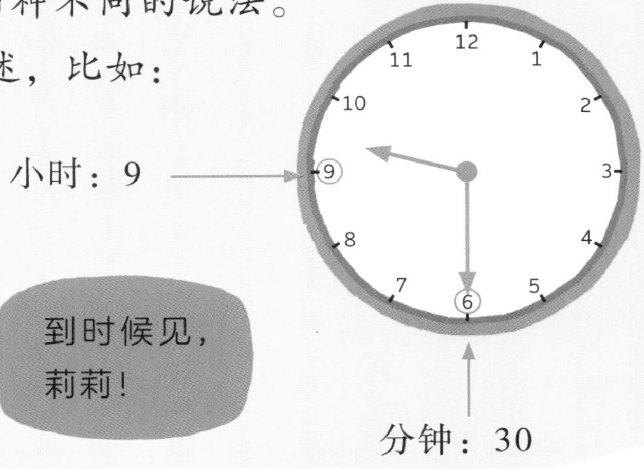

小时：9
分钟：30

我9点30分来接你。
到时候见，莉莉！

我九点半来接你。
好的，奥莉！

有时候，人们用“小时加一小时的几分之几★”来描述，比如：

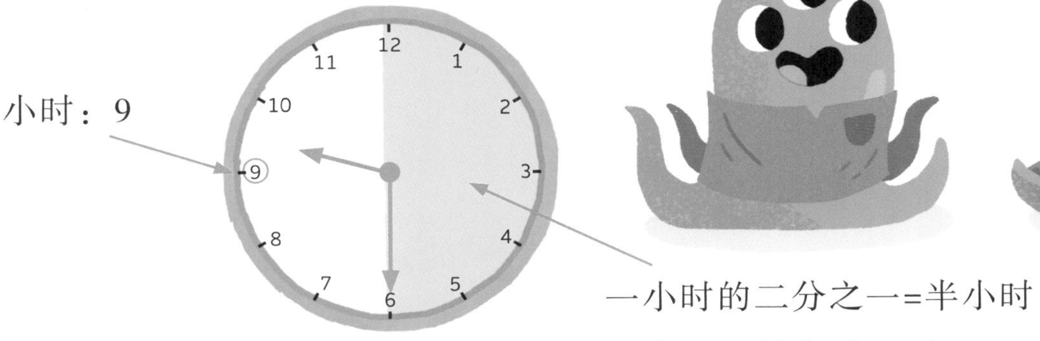

★一般是四分之一（一刻钟）或二分之一（半小时）。

小测试

莉莉和奥莉分别用了两种不同的方式来描述右图中的时间，你知道她们是怎样描述的吗？翻到第32页看看吧！

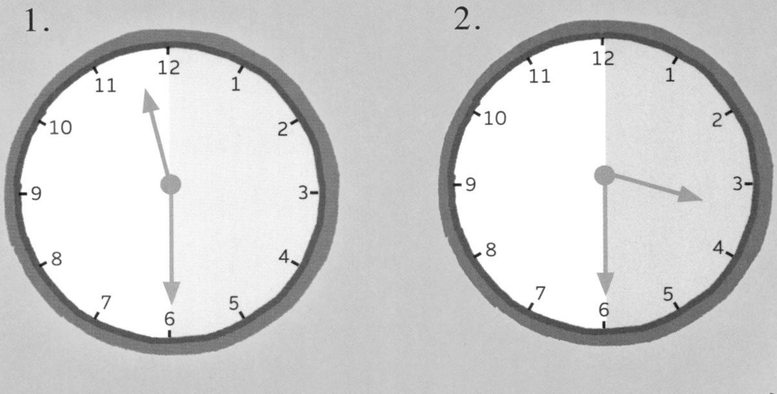

时间和速度

小怪兽足球俱乐部的球员们比赛的时间加长了。所以，今年球员们要变得更健壮才行哟！

该怎么做呢？

小莫，别担心，教练知道怎么做。

要跑1千米，你们可以根据自己的情况，选择走一段距离。
1千米不算长！
要是你长着小短腿，就不会这么说啦！

教练会给每名球员计时，来了解他们跑1千米需要的时间。跑步训练几周后，要是球员们的速度加快了，教练就会判断他们的身体更强壮了。

教练记下了每名球员用的时间。

在跑步的时候，小怪兽们差不多都是两三个一块跑完全程的。

小莫跑1千米用了6分钟。按照这个速度，他可以在60分钟内跑完10千米。1小时有60分钟，所以，小莫是以每小时10千米的速度在奔跑。

名字	第一周
艾米	7分钟
里奇	7分钟
杰克	7分钟
莉莉	4分钟
马歇尔	5分钟
小莫	6分钟
奥莉	8分钟
拉瑞	6分钟
西德	5分钟

小测试

莉莉是跑得最快的球员。你能不能算出来，要是莉莉一直保持同样的速度，1小时能跑多远？翻到第32页，和小怪兽一起算算吧！

好远哪！
我觉得我滑行不了一个小时……
我们绝对跑不了那么久！

变老了

教练邀请了小怪兽足球俱乐部的第一任队长巴纳巴斯·布特来跟球员们聊聊。

我9岁的时候也是队长。
我头球得了不少分呢！以前，我跳得可高了。
我还喜欢追着球跑。那时候，我跑得可快了。

巴纳巴斯带来了一些老照片，是在小怪兽足球俱乐部的第一个足球赛季拍的。

我们还赢了一些大奖杯呢！有些奖杯太重了，举起来都费劲！
您愿意来跟我们一起训练吗？
我觉得我体力跟不上啦，小莫！不过，还是谢谢你的邀请。

随着时间的流逝，我们的身体会发生变化，小怪兽足球俱乐部的球员们都在逐渐长大。

即使成年后，我们的身体也会不断变化，进行某些活动时可能会变得比以前困难。

小莫，你觉得做哪些活动可能会变得困难呢？你能从巴纳巴斯的照片中找出来吗？

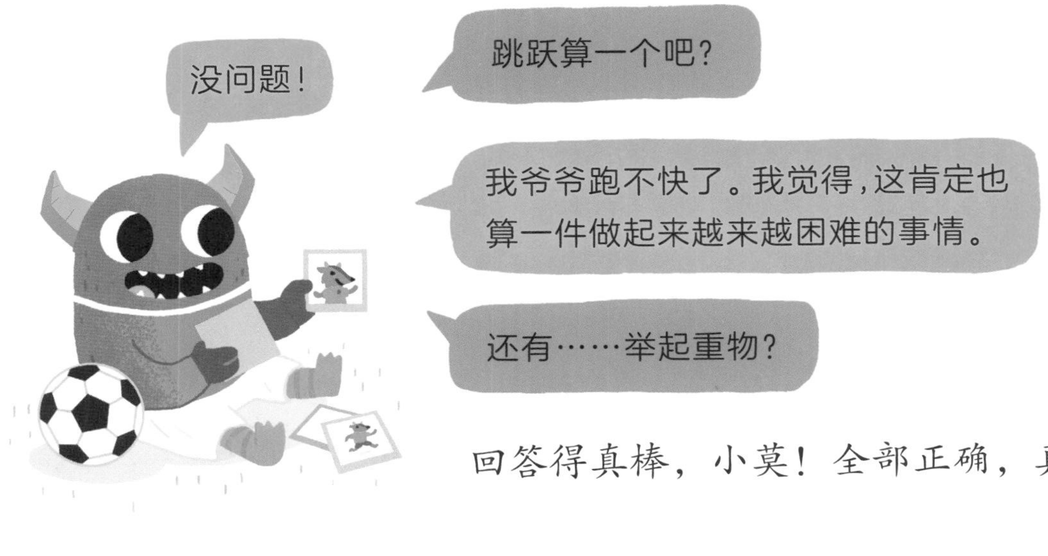

没问题！
跳跃算一个吧？
我爷爷跑不快了。我觉得，这肯定也算一件做起来越来越困难的事情。
还有……举起重物？

回答得真棒，小莫！全部正确，真厉害！

在冬季踢足球

真冷啊！至少,在跑步热身之前会觉得很冷。

足球赛季的中期正好是冬季的中期。小莫，在冬季踢足球是什么感觉？

冬季，小怪兽足球俱乐部的球员们会在泛光灯照亮的球场上踢足球。训练还是在放学后开始，不过，球员们来到球场的时候，天已经黑了。这是因为冬季的白天比较短。

北半球的冬季

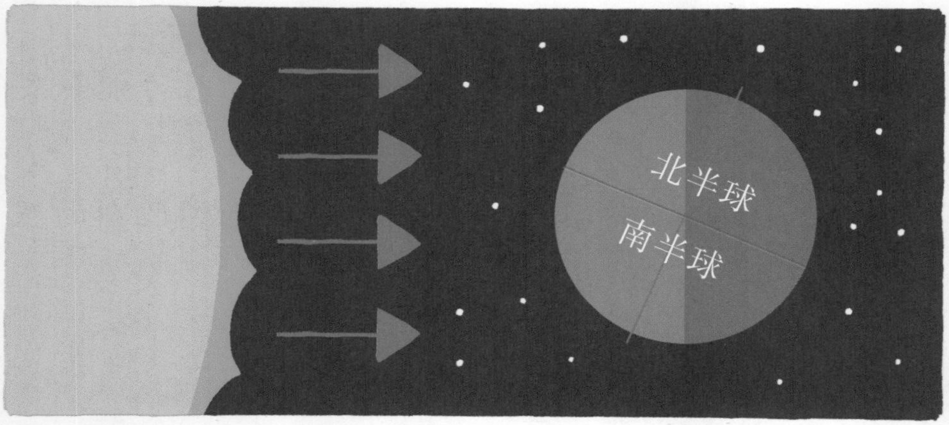

冬季时，北半球远离太阳直射点，意味着阳光较少，太阳在天空中的位置也比较低。

小莫，给我们讲讲上一场比赛中发生的事情吧！

好哇！我们正在和玩具城联队踢比赛，突然下雪了！杰克差点滑倒。天太冷了，比赛没法进行下去……
于是，我们就去室内踢了，那里还暖和一点。
不过，准备工作花了很长时间。我们要把之前在户外穿的保暖的厚衣服脱掉！

小测试

日出和日落的时间是怎样根据季节变化的？（第6页和第7页的内容可能会帮你得出正确答案。）

1.在冬季，太阳升起来的时间（　　）。

A.和夏季一样　　B.比其他三个季节都晚一些

2.在北半球的冬季，北半球（　　）。

A.向着远离太阳的方向倾斜　　B.离太阳更远

翻到第32页，看看你有没有答对。

日历上的一天

小怪兽足球俱乐部最大的竞争对手是玩具城联队。上次比赛他们就输给了玩具城联队。小怪兽们想要“复仇”！

我们真的想“复仇”！
离下一场比赛还有多久？

要算出来还有多久，你可以用上日历，小莫。日历把一年划分成：

- 天
- 周
- 月

再来看看小怪兽足球俱乐部要跟玩具城联队进行季末锦标赛的日期吧！

现在，翻翻日历，数一数从第一个日期到第二个日期之间有几个星期日吧！有几个呢，小莫？

我数数……
12个！
我们还有12个星期做准备。

真棒！在计算间隔多长时间的时候，日历是很有用的。日历对于做规划也很有帮助。

月份

月份最初是按照月亮的变化来计算的。一个月就是从新月到下一次新月之间的时间。

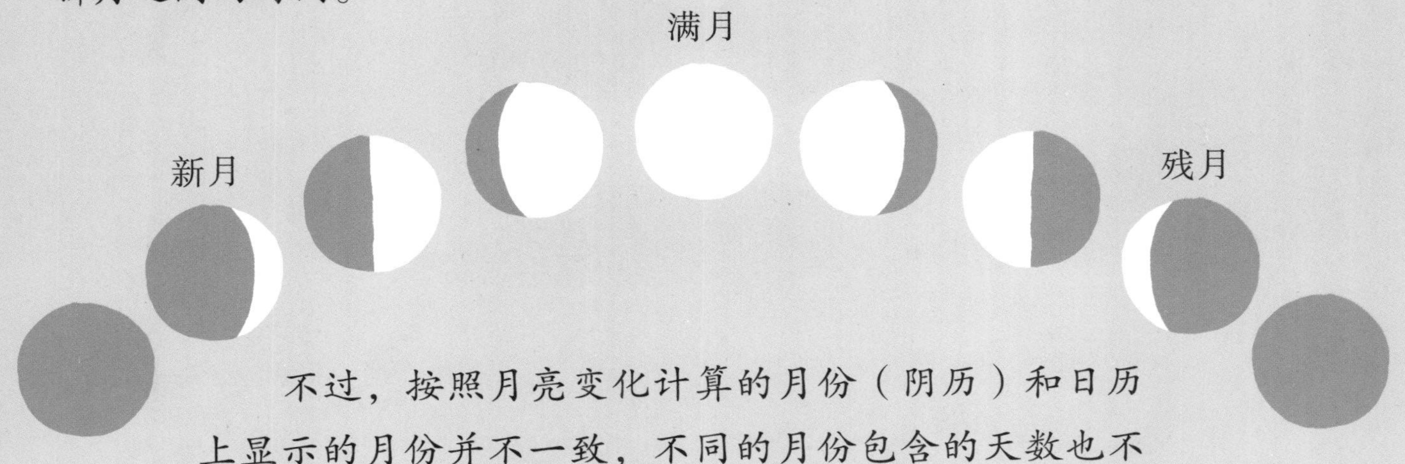

不过，按照月亮变化计算的月份（阴历）和日历上显示的月份并不一致，不同的月份包含的天数也不一样。大多数月份有30天或31天。二月跟其他月份不一样，通常有28天。不过，大约每四年，二月会多出来一天。像这种二月有29天的年份被称为“闰年”。

白天越来越长啦

白天越来越长了，球队不再需要在泛光灯下进行训练啦！

白天变长了，因为春季到了。小莫，在每年的这个时候，还会发生哪些变化，你能想到吗？

让我想想……
太阳挂在天空中的时间变长了，天气也变暖和了，我们不用穿那么多衣服了……
偶尔还会下雨。

我喜欢温暖的阳光！
我讨厌被雨淋湿！

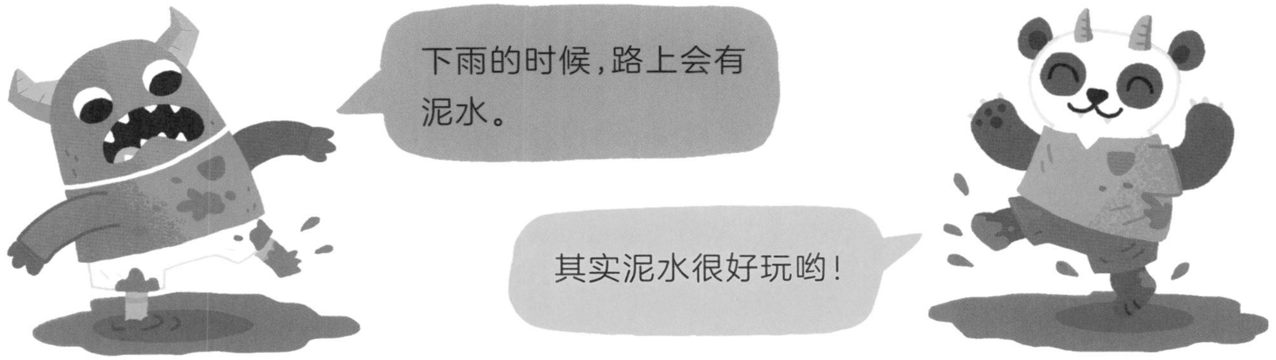
下雨的时候，路上会有泥水。
其实泥水很好玩哟！

随着地球运动，当北半球逐渐接近太阳直射点而不是远离的时候，春季就来了。秋季的情况正好相反，北半球逐渐远离太阳直射点。

足球之外的世界呢，小莫？随着时间的推移，有什么变化吗？

北半球的春季

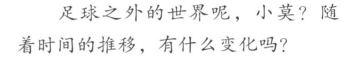

北半球
南半球

有很多变化呢！
大树长新叶子了，很多花都开了。

到处都是刚出生的小动物。
咚！
咚！

回答得非常棒，小莫！你说得对，在春季，植物会生长，食物很丰富，还有，天气很暖和，所以很多动物都会生小宝宝。所有这些都在告诉我们：冬季已经过去了。

计时

时间过得飞快，小怪兽足球俱乐部和玩具城联队的季末锦标赛马上就要到了。球员们请求教练帮助他们跑得更快一些。

足球运动员必须能够进行短距离冲刺。教练告诉球员们，他们会通过“往返跑”训练来提升速度。

你们确定吗？
确定，教练！

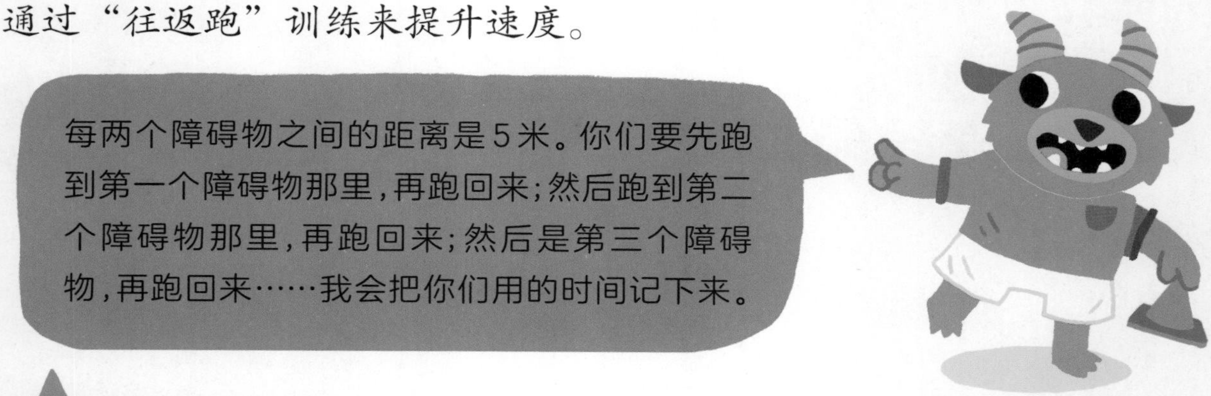

每两个障碍物之间的距离是5米。你们要先跑到第一个障碍物那里，再跑回来；然后跑到第二个障碍物那里，再跑回来；然后是第三个障碍物，再跑回来……我会把你们用的时间记下来。

呼哧！
呼哧！
经过每个障碍物的时候，用手摸一下地面。
加油！15秒了。

往返跑成绩	
莉莉	28秒
拉瑞	33秒

莉莉　　拉瑞

教练开始记录大家往返跑用的秒数。可是他的电子秒表坏了！幸好他还带着一块老式秒表备用。

往返跑成绩	
艾米	39秒
杰克	35秒
里奇	36秒
莉莉	28秒
马歇尔	29秒
小莫	33秒
拉瑞	33秒
西德	32秒

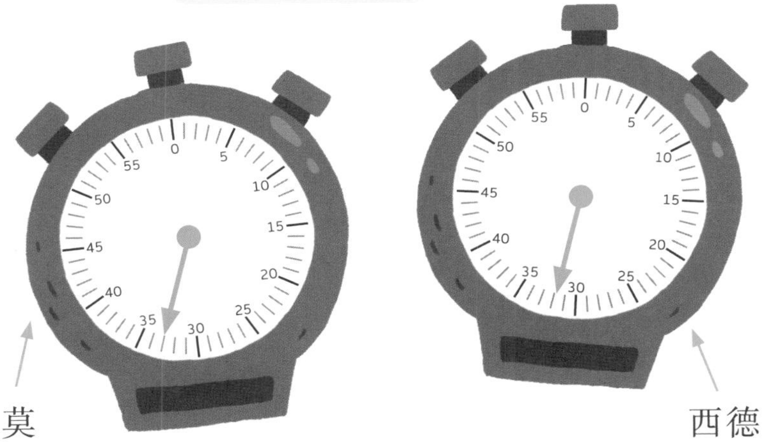

小莫　　西德

秒是日常生活中最小的时间单位，我们一般用秒来计量更短的时间。现在，训练结束了，该吃点喝点了。

不是的，小莫。喝点水，吃根香蕉。

足球赛季结束了

终于，检验小怪兽们训练成果的日子到了——季末锦标赛开始啦！

只剩下最后一场比赛了，小怪兽足球俱乐部和玩具城联队的积分相同。要是能赢下这一场，小怪兽们就赢了整季锦标赛。不过，这场比赛的对手可是玩具城联队呀！

只剩下最后几秒钟了……小怪兽足球俱乐部得分了！1：0！小怪兽们将成为年度——整个夏季、秋季、冬季和春季——的冠军！

小莫，关于时间的知识，我们看看你记住了多少，好吗？全部答完后，可以翻到第32页对下参考答案哟！

小测试

1.一年可以按“季”分成四个部分，分别是哪四季呢？

A.足球赛季、季后赛、非足球赛季、季前赛

B.冬季、春季、夏季、秋季

C.学校季、圣诞节假期、复活节假期和暑假

2.哪个月的天数有时候会不一样？

A.一月

B.二月

C.三月

3.一年中白天最长的一天叫作什么？

A.假期后开学的第一天

B.夏至

C.冬至

词汇表

季
某种事情发生的时期。

五人制足球
足球运动的一种，每支队伍只有五名球员。比赛在较小的球场上进行，球门也小一些。

下午
一天中从正午十二点到半夜十二点的一段时间。

上午
一天中从清晨到正午十二点之间的时间。

日出
夜晚结束，太阳开始升起，天空渐渐变亮的时候。日出时也被称为“破晓”。

日落
夜晚开始之前，太阳下沉，天空开始变暗的时候。

滑行
蛇移动的方式，即沿着地面滑动着前行。

泛光灯
被安装在高高的地方、非常明亮的灯，用来照亮场地。

新月

几乎没有亮度、很难被看到的月亮。新月出现的时候，月球正好位于地球和太阳之间。

满月

圆圆的月亮。

残月

农历月末形状如钩的月亮。

秒表

用于显示用时的设备。能够显示分和秒，有一些还会显示时。

参考答案

第15页

1.莉莉可能会说成“11点30分”。奥莉可能会说成“十一点半”。

2.莉莉可能会说成“3点30分”，奥莉可能会说成“三点半”。

第17页

要计算出莉莉1小时跑了几千米，可以用60（1小时有60分钟）除以她跑1千米所用的分钟数。莉莉1千米跑了4分钟，她的时速是这样计算的：60 ÷ 4=15。所以，莉莉跑步的速度是每小时15千米。

第21页

1.B。太阳在冬季升得比较晚，落得比较早。这意味着夜晚会更长些。

2.A。在冬季，北半球是远离太阳直射点的，太阳在天空中显得比较低。

第29页

1.B。

2.B。

3.B。一年中白天最长的一天是夏至，这天太阳挂在天空中的时间最长。

小怪兽爱科学

光与影的魔法

[英] 保罗 · 梅森/著　[英] 迈克尔 · 巴克斯顿/绘　唐　男/译

天津出版传媒集团
新蕾出版社

图书在版编目 (CIP) 数据

光与影的魔法 / (英) 保罗 · 梅森著 ; (英) 迈克尔 · 巴克斯顿绘 ; 唐男译 . -- 天津 : 新蕾出版社 , 2024.9

(小怪兽爱科学)

书名原文 : Learn Science with Mo: Light and Shadows

ISBN 978-7-5307-7774-9

Ⅰ . ①光… Ⅱ . ①保… ②迈… ③唐… Ⅲ . ①光学 - 少儿读物 Ⅳ . ① O43-49

中国国家版本馆 CIP 数据核字 (2024) 第 111498 号

Learn Science with Mo: Light and Shadows
Text by Paul Mason
Illustrations by Michael Buxton
First published in Great Britain in 2023 by Hodder and Stoughton

津图登字：02-2022-201

书　　名： 光与影的魔法　GUANG YU YING DE MOFA
出版发行： 天津出版传媒集团
新蕾出版社
http://www.newbuds.com.cn
地　　址： 天津市和平区西康路 35 号（300051）
出 版 人： 马玉秀
版权引进： 毕之莹　吕　玥
责任编辑： 吕　玥　潘晶雪
美术编辑： 白晓燕
责任印制： 朱　琳
电　　话： 总编办（022）23332422
发行部（022）23332351　23332677
传　　真：（022）23332422
经　　销： 全国新华书店
印　　刷： 河北赛文印刷有限公司
开　　本： 889mm × 1194mm　1/16
字　　数： 26 千字
印　　张： 2
版　　次： 2024 年 9 月第 1 版　2024 年 9 月第 1 次印刷
定　　价： 16.50 元

目 录

来了解光

小莫有点怕黑。晚上，当小莫特别害怕的时候，他会把头藏到被子里。

头藏到被子里其实没什么用，因为被子里比外面还要黑。

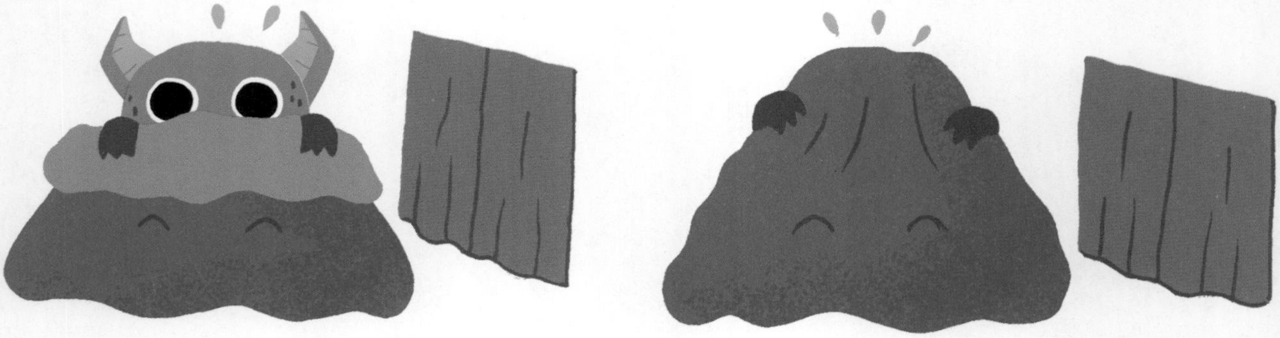

也许你能帮小莫变勇敢点。大多数事物都是，等我们了解了它们，就不觉得有多可怕了。

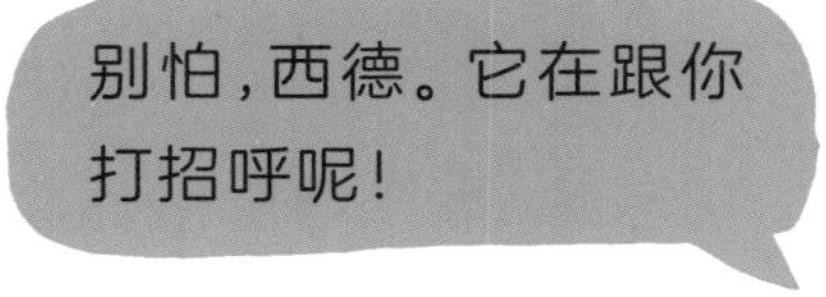
别怕，西德。它在跟你打招呼呢！

汪！

要是我们能了解光与影，可能就不觉得黑暗可怕了。人们更容易记住有意思的事情，所以，小莫要去游乐场，在游玩中学习光与影的知识。比如：

探索镜子世界，

赢得射击比赛，

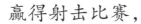

甚至去挑战恐怖屋！

光源

在一个阳光明媚的下午，小莫和西德出发去游乐场了。阳光太刺眼了，小莫决定戴上太阳镜。

所有的光线都是从某个地方照射过来的。产生光线的东西叫作光源。在白天，太阳是最大的光源。

下面还有哪些东西也是光源呢，小莫？

要是你答对了，你就赢得了在游乐场选择一个项目进行游玩的资格。你可以翻到第32页，对一下答案。

光源并不都是一样的。有些光源会散发热量，有些不会。比如：尽管太阳离我们很远，但它能让我们感到温暖；家中的LED灯管离我们近，但它不会发热。

太阳是一种自然光源。它不是人类造出来的。由人类造出来的光源叫作人造光源。

小莫，试着把下面这些光源分个类吧，看看它们是自然光源还是人造光源。前两个我已经帮你分好了。

自然光源	太阳
人造光源	蜡烛

分好了吗？快到第32页确认一下你分得是否正确吧！

遮挡光线

要去游乐场，小莫和西德得经过一条林荫小路。小路两边的大树把部分阳光挡住了。

戴着太阳镜走林荫小路，
太黑了吧！
哎哟！

完全不透光的物体叫作不透明体。能透过一些光线的物体叫作半透明体。能让光线全部通过的物体叫作透明体。

小莫，下面哪种物体挡住的光线最多呢？把它们透光的程度按从弱到强的顺序用数字1~3标出来，然后翻到第32页看看参考答案吧！

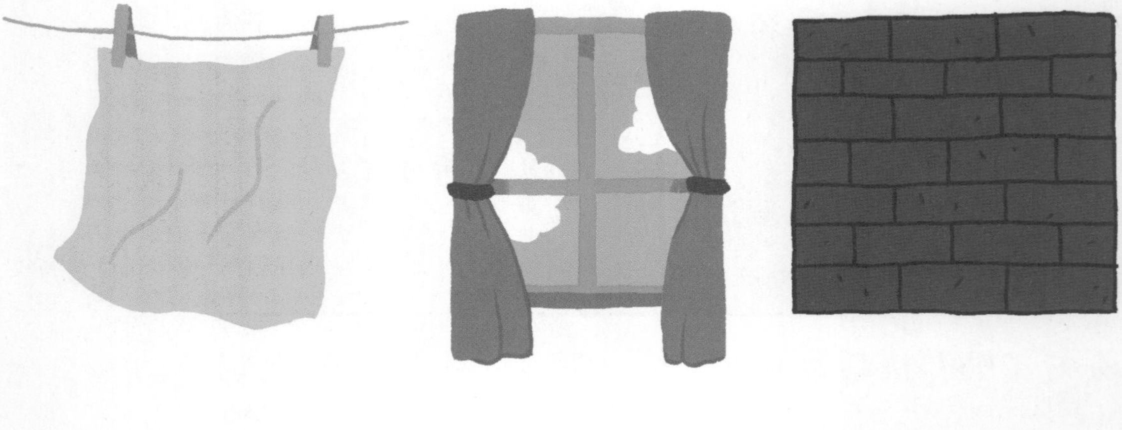

林荫小路不只光线暗，还凉快。这是因为热量是和光线一起从太阳上射过来的。光线被挡住的时候，热量通常也会被挡住。

小莫，你能把第7页列出的那些光源按照下表进行分类吗？

	热光源	冷光源
自然光源	太阳 燃烧的木头 正在爆发的火山	萤火虫
人造光源	蜡烛	手机 手电筒

答对了，小莫。你又给自己赢得了游玩一个项目的资格。

当心，阳光会灼伤你的眼睛！即使戴上了太阳镜，也一定不要直视太阳。

影子游戏

小莫和西德从林荫小路走出来的时候，阳光特别好，他们的影子投在地面上。

要是光源移动了，影子也会跟着移动。

小莫，在日出、中午还有日落的时候，西德的影子分别会在什么位置？

A.
B.
C.

这个…… A 是日出的时候，B 是中午的时候，C 是日落的时候。

答对了！太阳高度越高，物体的影子就越短。

移动光源的位置并不是让影子发生变化的唯一方法。如果移动遮挡光线的物体，影子也会发生变化。

小莫，在一个黑暗的房间里放一个强光手电筒。然后，在离你远一些的地方打开手电筒，好让你的手的影子投在墙上。

现在你可以得到一只影子小鸟啦！

小莫还弄出了一些别的动物手影。你能认出它们分别是什么动物吗？翻到第32页，你就知道了。

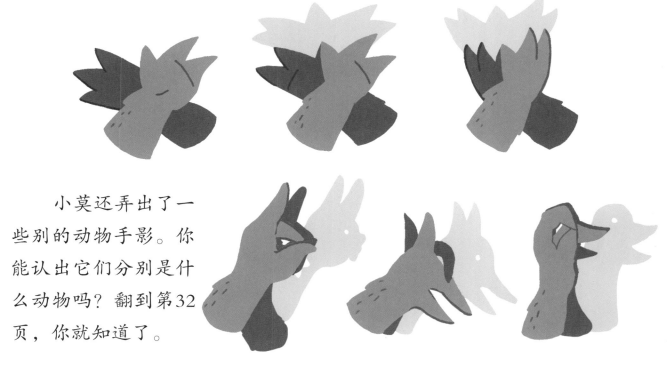

还有一种让影子变化的方法，到第14和第15页找一找吧！

好玩的镜子

小莫和西德走到游乐场的时候，太阳已经落山了。游乐场开了灯，到处都是光源！

镜子世界的门外是一面普通的镜子。去照一照吧，小莫！

顺便说一下，现在天已经黑了，该摘掉你的太阳镜了吧，小莫？

小莫右手拿着太阳镜。你有没有注意到，镜子里的小莫有点奇怪。

咱们研究一下原因吧！

不是光源的物体能被我们看到，靠的就是光的反射。光从它们身上反射回来，进入我们的眼睛。

镜子里会出现影像，是因为光从小莫的胳膊上反射到镜子上，然后再反射回他的眼睛里。

这种反射让镜子前的物体在镜子中丝毫不差地显示出来。这叫作镜像，跟照片是不一样的。

镜像　　　　照片

所以，小莫，你是用左手拿着太阳镜吗？
不是的！镜子里的是我用右手拿着太阳镜的镜像。
回答正确！

彩色的影子

小莫和西德站在一个游戏摊位前。突然，他们注意到一件怪事：此时他们的影子居然不是黑灰色的，而是彩色的！

哇！五颜六色的影子！

影子看上去有点像彩虹。彩虹包含了组成光的各种颜色。

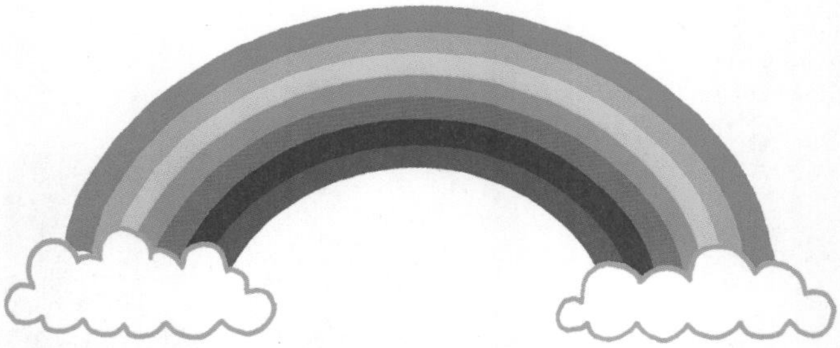

其中最重要的颜色是红色、绿色和蓝色，它们被称为光的三原色。用不同的方式把这三种颜色的光混合在一起，可以得到任何颜色的光哟！

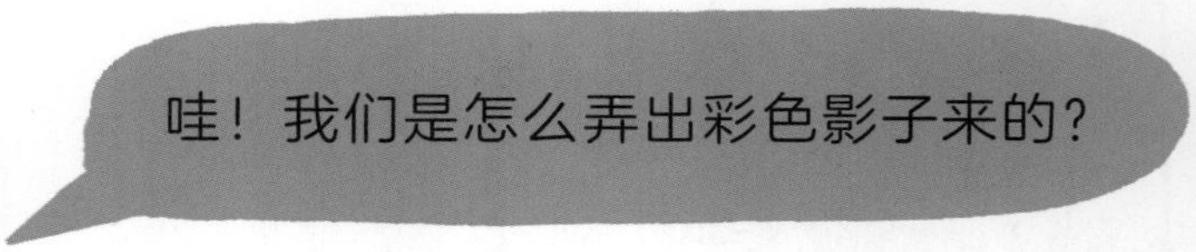

哇！我们是怎么弄出彩色影子来的？

小莫，做一个实验，你就可以找到答案。

小莫在三个手电筒的灯罩上分别蒙上红、绿、蓝三种颜色的塑料膜。他还准备了一张白色卡纸，让光可以投在上面。黑暗的房间也是必需的。

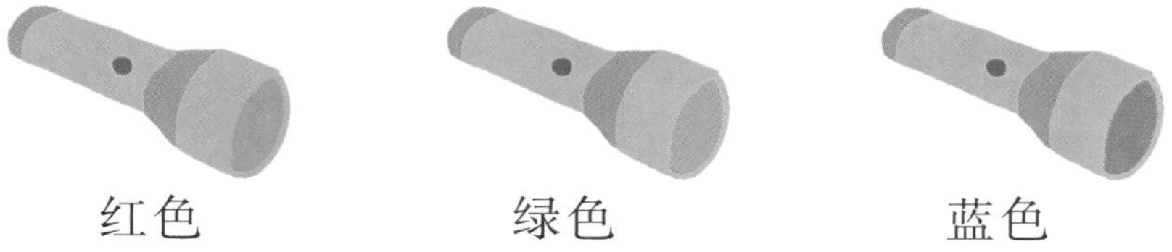

让这三个手电筒的光交汇，三束光在白色卡纸上汇聚的地方的光是什么颜色的，小莫？

现在，小莫手里拿着一根铅笔，伸到手电筒和白色卡纸之间（越靠近白色卡纸效果越好）。他看到了三种不同颜色的影子！

这三种颜色的光来自不同的方向。铅笔挡住了一部分光。彩色的影子就是来自不同方向的光照射而形成的。

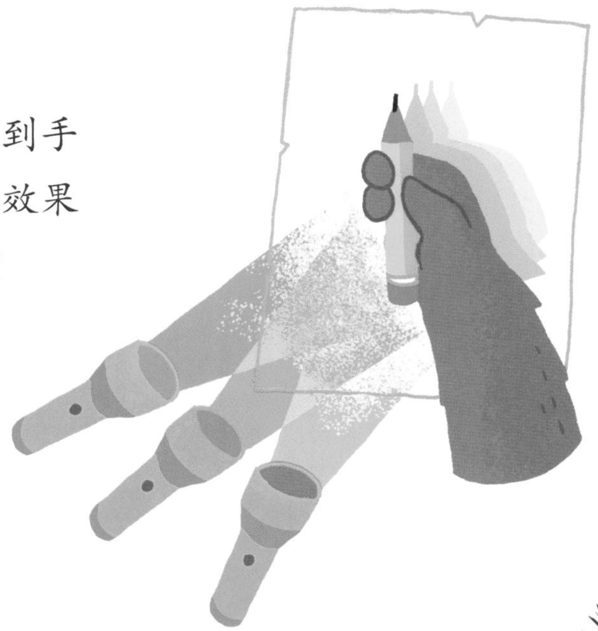

光线的轨迹

小莫注意到了一个射击摊位。要想赢得奖品，得射中靶心才行。

奖品中有一个可爱的毛绒玩具，样子跟西德特别像。

小莫，你能看清楚靶子吗？要是可以的话，该怎样用科学原理解释呢？

有很多光线照射靶子。光线从靶子上反射到我的眼睛里，我就看到了靶子。

答对了！奖品的光线是沿着什么轨迹进入你的眼睛的？

我们可以做个实验来找找答案。小莫需要三张中间有洞的硬纸板、一些陶泥（用来把硬纸板固定在桌面上）、一个手电筒和一个黑暗的房间。

1.让手电筒的光沿着桌面射过去，穿过第一张硬纸板上的洞。

2.现在，把第二张、第三张硬纸板和第一张排成一列，让光线从三个洞里都穿过去。

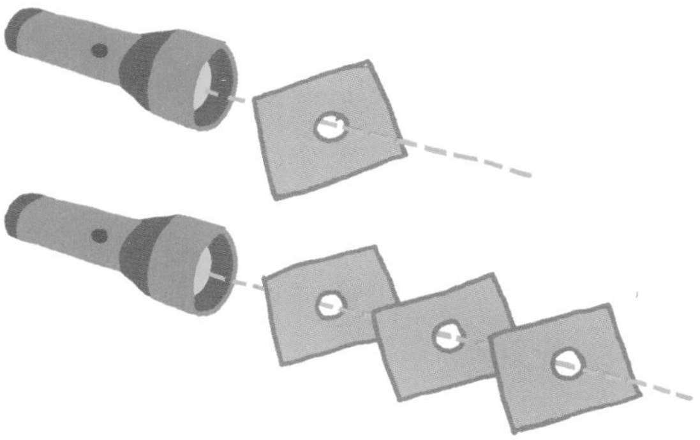

从三个洞里穿过的光是一条什么线呢？

是一条直线！

答对了！所以，现在我们知道了，光线是沿着直线照射的。

要验证这一点很容易，把中间的硬纸板往旁边移一些。你还能看到光线吗？

但愿你的箭也能沿着直线飞哟，小莫！
看不到了。
嘿！

镜子戏法

接下来，小莫和西德决定去镜子世界里玩。在门外的镜子里，他俩的影像都很正常。

向镜子里看的时候，我们的大脑会认为我们看到的那些都是真实存在的。我们觉得那是光从一个物体上反射回来，进入了我们的眼睛。不过，镜子世界里那些形状怪异的镜子和我们的大脑开了个玩笑。

画一面凸面镜，再画出光线的走向，会帮助你理解这个问题的，小莫。

光线从物体射向凸面镜。

光线从凸面镜上反射回来的时候，会发散。

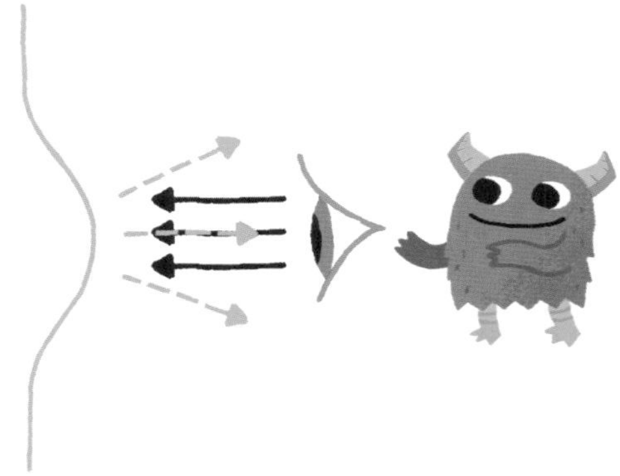

大脑没法理解这个画面。

大脑被骗了，认为这个物体比正常的矮一些。

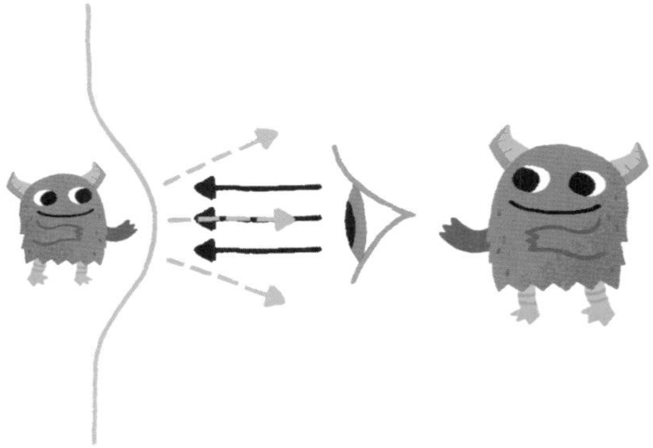

投向凸面镜的光
凸面镜反射回来的光

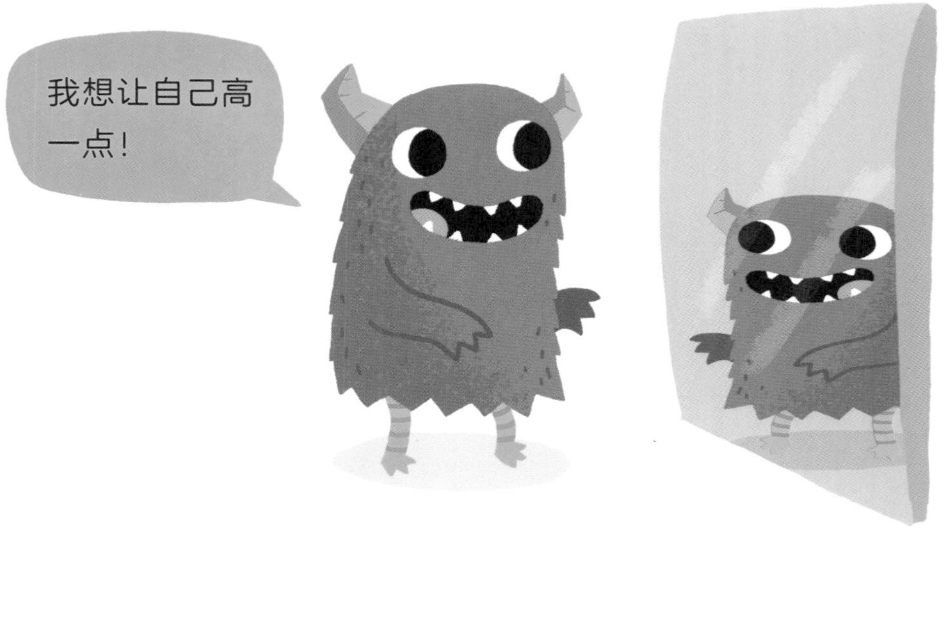

变化的月亮

天黑了，不过还是有光亮的，我们仍然能够看到东西。圆圆的月亮升起来啦！

月亮本身并不会发光，它的光来自太阳。太阳光从宇宙中照射过来，照到月亮上，再反射到地球上。从地球上看过去，我们觉得那就是月亮发出的光。注意，月亮不是光源。

在一个月的不同时间里，我们看到的月亮形状是不一样的。小莫，你能猜到原因吗？

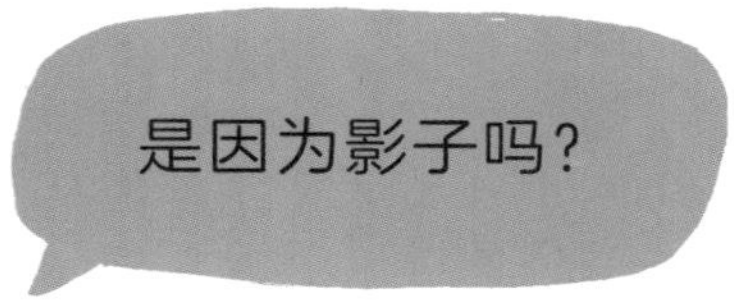

答对了！我们来看看是怎么回事。

太阳会一直把阳光投向月亮。月亮朝向太阳的部分一直是亮的，另一部分则在阴影里。

月亮绕着地球一圈一圈地转，总是把同一面朝向地球。

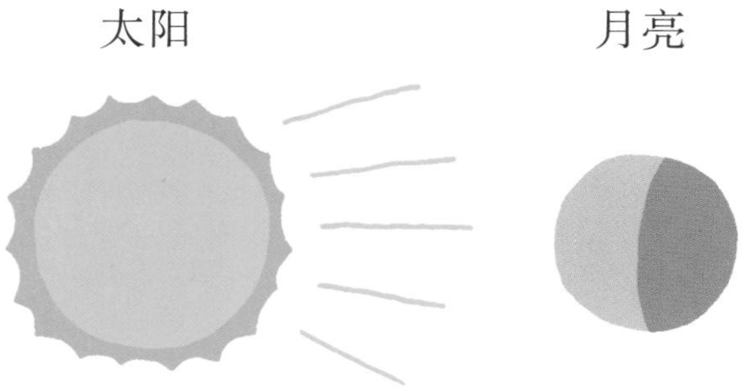

新月

月亮在太阳和地球之间，可以理解为月亮背对阳光。

下弦月

随着月亮的移动，越来越多的阴影爬上了月亮的表面。

满月

月亮转到了整个正面都能被阳光照到的位置，我们就看到了满月。

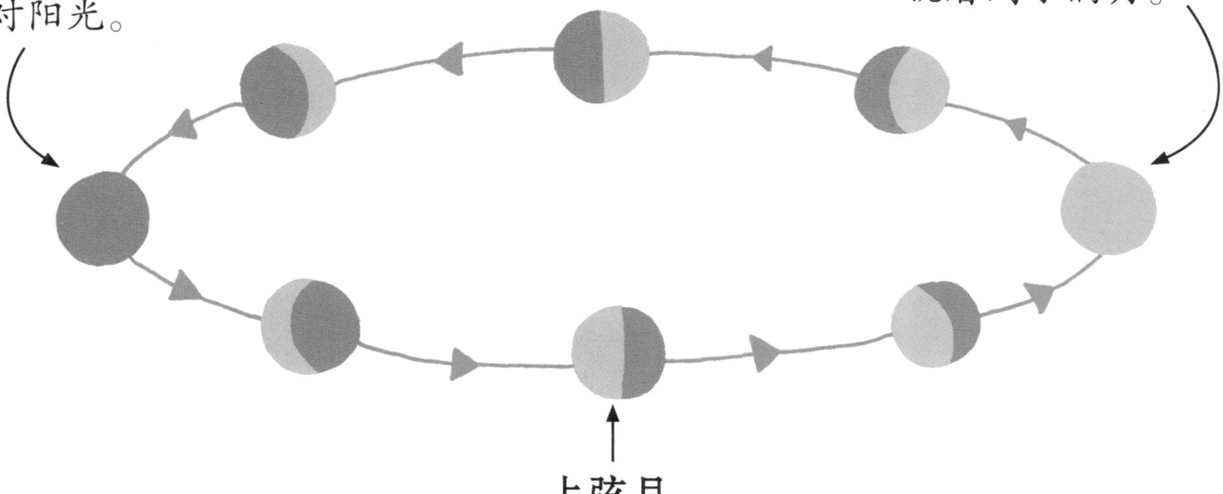

上弦月

随着月亮的移动，月亮上的阴影越来越少。

大影子，小影子

小莫来到了木偶戏的摊位前。木偶戏中，大灰狼抢了鳄鱼的香肠……

鳄鱼需要做出巨大的、可怕的影子，好把大灰狼吓跑。影子的大小是由物体与光源之间的距离决定的。

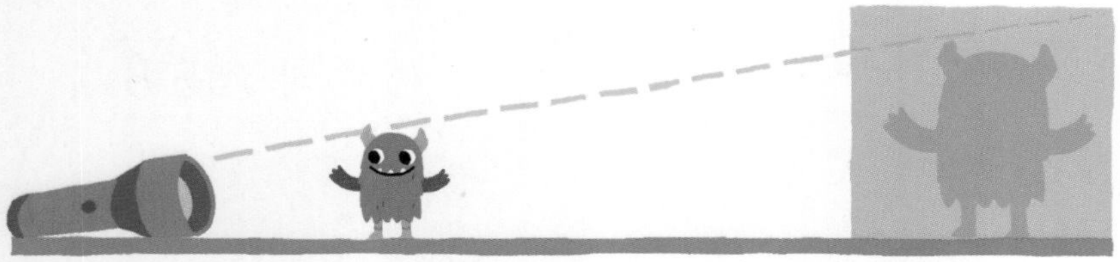

物体离光源越近，投下的影子就越大。

物体离光源越远，投下的影子就越小。

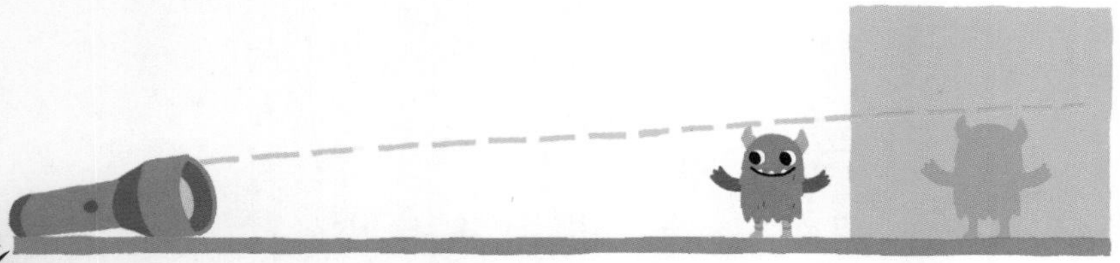

要是物体距离光源很远，影子就会很小，根本吓不到人。

小莫，我们来帮鳄鱼把大灰狼吓跑，夺回香肠，怎么样？

好哇！这样的话，他可能还会分给我一根香肠。

就这么定了！刚开始，鳄鱼离灯光挺远的。

现在，离灯光近一些。

然后，再近一些。

嘴里塞满香肠的时候，跟别人说话是不礼貌的。

鳄鱼有没有把香肠分给你呢，小莫？

光和感官

我们的眼睛帮助大脑了解身边发生的事情。同时，大脑也会利用其他感官来报告信息。

要是没有光线，看不到东西的话，我们的大脑很可能会对周围的世界做出错误的判断，这就是黑暗可怕的原因。从黑暗中传来的声音有时会让我们感觉毛骨悚然，但若是能看到，我们可能就不会有这种感觉了。

接下来，小莫要去恐怖屋玩。这将是一次在黑暗中练胆的经历，来试试在眼睛看不到的情况下，小莫的胆子有多大。

小莫得去摸、去感觉他看不到的东西。等灯亮的那一刻，小莫才会明白他该不该害怕。

恐怖屋

这是一只凶猛的鲨鱼。
啊！
原来是个破了的球，里面放了沙子呀！
这是一只有毒的水母。
哎呀！
谢天谢地，原来是一块放在水里的布丁！
这是一个毒蜘蛛的老巢。
救命！
什么嘛，原来是些扭扭棒啊！

神奇的光线戏法

差不多该回家啦！走之前，小莫和西德还有点时间，可以再逛一逛奇幻迷宫。

在迷宫里，真的很难找到通向出口的路。很多路看起来像出口，其实根本不是。

这边！

是画上去的呀，真有迷惑性！
哎哟！
咣当！

还有些“出口”，你根本过不去。

这次我先去。
原来有层透明塑料哇！
砰！

你能不能解释一下，迷宫是怎样用光线来骗过我们的，小莫？

在第一个“出口”，光线从画上反射回来，进入我的眼睛。我的大脑以为那就是出口，直到我走近……

说得对。那幅画骗过了你的大脑，和第19页的凸面镜一样。

在第二个“出口”，光线穿过了那堵透明塑料墙，我们直接看到了外面的小路。西德没有注意到那堵塑料墙，撞上去才反应过来。

黑暗里的快乐

两个好朋友离开游乐场的时候，天已经黑透了。西德拿着一个手电筒，能照亮一小块地方。不过，一般情况下，即使有手电筒，小莫还是怕黑。这次学习的关于光与影的课程，会不会帮到小莫，让他感觉安全些呢？

小莫，西德需要把手电筒照向哪个方向，才能看清路？

我知道月亮把光反射到地球上。
我还知道，这棵大树就在月亮和小路中间。
所以，投在小路上的就是大树的影子啦！
有人在后面跟着我们吗？
没有啦，别担心。
小莫，你又是怎么知道的？
很简单。我只不过看了看商店玻璃窗上映出的影子。从那儿能看出来，没有谁跟着我们。
小莫，你还怕黑吗？
不怕了，真的！

词汇表

镜子
一种能完美反射光线、映出清晰影像的物体。现代的镜子通常是用玻璃做的。

射击
一种运动项目。

太阳镜
也叫遮阳镜，可以防止太阳光灼伤眼睛。

LED
一种常用的发光器件，在照明领域被广泛应用。

萤火虫
一种小甲虫，身体可以在黑夜里发光。

反射
在本书中特指光线返回来。

镜像
物体在镜子中的图像。

实验
为了检验某种科学理论或假设而进行某种操作或从事某种活动。

靶子
练习射击或射箭的目标。

阴影
光因为被遮挡而照射不到的地方。

木偶戏
用木偶来表演故事的戏剧。

参考答案

第6页

蜡烛 √

气球 ×

手机 √

燃烧的木头 √

镜子 ×

手电筒 √

正在爆发的火山 √

第7页

自然光源	太阳 燃烧的木头 正在爆发的火山 萤火虫
人造光源	蜡烛 手机 手电筒

第8页

1.

光线不能穿透砖墙。

2.

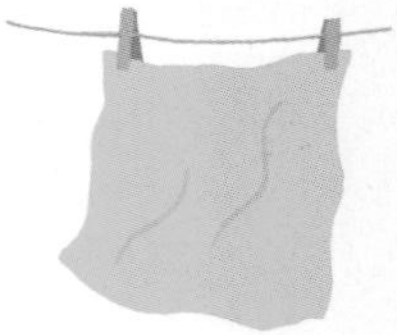

纯棉床单能透过一部分光线。

3.

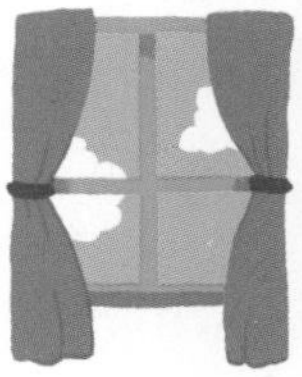

玻璃窗几乎可以透过所有光线。

第11页

兔子、狼、鸭子。

小怪兽爱科学

人体大揭秘

[英] 保罗 · 梅森/著　[英] 迈克尔 · 巴克斯顿/绘　唐　男/译

天津出版传媒集团
新蕾出版社

图书在版编目 (CIP) 数据

人体大揭秘 / (英) 保罗·梅森著 ; (英) 迈克尔·巴克斯顿绘 ; 唐男译. -- 天津 : 新蕾出版社, 2024. 9. -- (小怪兽爱科学). -- ISBN 978-7-5307-7784-8

Ⅰ. R32-49

中国国家版本馆 CIP 数据核字第 2024AR6964 号

Learn Science with Mo: The Human Body
Text by Paul Mason
Illustrations by Michael Buxton
First published in Great Britain in 2024 by Hodder and Stoughton

津图登字：02-2022-205

书　　名：人体大揭秘　RENTI DA JIEMI
出版发行：天津出版传媒集团
新蕾出版社
http://www.newbuds.com.cn
地　　址：天津市和平区西康路 35 号（300051）
出 版 人：马玉秀
版权引进：毕之莹　吕　玥
责任编辑：潘晶雪
文字编辑：陈　曦
美术编辑：白晓燕
责任印制：朱　琳
电　　话：总编办（022）23332422
发行部（022）23332351　23332677
传　　真：（022）23332422
经　　销：全国新华书店
印　　刷：河北赛文印刷有限公司
开　　本：889mm × 1194mm　1/16
字　　数：26 千字
印　　张：2
版　　次：2024 年 9 月第 1 版　2024 年 9 月第 1 次印刷
定　　价：16.50 元

目录

小怪兽和人类

很明显，小怪兽和人类不一样。不过，他们身上也有不少地方跟人类挺像的……

小莫，想一想，你的身体有哪些地方像人类呢？

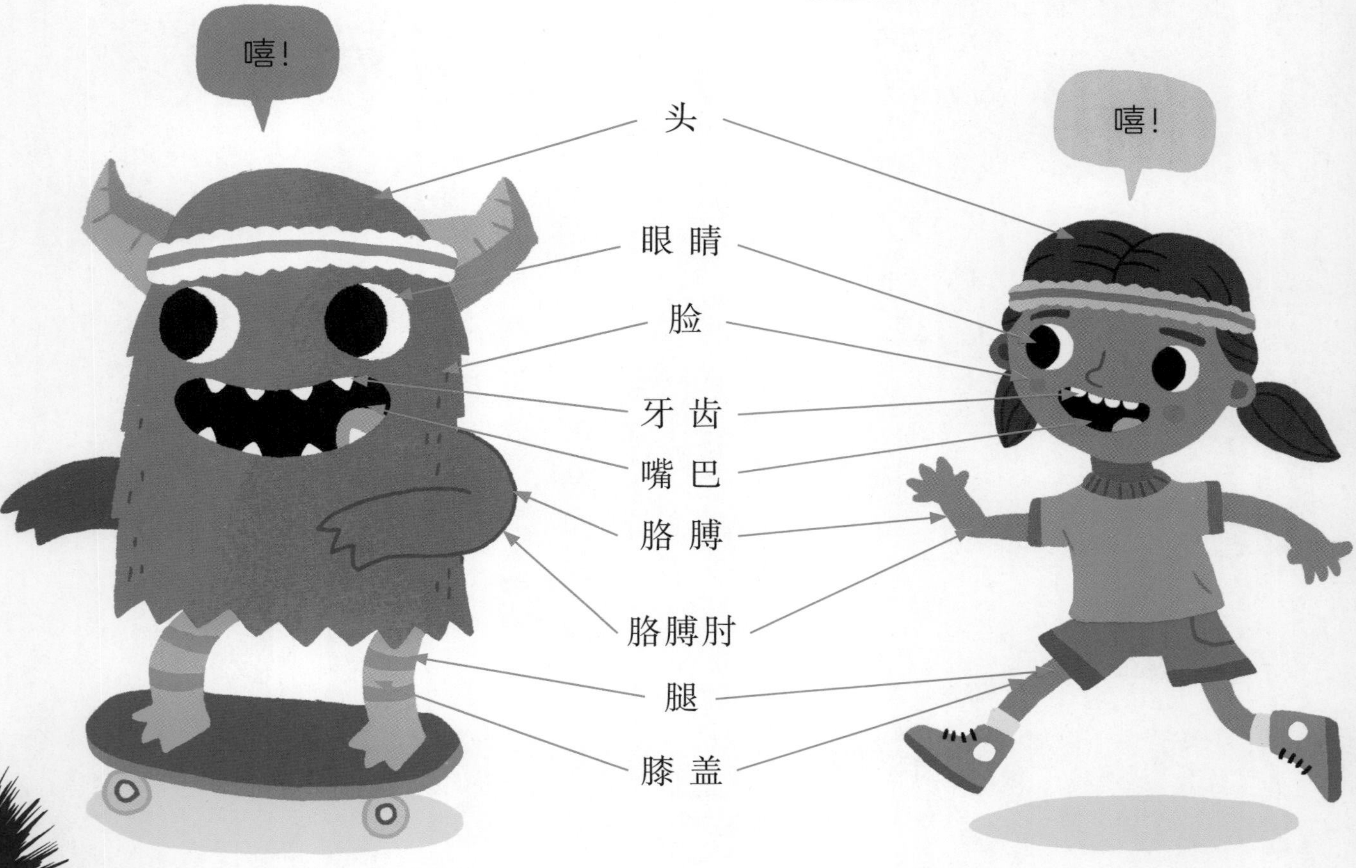

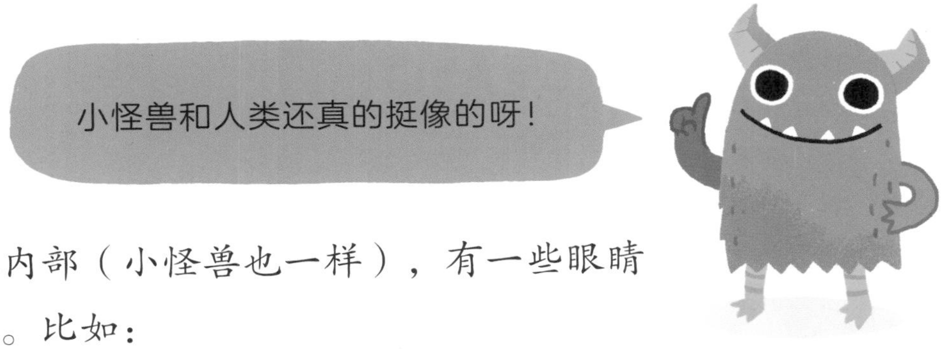

在人类的身体内部（小怪兽也一样），有一些眼睛看不到的重要器官。比如：

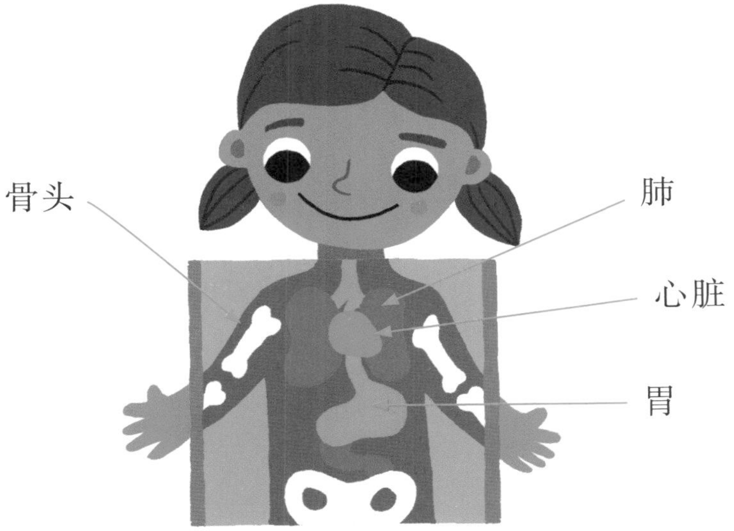

小莫，咱们来看看人类的身体是怎样工作的吧。想要了解人类身体是怎样工作的，可以到体育赛场上去看各种体育项目。

听起来挺有意思的！我要列一个我自己想尝试一下的运动项目清单。我已经试过骑自行车了，不过，我的腿够不到脚踏板……

撑起体重的骨头

第一个体育项目是举重，我们通过观察这个项目来了解骨头。你会喜欢的，小莫。你不是经常说，小怪兽们的力气比人类大吗？

举重的时候，运动员会把杠铃举过头顶……

然后保持这个姿势，直到三个灯亮起。

小莫，你觉得下面的选项中哪一个是举重运动员最需要的?

A.大脚丫子　　C.良好的视力

B.骨头　　D.出色的嗅觉

我想想……是骨头吧?

回答正确!

所有的骨头合在一起，叫作骨架。

我们的骨头就像支撑着帐篷的框架一样。没有它们，人类就只能在地上瘫成一团了!

骨头非常结实，也非常轻，它是分好几层的:

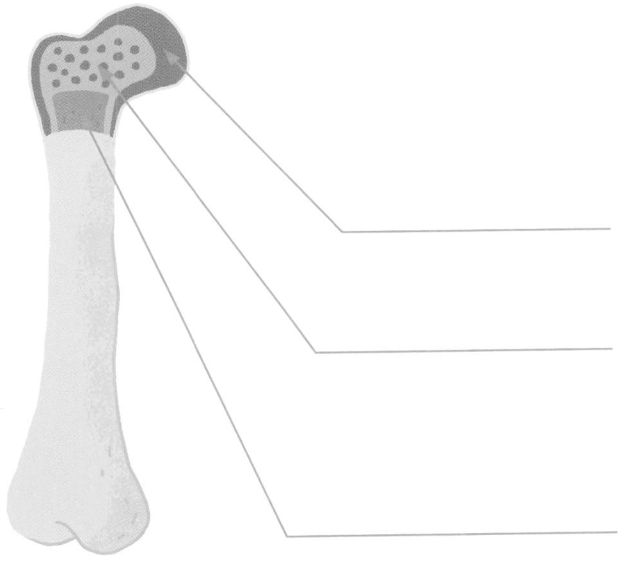

骨密质

骨头的外层，非常结实。

骨松质

骨头里面是蜂窝状的。

骨松质富有弹性，比较轻。

骨髓

骨头的中心是软软的骨髓。

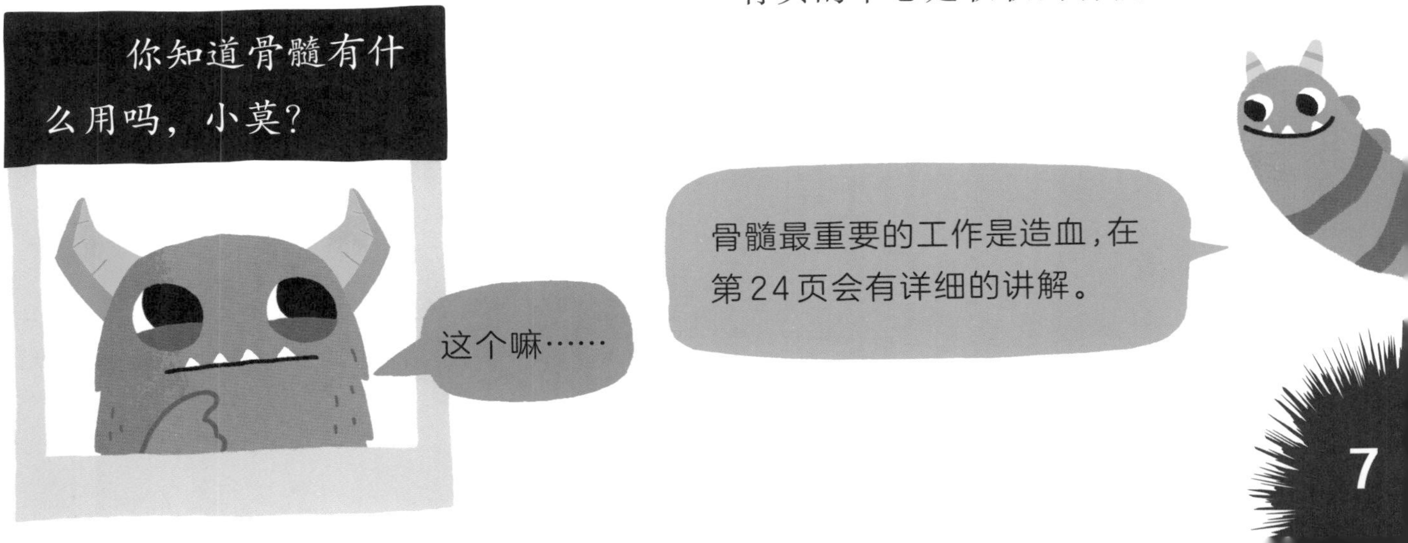

你知道骨髓有什么用吗，小莫?
这个嘛……
骨髓最重要的工作是造血，在第24页会有详细的讲解。

扔铅球——肌肉的力量

接下来，到了看铅球比赛的时间啦！这可是了解关节和肌肉的好机会。

小莫，你知道大型比赛中使用的铅球有多重吗？

女子组选手用的是4千克的铅球，男子组选手用的是7.26千克的铅球。

没有关节和肌肉，人类是不可能扔出铅球的。事实上，那样人连动都动不了。我们先看看怎样扔铅球吧。

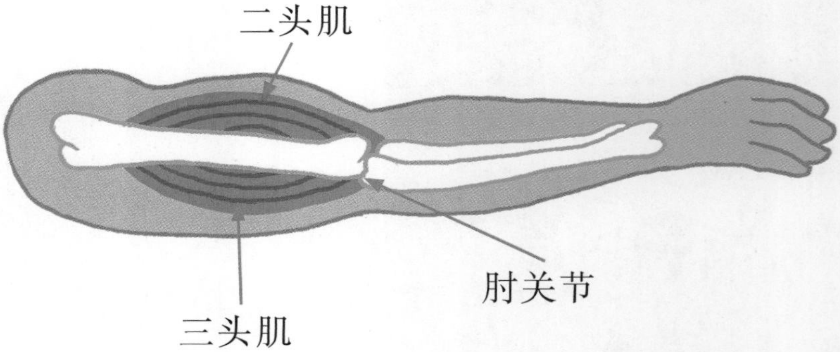

二头肌收缩的时候，胳膊就会弯起来。

伸直胳膊的时候，三头肌收缩，二头肌会舒展和放松。

三头肌对铅球运动员很重要。他们快速伸展胳膊，用力一扔，就把铅球扔了出去。

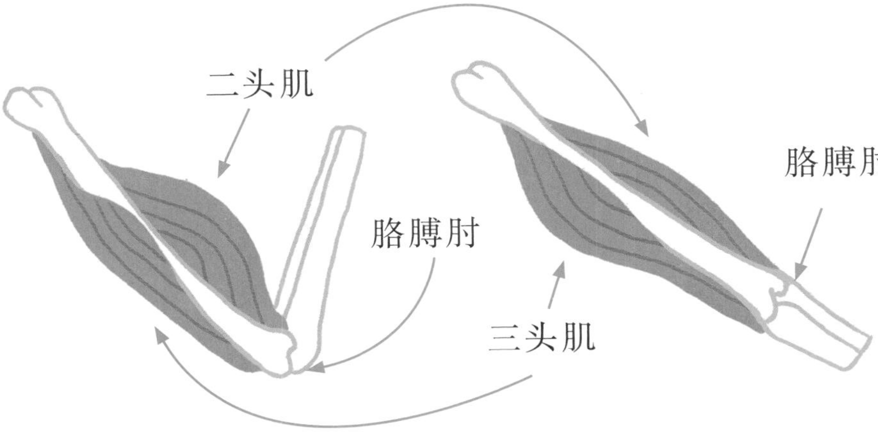

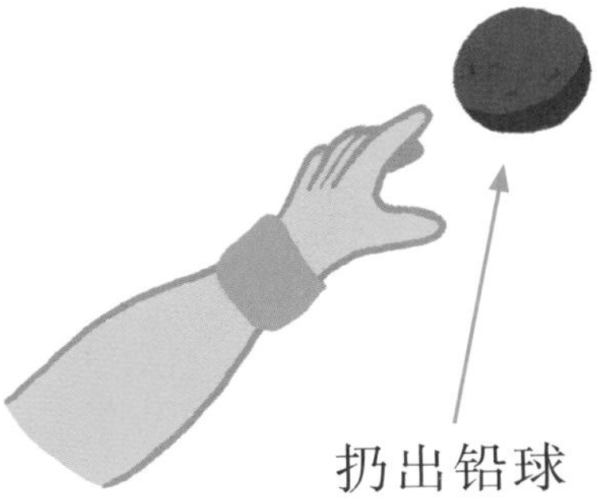

小莫，你还能想出在什么情景下会用到这些部位吗？

打地鼠！

敲鼓！

这些项目只用到了一些关节，人体光有明确名称的关节就有78个呢。

听力和快速入水

小怪兽们都很不喜欢把身上弄湿。所以，50米自由泳这个项目你应该不喜欢吧，小莫？

不喜欢。可以把这个项目从我的体育项目清单上划掉。

50米自由泳差不多21秒就结束了，所以，能否快速入水对于比赛结果的好坏至关重要。听到比赛开始的信号声，你必须迅速做出反应。

1.信号声发出。

2.信号声使空气振动，形成声波。

3.信号声传入游泳运动员的耳朵里。

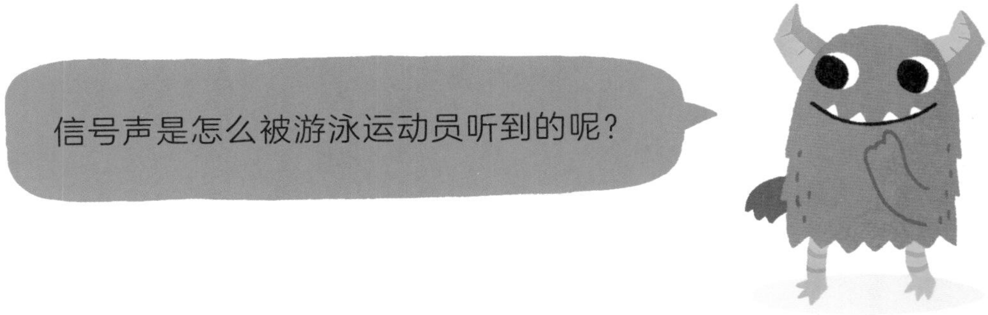

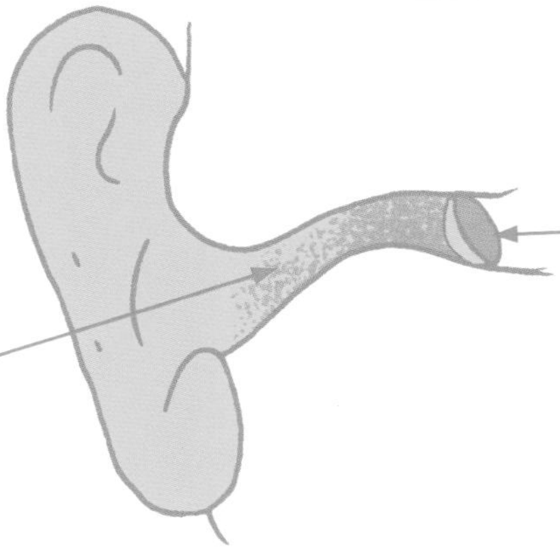

首先，信号声顺着耳道到达一个薄膜，这个薄膜叫作鼓膜。

声波撞击鼓膜，鼓膜开始振动。三块相互连接的听小骨也跟着振动起来。三块听小骨中的镫骨是人类身上最小的骨头。

振动传到一个叫作耳蜗的器官，耳蜗会发送信号给大脑。

听觉反应是很迅速的。信号声一响，随后游泳运动员就能听到并做出反应了。

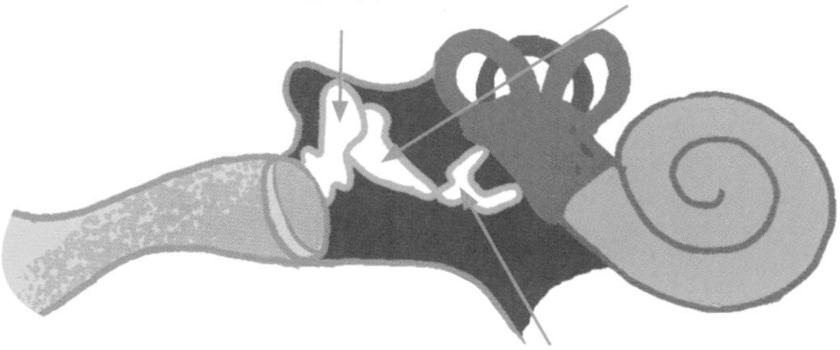

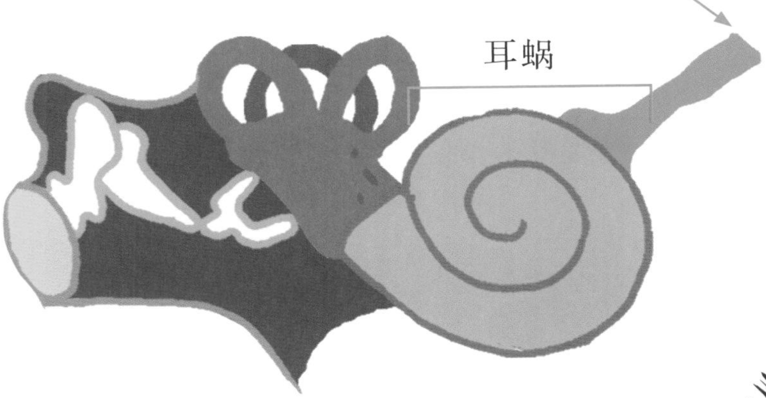

神箭手的视力

要了解眼睛是怎样工作的，去看射箭比赛吧。也许你可以试一下，小莫。

光线从箭靶反射进入小莫的眼睛。

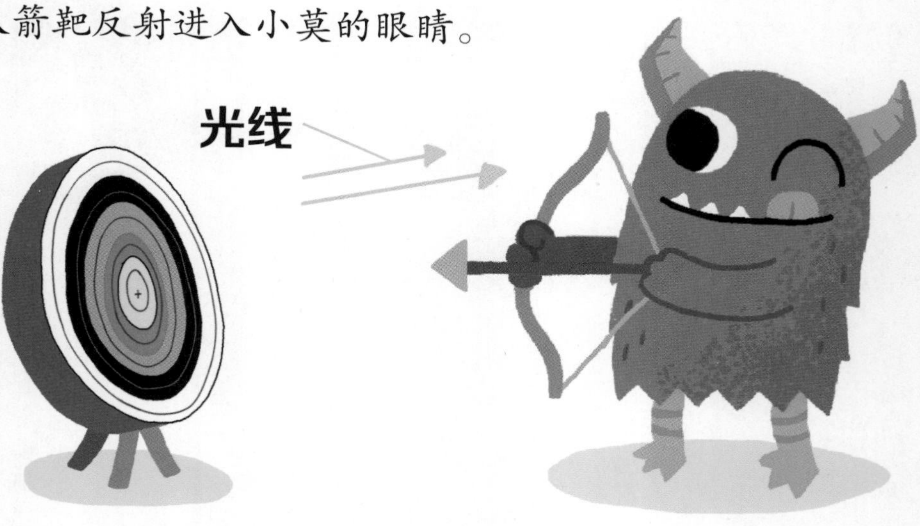

视网膜接收这些光线，传递给大脑，然后大脑会告诉你眼前有什么。

眼睛是怎样工作的

1.光线通过角膜和瞳孔进入眼睛。

2.光线穿过晶状体。

3.光线到达视网膜上。视网膜会把光信号转化成电信号。

4.电信号被传送到大脑，使我们看到物体。

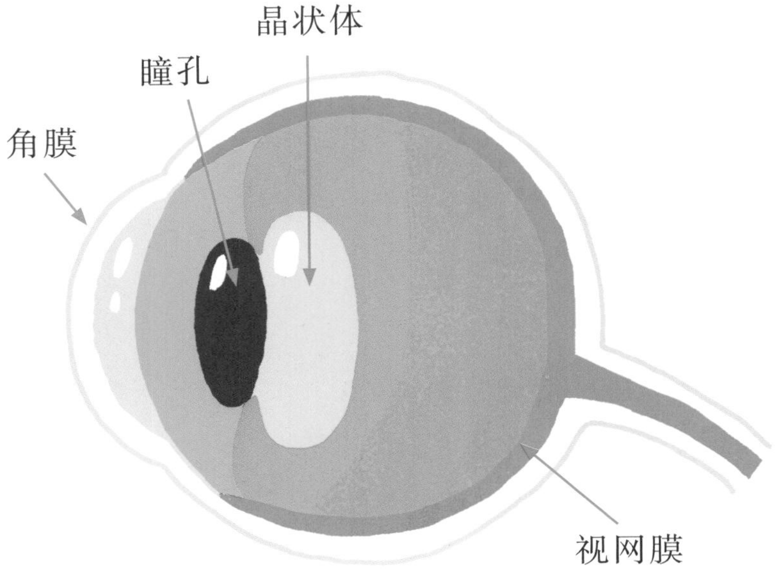

小测试

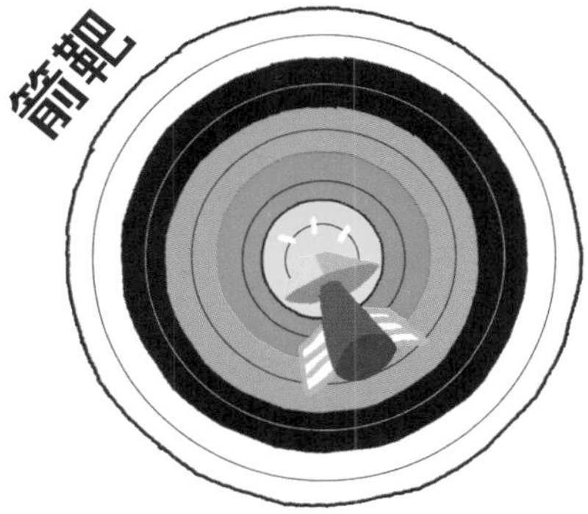

小莫，咱们来做个小测试吧。

你听到声音（比如第10页中的开始信号）或者看到图像（比如本页里的箭靶）的时候，信号会传送到哪里？

A.你的心里

B.你的肌肉

C.你的大脑

你能帮帮小莫吗？答案在第32页。

正中靶心！小莫，你觉得射箭这项运动适合你吗？

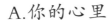

柔道中的信号传送

小莫，你可能会喜欢柔道这项运动。柔道和摔跤很像。小怪兽们不是天生就擅长摔跤吗？

柔道运动员把他（她）们的对手“扔出去”就会得分。当然，对手会努力不让自己被“扔出去”。

接收到神经系统传送的信号，运动员们会感觉到自己受到了攻击。

神经系统包括你的大脑、脊髓和神经。

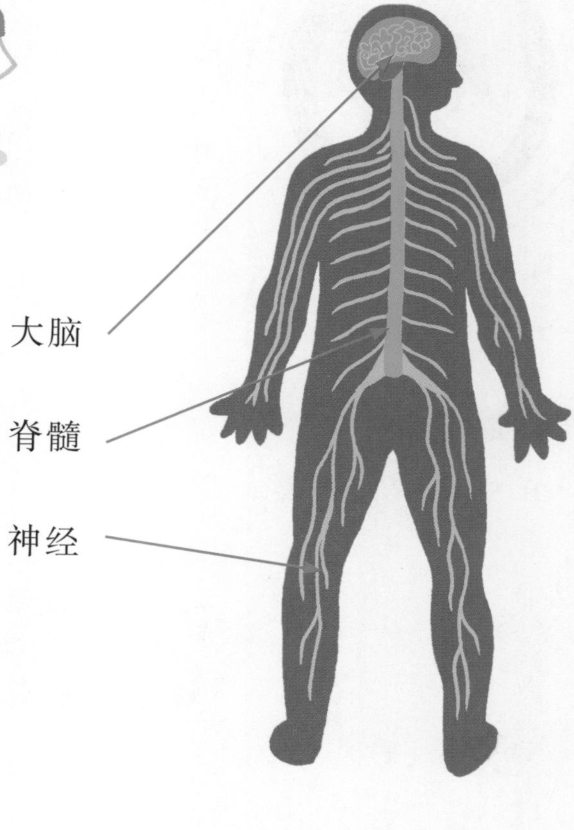

小莫，试一试，用一只手使劲捏另一只手……再使劲一点。

两只手的感觉一样吗？

两只手的感觉不一样是因为手上的神经发送了不同的信号。信号传到你的脊髓，再传到大脑，然后，你的大脑会判断该怎么做。

柔道比赛中，运动员的神经系统特别忙。

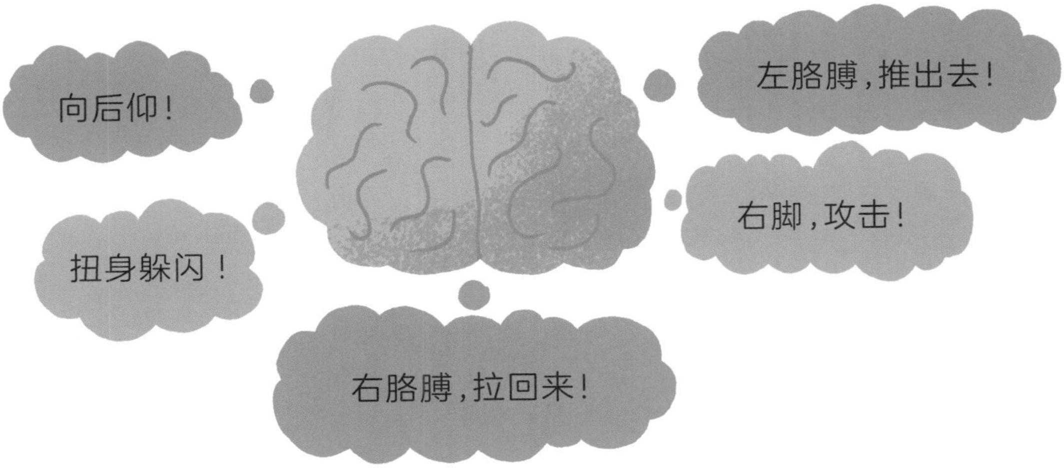

向后仰！
左胳膊，推出去！
右脚，攻击！
扭身躲闪！
右胳膊，拉回来！

柔道不仅是一场力量的较量，也是一场神经系统的战斗呢。

真有意思啊！

马拉松游泳中的呼吸

你能想象吗，小莫，你要不间断地游25千米？这就是马拉松游泳运动员要完成的任务。

我们可以做个实验来研究一下。首先，数一数，15秒里你呼吸了多少次。

现在，快速跑上15秒。原地跑也行，去操场上也行，然后再数一数你的呼吸次数。

也就是说，你的肌肉在努力工作的时候，你呼吸的次数会多一些。这是因为空气中有能让你的肌肉获得能量的东西——氧气。

你的肌肉越努力工作，你需要的氧气就越多。氧气从一个叫作肺的器官进入你的身体。

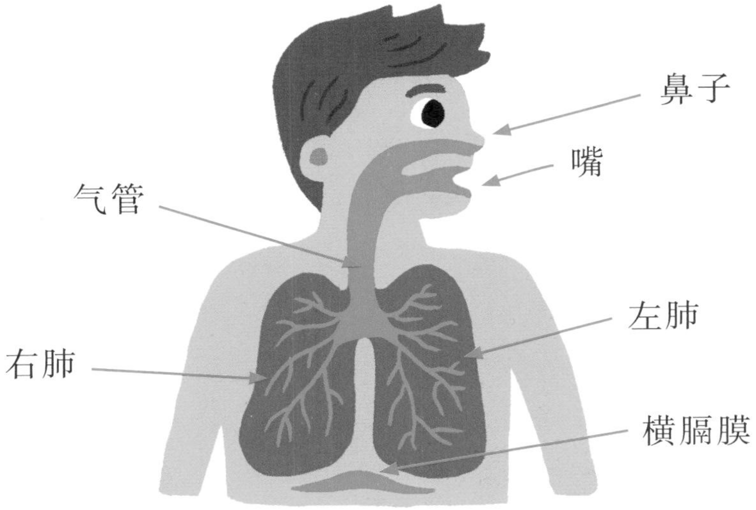

要吸入空气，得让一片薄薄的肌肉（横膈膜）收缩起来。横膈膜把肺的底部往下拉，让肺变得更大一点。空气被吸进去，填补了扩大的空间。

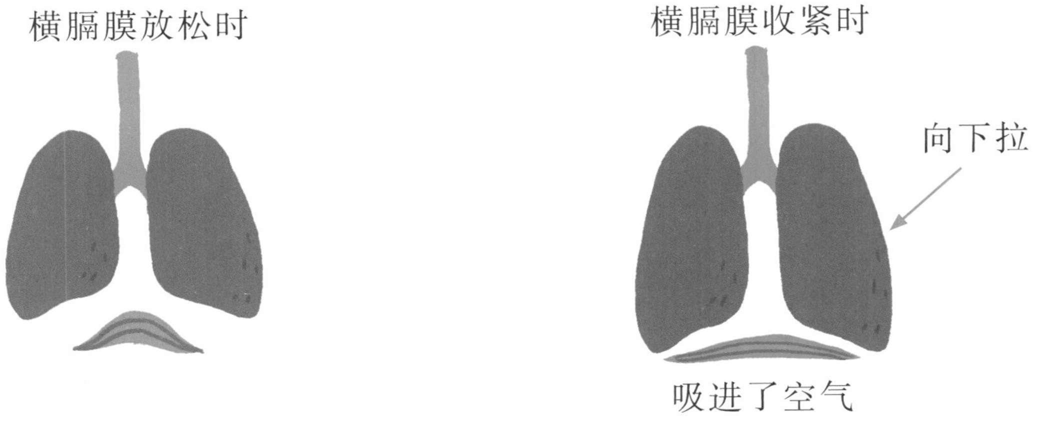

满身大汗的长跑运动员

马拉松长跑运动员的运动距离比马拉松游泳运动员的更长，准确地说，是42.2千米，相当于绕着一个标准足球场跑100多圈。

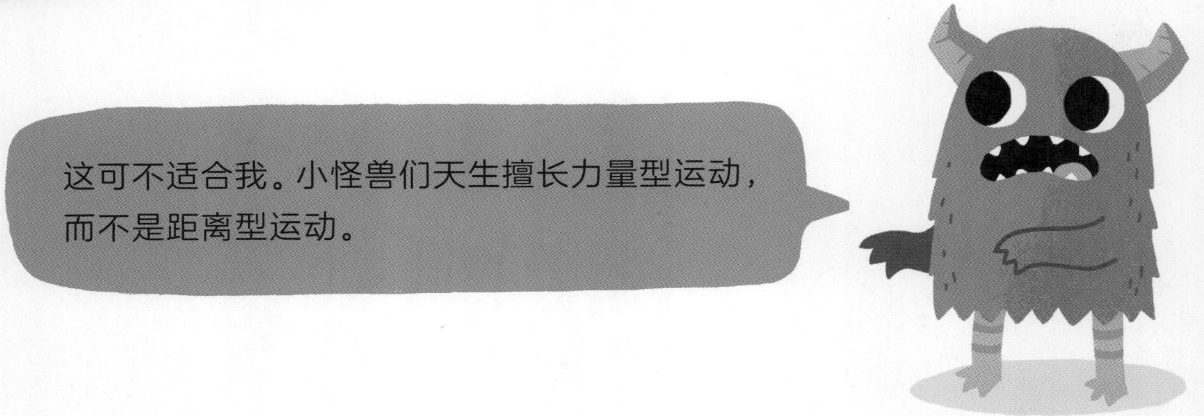

这可不适合我。小怪兽们天生擅长力量型运动，而不是距离型运动。

小莫，你在做第16页的实验时发现了什么？对，你的呼吸次数增加了。除此之外，你的身体还发生了哪些变化？

我浑身发热，还出了些汗。

我们做运动的时候身体会发热。这个知识在很多时候都能派上用场。具体是什么时候呢，小莫？

在天冷时运动一下，身体会觉得暖和！

小测试

我们来测试一下你是否了解呼吸和出汗。

1. 你呼吸变快通常是因为：
A.你要开始唱歌了。
B.你的肌肉需要能量。
C.你需要更多的空气让自己冷静下来。

2. 你出汗的原因通常是：
A.你的身体需要凉快下来。
B.你待的房间里太热了。
C.以上都是。

如果人的身体太热，就无法正常工作了。出汗是一种让身体凉快下来的方法。

这是因为，汗水在蒸发的时候，会带走热量。

要是你出了很多汗，一定要把失去的体液补充回来，这一点很重要。这就是为什么运动员在比赛过程中总会喝饮料。

好啦，我对出汗已经很了解了。
不过，我可不想跑马拉松！

点心时间

小莫，你现在饿了没有？

饿啦。不过，我
经常感觉饿。

这是因为你正在长身体呢。跟运动员一样，你的身体需要经常补充食物。食物会给你带来能量和营养。这对身体尤其重要。

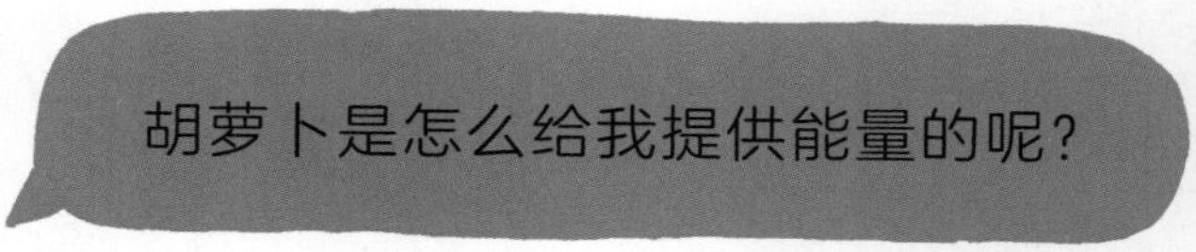
胡萝卜是怎么给我提供能量的呢？

咱们就和胡萝卜一起到人类的消化系统里旅行一趟，找找答案吧！

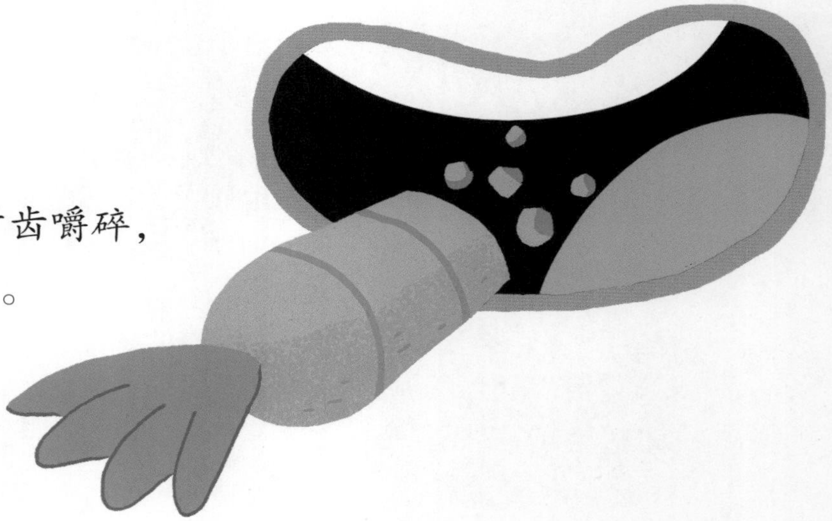

首先，胡萝卜会被牙齿嚼碎，不然是没法儿被咽下去的。

胡萝卜含有多种重要的维生素和矿物质。

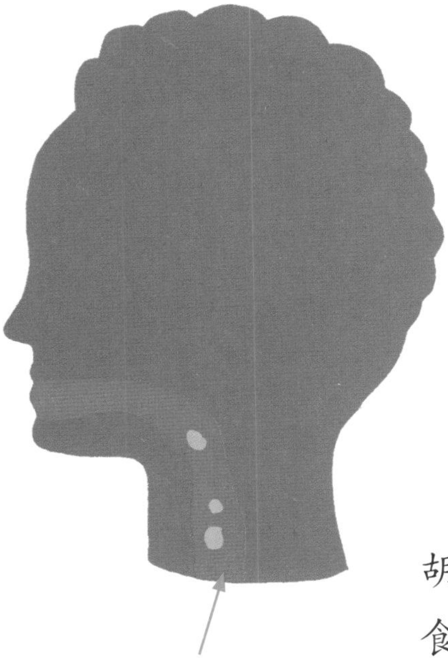
食道

然后，胡萝卜被咽了下去，沿着食道往下走。

它一直走到胃里。在这里，胡萝卜变成了一种糊状物，叫作食糜。

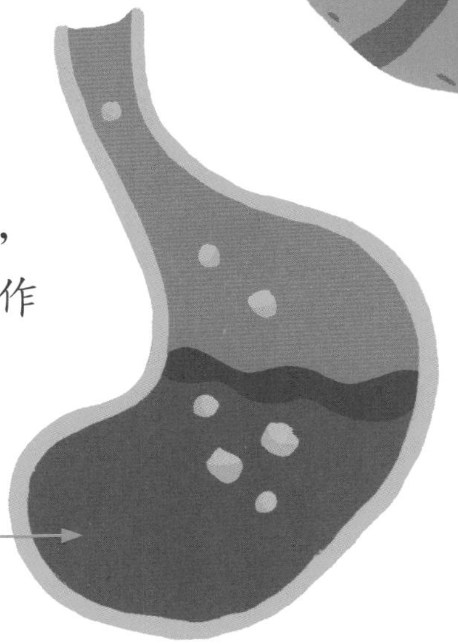
在这里变成食糜

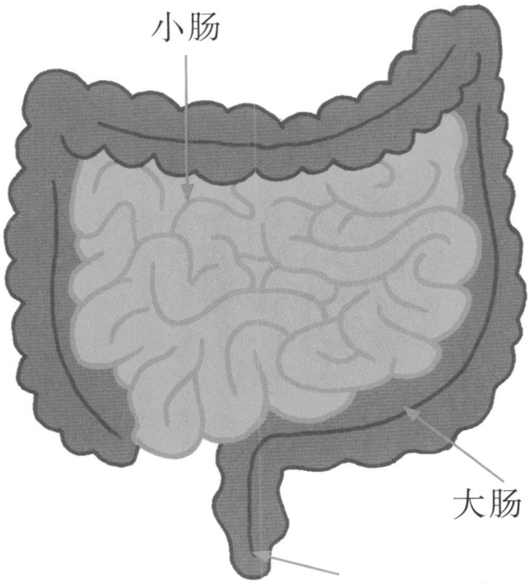
小肠
大肠
从这里排出来

在小肠里，食物中的大部分营养和能量都被身体吸收了。食物在往下走的过程中，水分也会被吸收。等走到了大肠，食物已经变得干燥了许多。在大肠的末端，大部分能量、营养和水分都已经被吸收完了。

剩下的就是大便了。

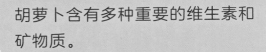

哦，原来这就是大便的形成过程呀！哈哈！

公路自行车赛选手

小莫，你要是连续骑6个小时自行车，会有什么感觉？这就是参加最高级别公路自行车赛的选手们要经历的。

那我得多饿呀！这点食物哪里够吃呀！

加油！
剩余256千米

连续骑行这么远，运动员们需要吃饭、喝水。不然，他们的能量消耗光了，就没法儿继续比赛了。

吃喝小问答

小莫，来做做这个小问答吧，了解更多关于食物、饮料和运动的知识。答案在第32页。记住，正确答案可能不止一个哟！

什么时候吃东西？

1.你和西德要进行一次超长距离的徒步，怎么吃比较好？

A.在开始徒步之前1~2个小时小吃一顿。

B.在徒步过程中吃些小零食。

C.回来之后大吃一顿（毕竟到那时候你们都快饿坏了）。

三个都选，哈哈！

2.去徒步的话，吃哪种小零食最合适？

A.巧克力和薯片

B.一小块儿三明治

什么时候喝水？

3.你要踢45分钟的足球，开踢之前，你该不该喝点水？

A.应该。我会尽量多喝点水。

B.应该。不过，喝一杯就够了。

C.不应该。我可不想在踢足球的时候，水在我的肚子里晃荡。

我只有渴了才会喝水！

感觉口渴，是你的身体在提醒你缺水了。在口渴之前就应该喝点水。最好是在比赛之前喝上一杯，在比赛过程中要少量多次地喝水。

血液的传送

小莫，咱们在看公路自行车比赛的时候，你有没有注意到选手们的车把手上有时会装上一个小电脑？

注意到了。是不是因为比赛的路程太长、太无聊了，所以他们在看电视节目解闷呢？

不是！小电脑是在告诉他们：

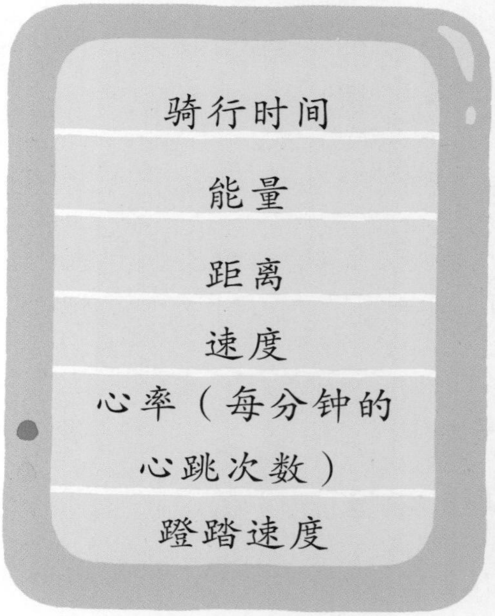

最重要的数据是骑手的心率。心率代表着心脏把血输送到全身的速度。

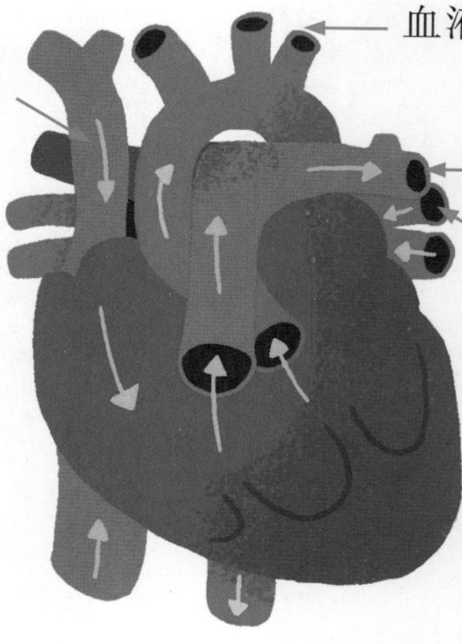

心脏就像一个泵，不过是肌肉做的。它有两个心室和两个心房。心室和心房通过收缩、舒张，把血液挤压到身体的各个地方。

血液能把氧气和营养送到身体各部位，还会顺带清理掉垃圾。

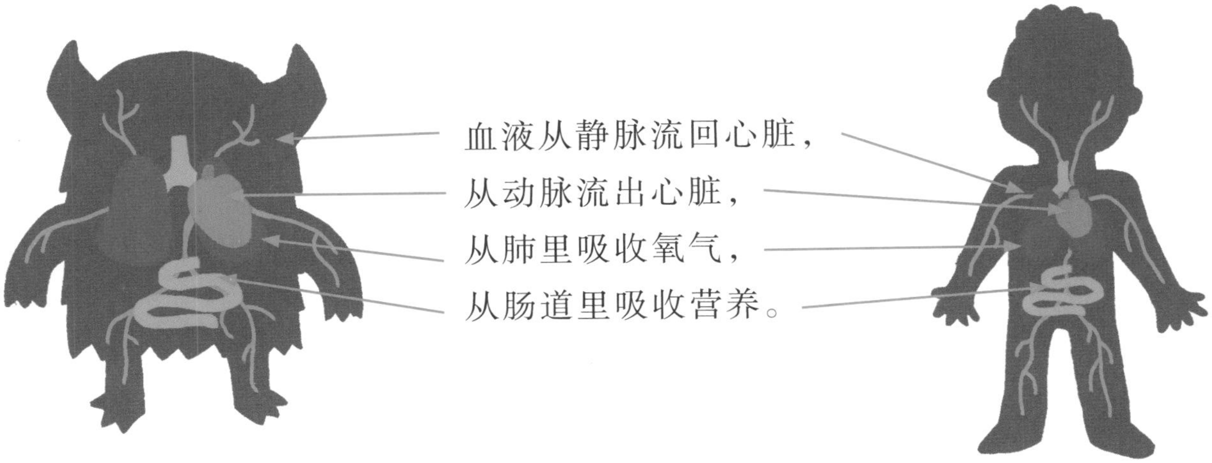

血液从静脉流回心脏，
从动脉流出心脏，
从肺里吸收氧气，
从肠道里吸收营养。

人类和小怪兽的内脏差不多是一样的！

小莫，自行车运动员开始加速的时候，你觉得他们的心率会有什么变化？

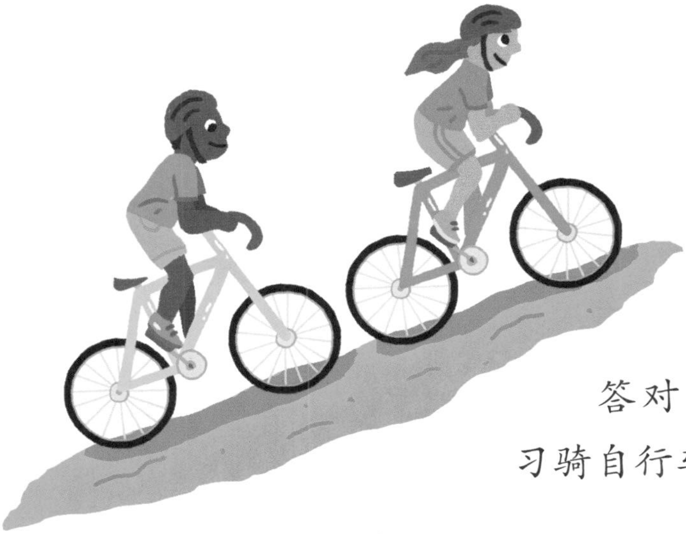

嗯……他们的身体需要更多的氧气和营养，所以，心率一定会加快！

答对了！现在，你要不要练习骑自行车？

小莫选了一项运动

小莫，在你选定要尝试的体育项目之前，还有一个课题要探索。这个课题的名字肯定会让你的朋友们印象深刻：体型分类。

体型指的是身体各部分之间的比例。三种典型的体型分别是外胚层体型（瘦长型）、内胚层体型（圆胖型）和中胚层体型（匀称型）。每种体型的人都有擅长的运动。

外胚层体型（瘦长型）

外胚层体型的人肌肉少，身体轻。他们通常擅长耐力型运动，也就是持续时间长的运动，以及灵巧型运动。比如：

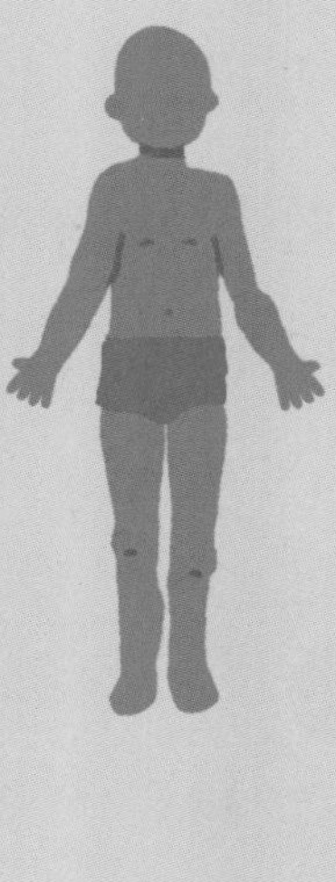

竞走
马拉松
中长跑
越野跑
羽毛球
跳高

内胚层体型（圆胖型）

内胚层体型的人身体比较宽，肌肉发达。他们通常擅长力量型运动。左边列出的就是一些这样的运动。

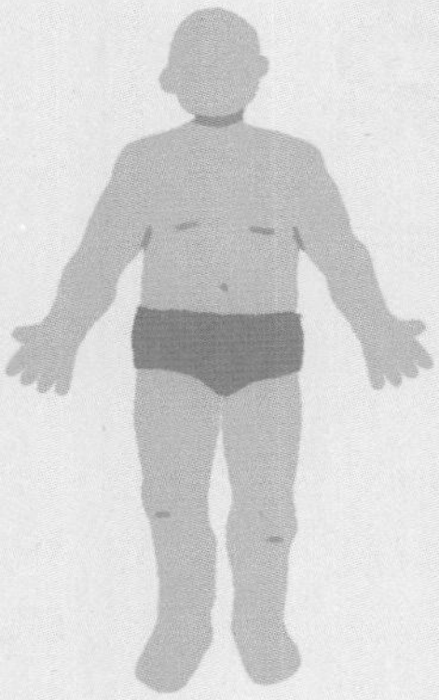

相扑

举重

铅球、铁饼和链球

橄榄球

摔跤

中胚层体型（匀称型）

中胚层体型的人肩膀宽，臀部窄，通常擅长兼具速度和力量的运动。比如右侧这些运动：

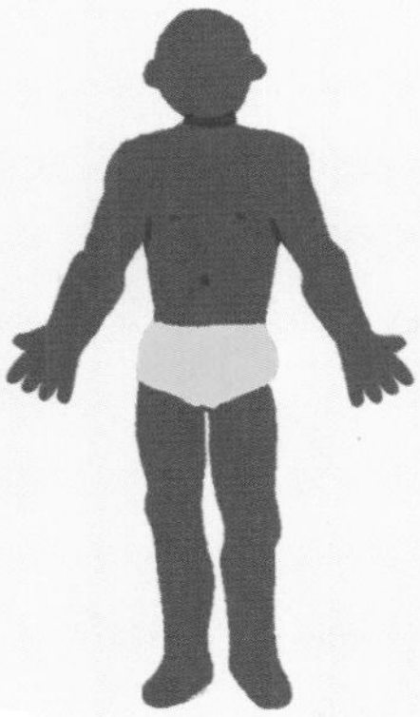

游泳

体操

铁人三项

各种搏击类运动

足球、篮球和排球

很少有人是纯粹的外胚层、内胚层和中胚层体型。大多数人都介于某两种体型之间。

不管你是哪种体型，都有很多种运动适合你。所以，小莫，你想选择哪种运动呢？

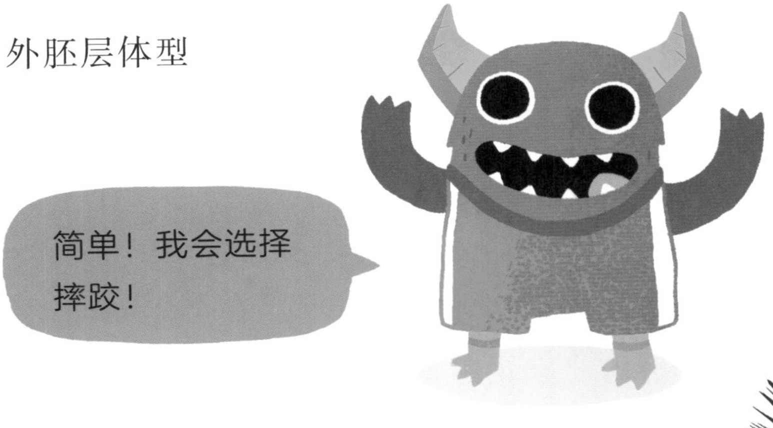

摔跤手小莫

小莫决定成为一名顶级摔跤手，小莫的教练制订了一个计划，来帮小莫实现目标。

虽然小怪兽天生擅长摔跤，不过，有了这个计划，他的身材会更好，身体也会更健康。

我选择长距离行走，才不要骑行！

小莫的身体提升计划：

强身计划

星期一：长距离行走（至少5千米）或者骑行（至少30千米）

星期二：在体育馆进行摔跤训练
星期三：休息日
星期四：休息日 / 其他运动
星期五：在体育馆进行摔跤训练
星期六：休息日 / 比赛 / 其他运动
星期日：力量训练

力量训练

原地高抬腿20次，同时甩动手臂

快速用脚后跟踢臀跑20次

俯撑腿屈伸（双手撑地下蹲后，双腿同时前后跳动）10次

3组10秒钟平板支撑

5组肱三头肌屈伸

5组臀桥，每组保持5秒钟

大汗淋漓，感觉还不错，我喜欢摔跤！

训练期间的食物

正常饮食，另外添加：

训练前2小时，再吃一块儿三明治或一小碗米饭/面条，来增加能量；

训练前30分钟，喝500毫升水（训练期间也要随时补充）。

呼噜呼噜……

你可以在下午小睡一会儿，因为睡眠可以帮助恢复体力。

词汇表

心率
每分钟心跳的次数，显示一个人心脏跳动的快慢。

收缩
体积变小。

消化
分解食物，然后把食物中有用的养分输送到身体其他部位。

消化系统
身体中帮助消化食物的器官的总称。就人体来说，主要是口腔、胃和肠道。

铁饼
一个体育比赛项目，把一种沉重的、形状像圆盘的器械扔出去，越远越好。

链球
一个体育比赛项目，把一个沉重的、与铁链相连的球扔出去，越远越好。

关节
两根骨头之间相接的地方。膝盖、胳膊肘、肩膀和指节都是关节。

骨髓
骨头中心的一种软软的物质。

膜
很薄的皮肤或者一层很薄的其他物质。

肌肉
身体内部一种能够通过收缩、舒张来帮助身体动起来的组织。

神经
把中枢神经系统的兴奋传递给各个器官，或把各个器官的兴奋传递给中枢神经系统的组织，是由许多神经纤维构成的。

神经系统
人和动物体内由神经元组成的系统，包括中枢神经系统和周围神经系统。

营养
身体需要的物质，帮助身体存活、生长并保持健康。

器官
身体中进行各种专业工作的组织。比如，心脏就是一个器官，它的工作是输送血液到全身各个地方。

放松
变得松弛(肌肉放松的时候通常会变长)。

骨架
所有的骨头组成的架构,保持着身体的基本形状。

振动
有节奏地颤动或摇动。

参考答案

第13页

正确答案是C。

信号进入你的大脑，然后，大脑会分析出从你的耳朵和眼睛传来的信号代表什么意思，随后，大脑会决定在这些情况下应该做出什么反应。

第19页

1.正确答案是B。你的肌肉需要通过氧气来获取能量。氧气是由肺输送的。你的肌肉需要的能量越多，肺呼出和吸进的空气量就越大。

2.正确答案是C。你的身体在需要降低温度的时候，就会出汗。这可能是因为你的身体太热了，也可能是你待在特别热的地方，身体随之变热了。

第23页

问题1：小莫选对了！A、B和C都正确。

徒步前吃些东西能让你的身体消化食物，储存能量。徒步过程中吃些小零食能为身体补充能量。徒步后，进食合适的食物能帮助恢复体力。

问题2：B是最佳答案。巧克力和薯片能为你快速补充能量。不过，这种能量持续不了多久。三明治提供的能量比较持久，能让你持续运动下去。

问题3：正确答案是B。在比赛前30分钟喝一杯水是为身体提供所需水分的最好途径。在比赛期间则可以少量多次地喝水。

小怪兽爱科学

无处不在的力

[英]保罗 · 梅森/著　[英]迈克尔 · 巴克斯顿/绘　唐　男/译

天津出版传媒集团
新蕾出版社

图书在版编目 (CIP) 数据

无处不在的力 / （英）保罗·梅森著 ；（英）迈克尔·巴克斯顿绘 ；唐男译． -- 天津 ：新蕾出版社，2024. 9. -- （小怪兽爱科学）． -- ISBN 978-7-5307-7786-2

Ⅰ．O3-49

中国国家版本馆 CIP 数据核字第 20243KN681 号

Learn Science with Mo: Forces and Magnets
Text by Paul Mason
Illustrations by Michael Buxton
First published in Great Britain in 2023 by Hodder and Stoughton

津图登字：02-2022-197

书　　名：无处不在的力　WU CHU BUZAI DE LI
出版发行：天津出版传媒集团
新蕾出版社
http://www.newbuds.com.cn
地　　址：天津市和平区西康路 35 号（300051）
出 版 人：马玉秀
版权引进：毕之莹　吕　玥
责任编辑：吕　玥　潘晶雪
美术编辑：白晓燕
责任印制：朱　琳
电　　话：总编办（022）23332422
发行部（022）23332351　23332677
传　　真：（022）23332422
经　　销：全国新华书店
印　　刷：河北赛文印刷有限公司
开　　本：889mm × 1194mm　1/16
字　　数：26 千字
印　　张：2
版　　次：2024 年 9 月第 1 版　2024 年 9 月第 1 次印刷
定　　价：16.50 元

地址：天津市和平区西康路 35 号
电话：（022）23332351　邮编：300051

目录

小怪兽有力气

大家都知道，小怪兽的力气是很大的。这对有些工作来说，比如把人背出着火的大楼，可是非常有用的。

不过，力气大也会惹麻烦。小莫，给我们讲讲上次你和西德踢球的事吧！

刚开始，我踢球用力过猛，球飞到树上卡住了。

后来，我又猛踢一脚，球落到了院子里……

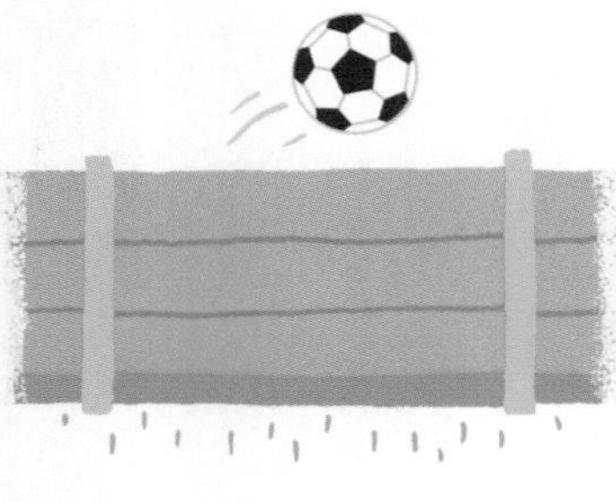

我又用力一踢，把球踢到了马路上。好危险哪！我们只好回家了。

是力把球从小莫的脚边推出去的。有一种力叫作阻力，它会让球的速度慢下来。还有一种力叫作重力，它会把球往下拉，让球落到地面上。

亲爱的小莫，多了解关于力的知识，会对你很有帮助哟！

大家总是更容易记住有意思的事情。所以，给你和西德放个假，去参加探险营，做些户外活动吧！你们可以去攀岩、玩滑板、坐橡皮艇，还可以进行各种探险，从中一定能学到很多关于力的知识的。

攀岩

小莫和西德的第一项活动是攀岩。顺着岩壁往上爬的时候，他们会了解很多关于力的知识。你准备好了吗，小莫？

还真有点紧张。
不过，没问题。

首先，要给小莫的保护腰带系上安全绳。这是为了安全，以防小莫脚下打滑掉下来。

我才不会打滑呢！
真费劲啊，但愿我不会打滑……

为什么这么费劲呢，小莫？

好像有什么东西在使劲把我向下拉……

幸好小怪兽的力气都很大。小莫沿着岩壁爬得越来越高啦！

小莫，来了解两种重要的力怎么样？现在是个好机会！

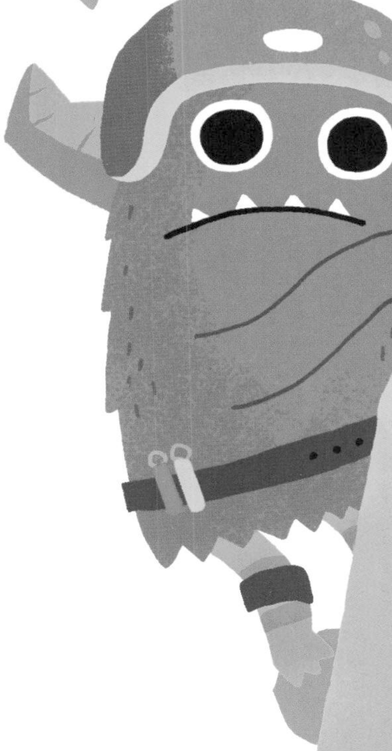

现在可不是什么讲知识的好机会。除非讲讲那个把我向下拉的力。

没问题！咱们就从那个力讲起！

把你向下拉的力叫作重力，是受地球吸引而形成的力。

重力跟物体的质量有关。物体质量越大，重力也就越大。重力的方向总是垂直向下的。

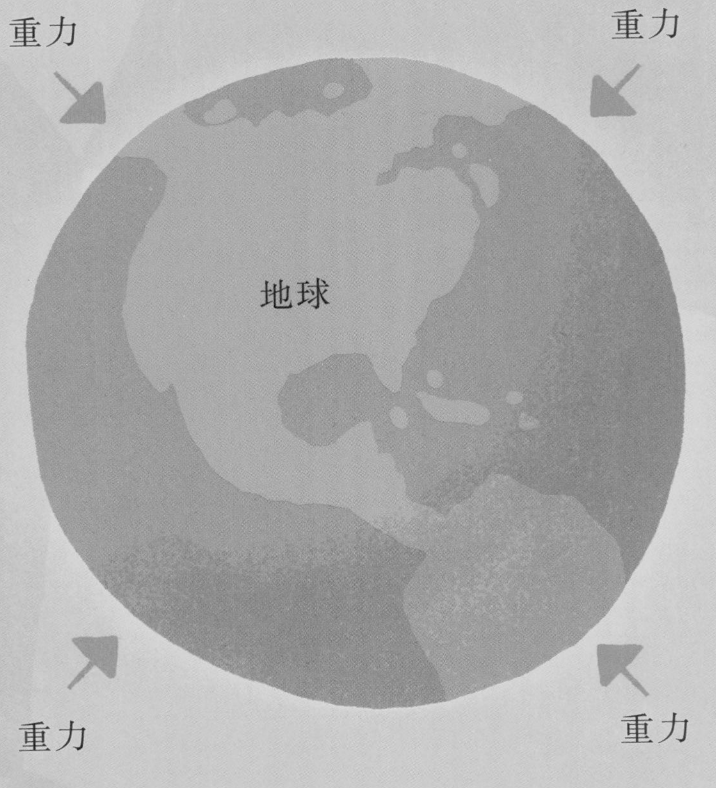

小莫掉下来啦

首先，你掉下来的原因是你在向上爬的时候，重力把作用在你身上的别的力都打败了。不过，小莫，因为你系着安全绳，所以会有新的力来营救你。

我们总会建议攀岩新人：不要往下看，不然会害怕的。

不过，要是你真的掉下来，也是一个了解力的好机会。

我才不会往下看！
哎呀！
重力

小莫不会马上静止。安全绳还会上下弹跳一阵，这是弹力在起作用。

等弹跳结束，安全绳就会恢复到它本来的长度，因为小莫对绳子有拉力。

小怪兽称重

通过称重，我们可以知道一个物体受到的重力有多大。看，西德正在上升！因为他只有 10 千克，而重物有 12 千克，西德比重物要轻。

重力知识小测试

看看下面两幅图，西德分别会怎样？然后翻到第 32 页看看你答对没有。

1.

2.

小莫的攀岩教练个子较小。知道小莫的体重后，教练惊掉了下巴。

啊！
上升
体重大
下降
体重小

我们怎样才能改变这种状态呢，小莫？

再让教练那边重一些。

成功！

干得好，小莫！你学到的力的知识帮大忙啦！

摩擦力

今天学的最后一个力是摩擦力。摩擦力是产生在两个相互接触的物体之间的一种力。我们通过一场滑板障碍赛认识它吧！

小莫，你来选一个滑板。一个滑板的轮子是光滑的，另一个滑板的轮子较粗糙。分别感受一下吧，小莫！

糟糕！
要滑倒了！

光滑的轮子
不光滑的轮子

这下好多了。

这两个滑板有什么区别呢，小莫？

轮子较粗糙的滑板不容易打滑。

非常正确！物体之间接触的平面较粗糙的时候，摩擦力会更大。

我们熟悉的重力也会影响到摩擦力。重力越大，摩擦力越大。所以，你觉得下面哪个滑板最不容易被推到山坡上去？

棒极了，小莫！在同样的条件下，重的物体受到的摩擦力比轻的物体受到的要大。

那么，你和西德选择同样轮子的滑板，谁更不容易打滑呢？

我比西德块头大，
也比他重。所以……
是我啦！
哇！

浮力

第二天，小莫吃完早饭，和西德还有其他小伙伴一起去乘坐橡皮艇。

首先，大家得坐公交车上山。有一条小河从山上流下来，水流湍急。是什么力让水向山下流呢，小莫？

答对了，真棒！现在给橡皮艇充气吧！这时我们会遇到一种力——压力。

1. 橡皮艇还没充气时是扁的。

2. 用气泵往橡皮艇里充气，空气从里面把橡皮艇撑起来，这种力就叫作压力。

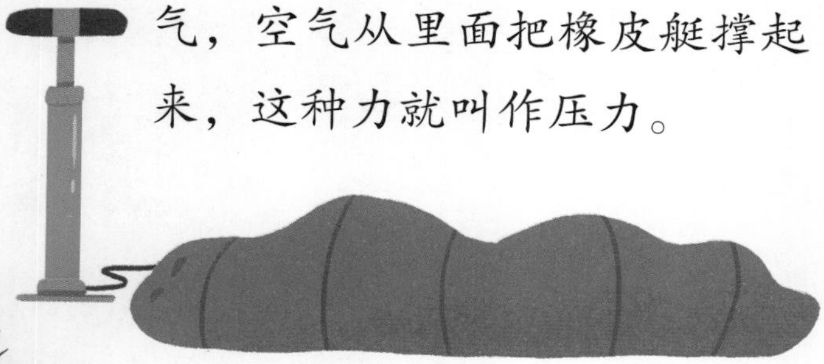

3. 空气越多，压力越大。现在，橡皮艇里充满了空气，硬鼓鼓的。

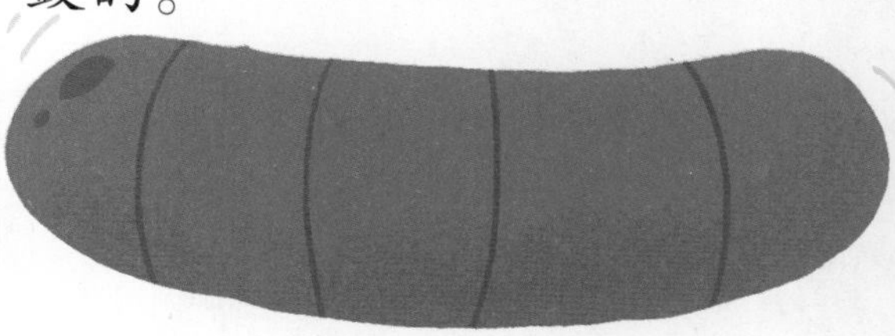

老师把橡皮艇放到了水里。橡皮艇浮在水面上，这是因为它受到了浮力。浮力是物体在流体中受到的一种力。浮力是向上的，与重力的方向相反。

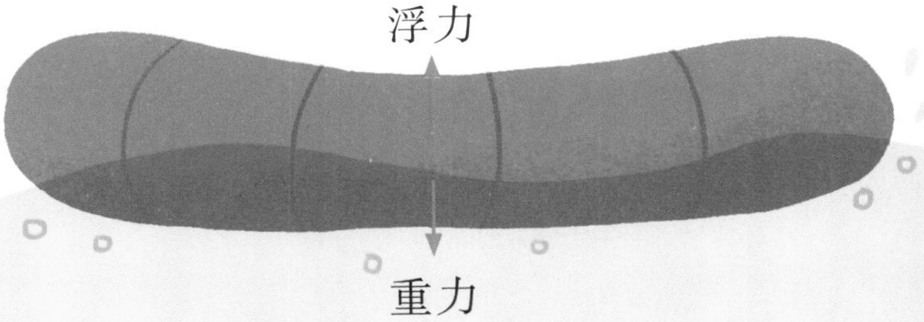

想一想，如果一直给橡皮艇增加重力，会发生什么情况？

1. 两个小伙伴上了橡皮艇。

2. 西德也上了橡皮艇。

3. 小莫也上了橡皮艇。这时，出状况啦！

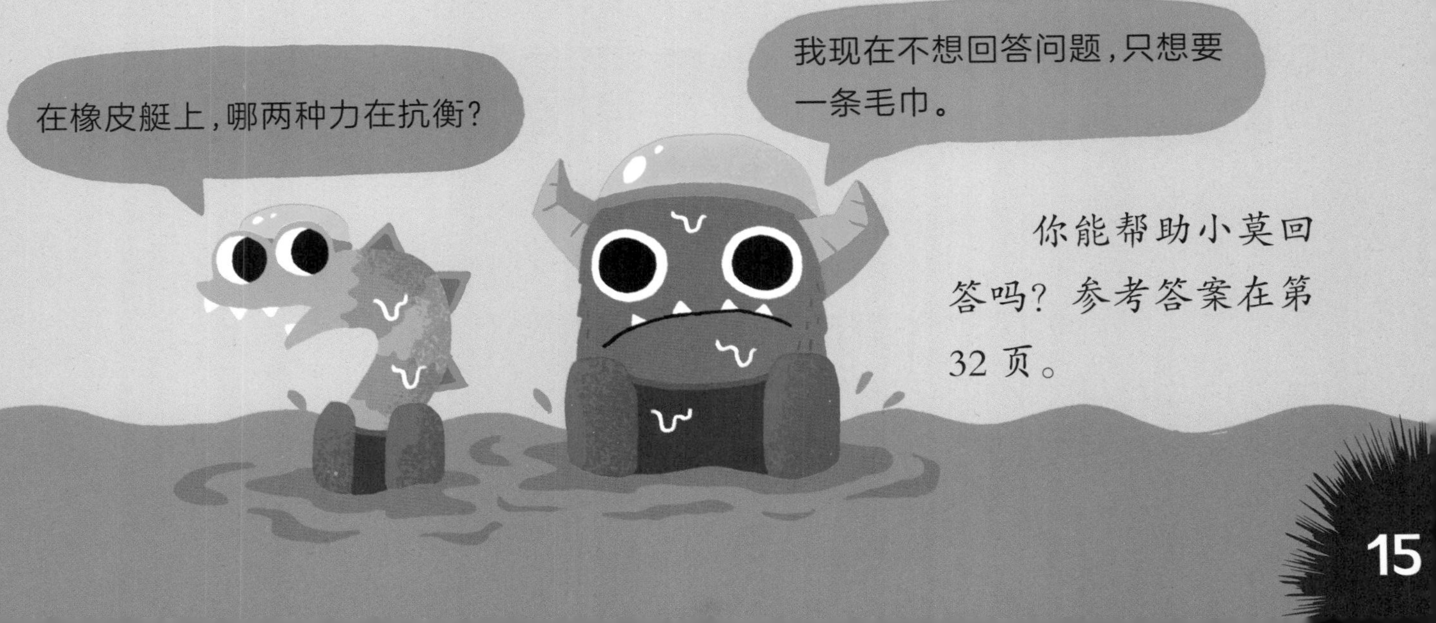

在橡皮艇上，哪两种力在抗衡？
我现在不想回答问题，只想要一条毛巾。

你能帮助小莫回答吗？参考答案在第32页。

磁力

请在这里把湿衣服
里的水拧出来

小莫和几个小伙伴乘坐橡皮艇回来后，还有件事要干：把衣服里的水拧出来，然后挂起来晾干。

现在，你得用一种磁力挂钩来晾衣服。磁力挂钩会用到一种看不见的力——磁力。

一种看不见的力？
听起来很有趣。

磁力可以是拉力，也可以是推力。把两块磁铁靠近，会发生什么呢？

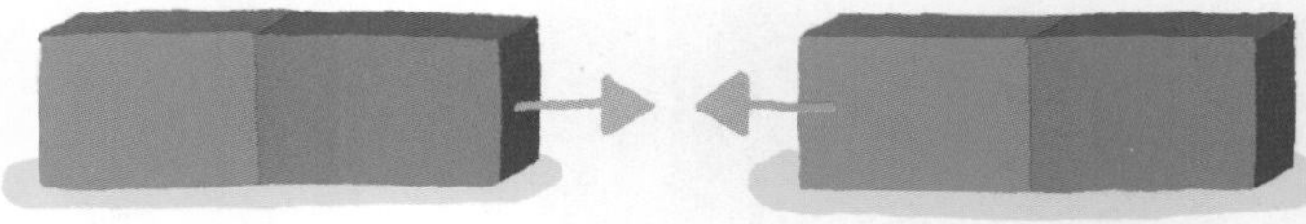

它们可能会吸到一起。

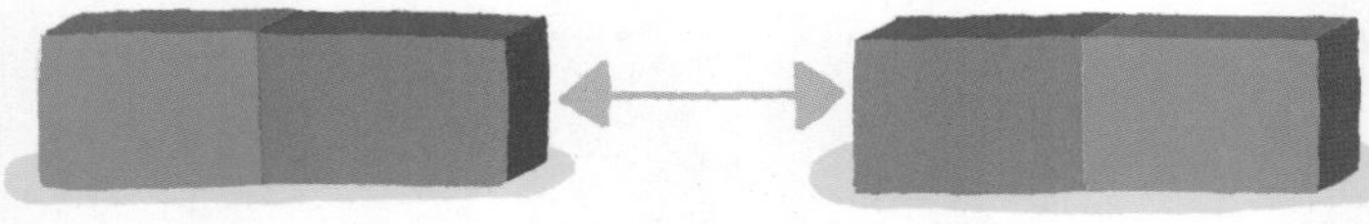

也可能互相排斥。

要想知道磁力挂钩可以吸在什么地方，得找出哪些种类的物体能被磁力吸引。

好嘞！

砖墙

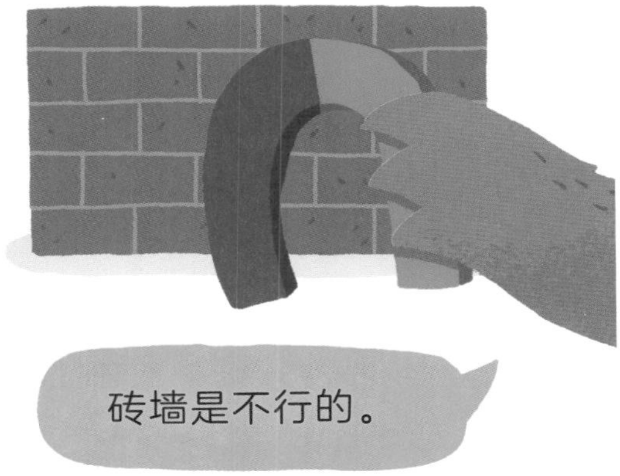

砖墙是不行的。

木栏

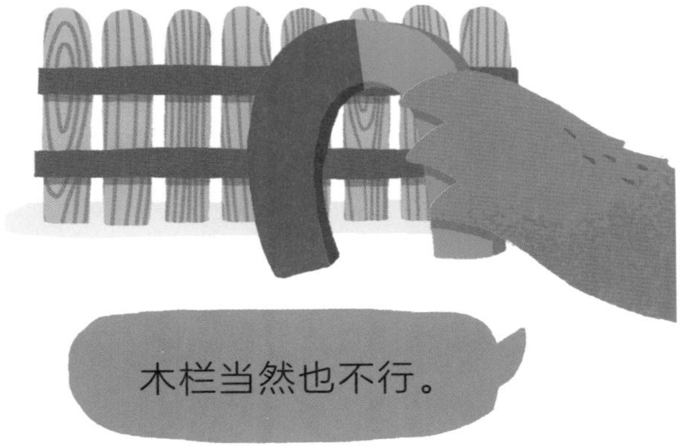

木栏当然也不行。

玻璃窗

我觉得，玻璃窗应该也不行。

他们上山时坐的公交车的车身呢？

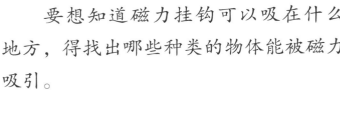

吸住啦！
磁力对金属起作用。

说得对，小莫。不过，磁力并不是对所有的金属都能起作用。铁是有磁性的，钢含有铁，所以也有磁性，公交车的车身就是用钢做的。

神奇的磁场

小莫和西德要去探索磁力了。他们拿着一个指南针来识别方向。不过，要使用指南针，小莫还需要了解更多跟磁力有关的知识。

磁铁里看不到的力量会在它周围形成一个区域，这个区域叫作磁场。磁铁的两端叫作两极。跟地球一样，磁铁也分为 N 极（北极）和 S 极（南极）。

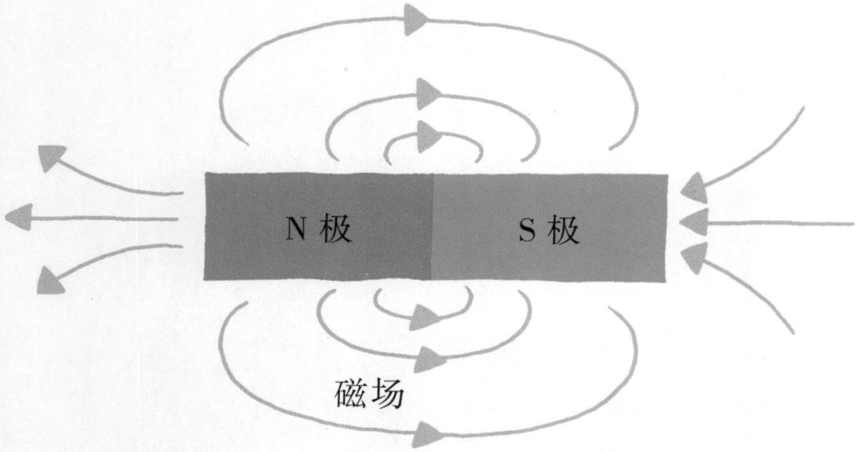

磁力是看不到的。不过，我们有办法看到磁场。你需要准备一些铁屑，还需要准备一块磁铁和一张纸。

1. 把磁铁放到纸上面。

2. 将铁屑均匀撒在磁铁周围。

3. 观察一下，你发现了什么？

请注意！铁屑在撒到纸上之前，最好一直放在密闭容器里。而且，做这个实验的时候，一定要有家长陪着哟！

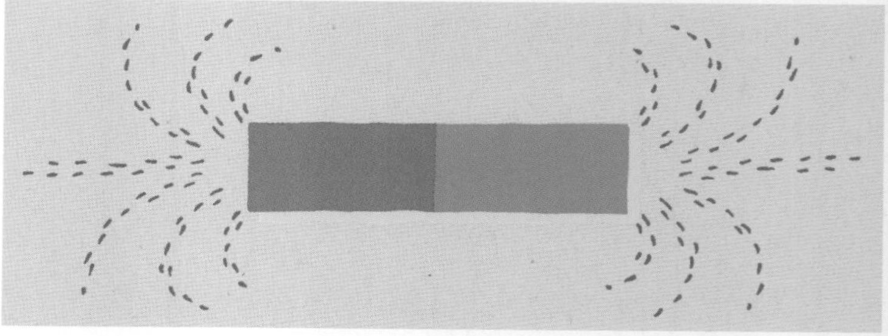

下面是两组磁铁产生的磁场。

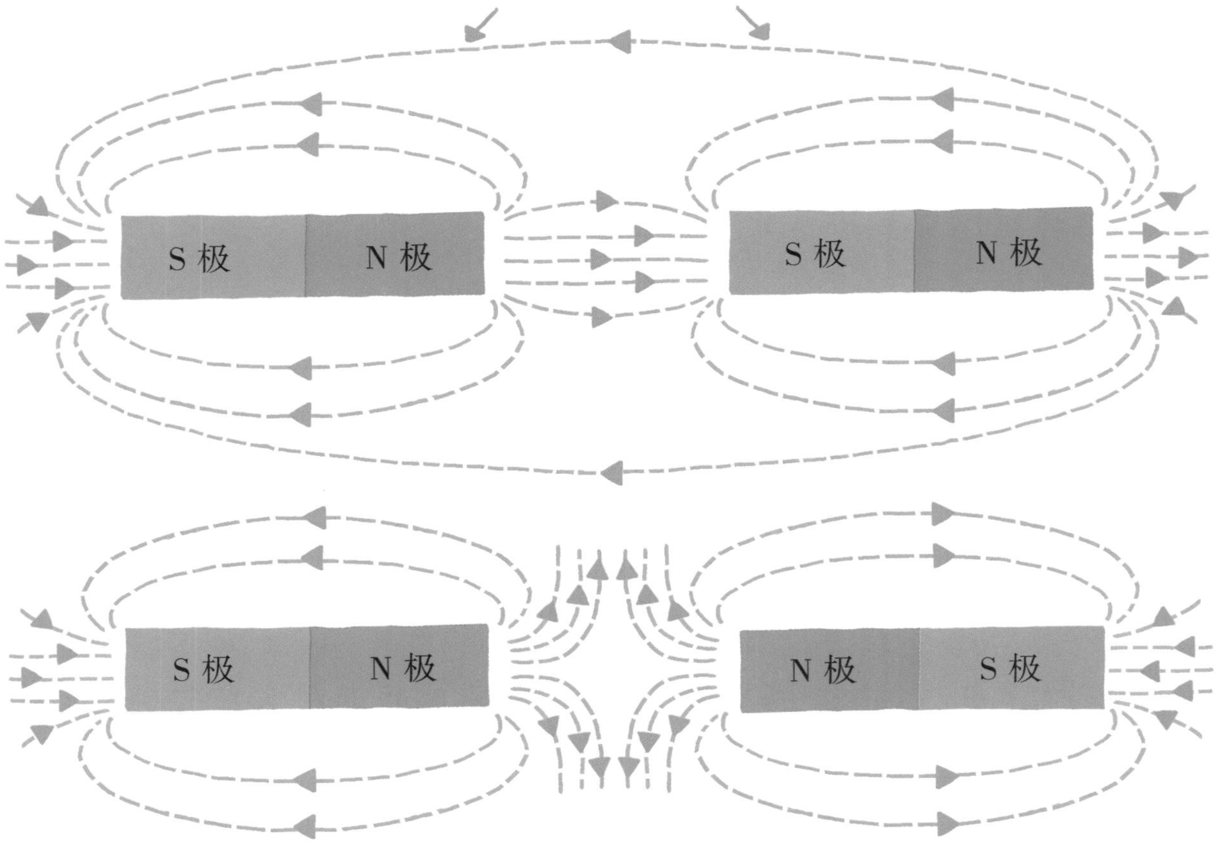
S 极
N 极
S 极
N 极
S 极
N 极
N 极
S 极

在第一组中，两块磁铁会吸到一起。
在第二组中，两块磁铁会推开彼此。

观察这两组磁铁，你发现了什么，小莫？

答对啦，小莫。学得真快！两极不同，互相吸引；两极相同，互相排斥。

指南针

小莫拿的地图上标着一个树屋。小莫和西德想去那个树屋看看。指南针会帮他们找到树屋。指南针里的指针就是一块磁铁。

地球——我们居住的行星家园——里面好像藏着一块巨大的磁铁，这块“磁铁”也有两极。需要注意的是，地磁的两极和地理的两极可不一样哟！

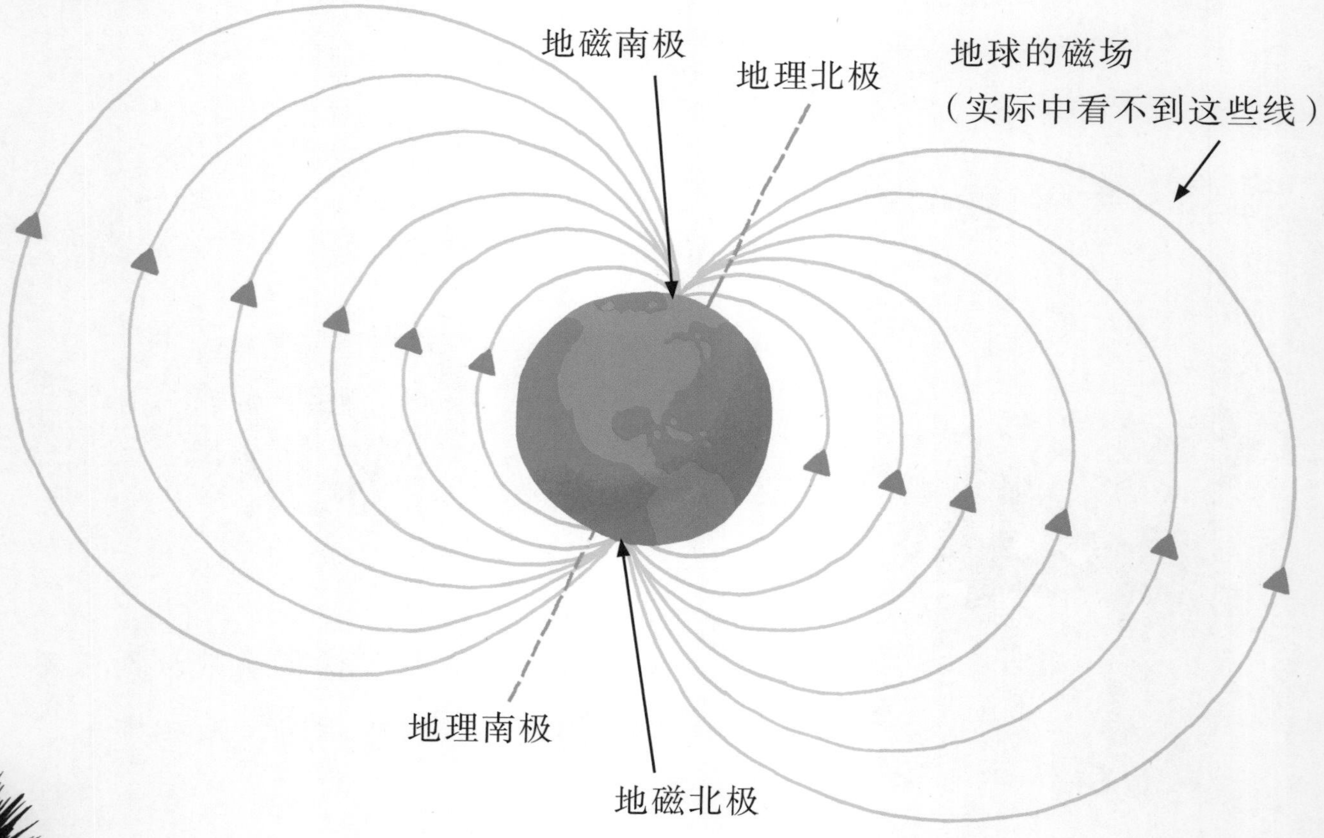

把指南针放在水平桌面上，指针会先转动一阵，然后停下来。小莫，指南针的指针会指向什么方向呢？

这个嘛……
会指向南方和北方吧！

回答得非常棒！指南针有两个指针，红色的总是指向北方，蓝色的总是指向南方。在两个指针的下面有一个方向卡片，它能够帮助你分辨出四个方向。

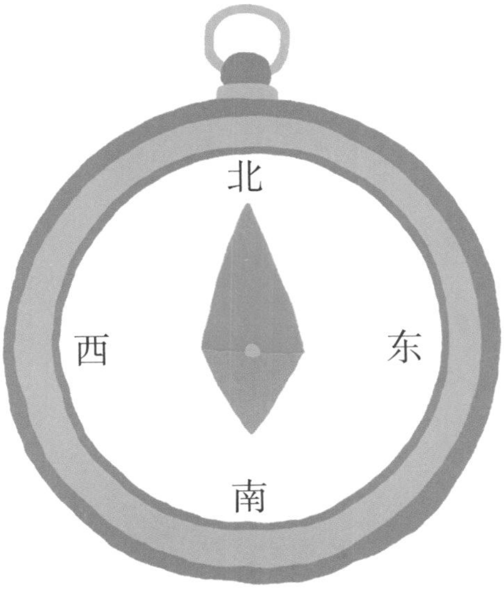
北
西
东
南

到达树屋

小莫，探索时间到！你和西德拿好指南针，它会给你指明方向。你拿的地图上画着去树屋的路线。

哪条是往东的路呢？
我们要先沿着这条路往南走。
面朝北方，右手边就是。
北
西
东
南
陡峭的山
错误的岔路
向东拐的弯

遇到第一个岔路口时继续向南走，不久后会遇到一个向东拐的弯。

在第二个岔路口向北拐。

在第三个岔路口向东拐，向小河的方向前进。

过了小河后会遇到一个岔路口，往东南方向走。

来到最后一个岔路口啦！选择西南方向的那条路。

小测试

假设你面朝南方，你想朝下面这三个方向走，分别应该怎样转身呢？

1. 西方

2. 北方

3. 东方

不知道的话，就翻到第 32 页看看吧！

空气阻力

小莫正绕着树屋到处看，突然……

一块湿乎乎的苔藓掉到了他的头上。那是一只鸟从鸟巢里扔出来的，小莫当时正好站在鸟巢下面。这是个好机会，我们可以做个小实验。

当然好玩。首先，把你们的手绢拿出来。你的手绢比西德的大得多，对吧，小莫？

小莫的手绢　　西德的手绢

除了手绢，你们还会用到绳子，从应急包里把绳子拿出来。此外，你们还需要两个差不多大也差不多重的松果。接下来，就可以探索空气阻力啦！

用绳子和手绢做成一个小降落伞。然后，把绳子在一个松果上绕几圈，用来增加重量。

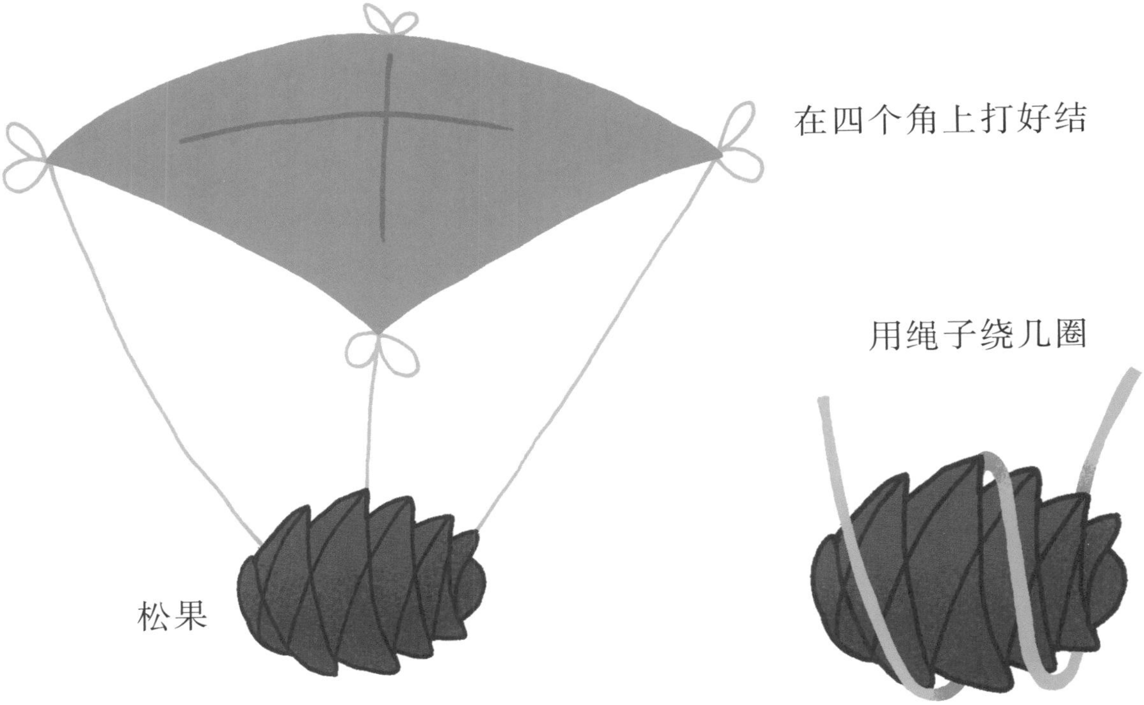

小莫，现在你和西德可以同时让降落伞从树屋上落下来。哪个降落伞会先着地？两个降落伞有什么不一样呢？

西德的降落伞先着地！
他的降落伞比我的小。

回答正确！物体与空气的接触面积越大，受到的空气阻力也就越大。所以，大降落伞会比小降落伞下落得慢。

营救马克西

探险营的最后一天，小莫和西德要去练习救援。给他们所在的救援团安排的挑战是营救他们的朋友马克西。马克西掉到了一个深谷里，被困在那里了。（别担心，马克西没有真的受伤，他只是在扮演受困者。）

救命！救命！

嘿,我在这儿!

首先，救援队放下来一根绳子。马克西把绳子系到了自己的攀岩保护腰带上。

现在，所有救援人员需要做一件事——把马克西沿着岩壁向上拉。可是，小莫发现这样做很费劲。

体重 30千克

小莫，把绳子搭到一根树枝上，试试会不会好一点。

小莫用尽全身力气向下拉绳子，可还是救不出马克西。绳子和树枝之间的摩擦力太大了。

不行，太费劲了。

西德爬到树上，在树枝上安了一个滑轮。滑轮减小了摩擦力，这样小莫就能把马克西拉上来了。

救援队需要用一个滑轮，从而让救援工作轻松些。滑轮是一种工具，使用它可以用更小的力气把东西拉起来。

我把他拉上来啦！
谢谢！
我们成功啦！

真正的救援

在回家之前，他们要先返回营地。这时，西德听到从路边传来一个声音。原来是一只小鹿被压在倒了的树下，动不了了。

救援队需要把这棵树抬起来。可是，就算大家一齐动手，也搬不动。

小莫，你得用上杠杆。杠杆是一种工具，能把沉重的东西或卡住的东西移开。比如罐头盖打不开的时候就会用到这种工具。

首先，我们需要找个勺子那样的工具……
来几根大树枝怎么样？

大树枝可以当作杠杆臂。

搬一块大石头吧，它可以做支点。

石头做支点，杠杆可以在上面转动。

现在，大家一齐用力，把这根杠杆臂往下压。
杠杆把树撬起来啦！
谢谢！

大家把杠杆臂向下压的力叫动力，是它抬起了杠杆臂另一头的大树。

小鹿可以安全回家啦！小莫和西德也一样。他们在这个周末学到了很多关于力的知识。现在，假期结束啦！

词汇表

力
使物体移动，影响物体移动方向或速度，或改变物体形状的力量。

摩擦力
一个物体的表面接触并摩擦另一个物体的表面时产生的力。

排斥
使别的人或事物离开自己这方面。

指南针
一种设备，能显示东、西、南、北四个方向。以前所有指南针都是有磁性的，不过，现在的电子指南针就不用了。

铁屑
很小的铁颗粒。

行星
宇宙中的巨大物体，会围绕着某一个恒星旋转。

空气阻力
当物体穿过空气或其他气体时产生的一种力。

面积
平面或物体表面的大小。

参考答案

第10页

1.与8千克的重物相比，西德更重一些，所以，西德会下降，重物会上升。

2.10千克的重物和西德一样重，所以西德会待在原地不动。

第15页

重力和浮力。重力把橡皮艇向下拉，浮力把橡皮艇向上推。增加重量就会增加重力，浮力支撑不起那么大的重力，橡皮艇就沉了。

第23页

1.向右转。

2.向后转。

3.向左转。

小怪兽爱科学

生命的旅程

[英] 保罗 · 梅森/著　[英] 迈克尔 · 巴克斯顿/绘　唐　男/译

和小莫、拉瑞一起去
农场吧！

天津出版传媒集团
新蕾出版社

图书在版编目 (CIP) 数据
生命的旅程 / (英) 保罗·梅森著 ; (英) 迈克尔·巴克斯顿绘 ; 唐男译. -- 天津 : 新蕾出版社, 2024.
9. -- (小怪兽爱科学). -- ISBN 978-7-5307-7820-3
Ⅰ. Q1-0
中国国家版本馆 CIP 数据核字第 2024J3J334 号

Learn Science with Mo: Life Cycles
Text by Paul Mason
Illustrations by Michael Buxton
First published in Great Britain in 2024 by Hodder and Stoughton

津图登字：02-2022-200

书　　名：生命的旅程　SHENGMING DE LYUCHENG
出版发行：天津出版传媒集团
　　　　　新蕾出版社
http://www.newbuds.com.cn
地　　址：天津市和平区西康路 35 号（300051）
出 版 人：马玉秀
版权引进：毕之莹　吕　玥
责任编辑：吕　玥　潘晶雪
美术编辑：白晓燕
责任印制：朱　琳
电　　话：总编办（022）23332422
　　　　　发行部（022）23332351　23332677
传　　真：（022）23332422
经　　销：全国新华书店
印　　刷：河北赛文印刷有限公司
开　　本：889mm × 1194mm　1/16
字　　数：26 千字
印　　张：2
版　　次：2024 年 9 月第 1 版　2024 年 9 月第 1 次印刷
定　　价：16.50 元

目 录

怪兽的生命周期

小莫有一双特别喜欢的滑板鞋。不过，小莫，上次你玩滑板的时候，发生了什么事？

那是一件令人伤心的事。
我穿上了鞋子，感觉有点紧……好吧，其实是非常紧。
但我没在意，还是去玩滑板了……
然后，我的鞋子裂开了，我的脚上也磨出了一个水泡。

真不幸！不过，出现这种情况并不意外，因为你在不断成长，而鞋子却不会变大。

你现在的个子比刚出生时的大多了。再过一年，你还会长得更高。这个过程——出生、成长和变老（那要过很久以后）——叫作生命周期。

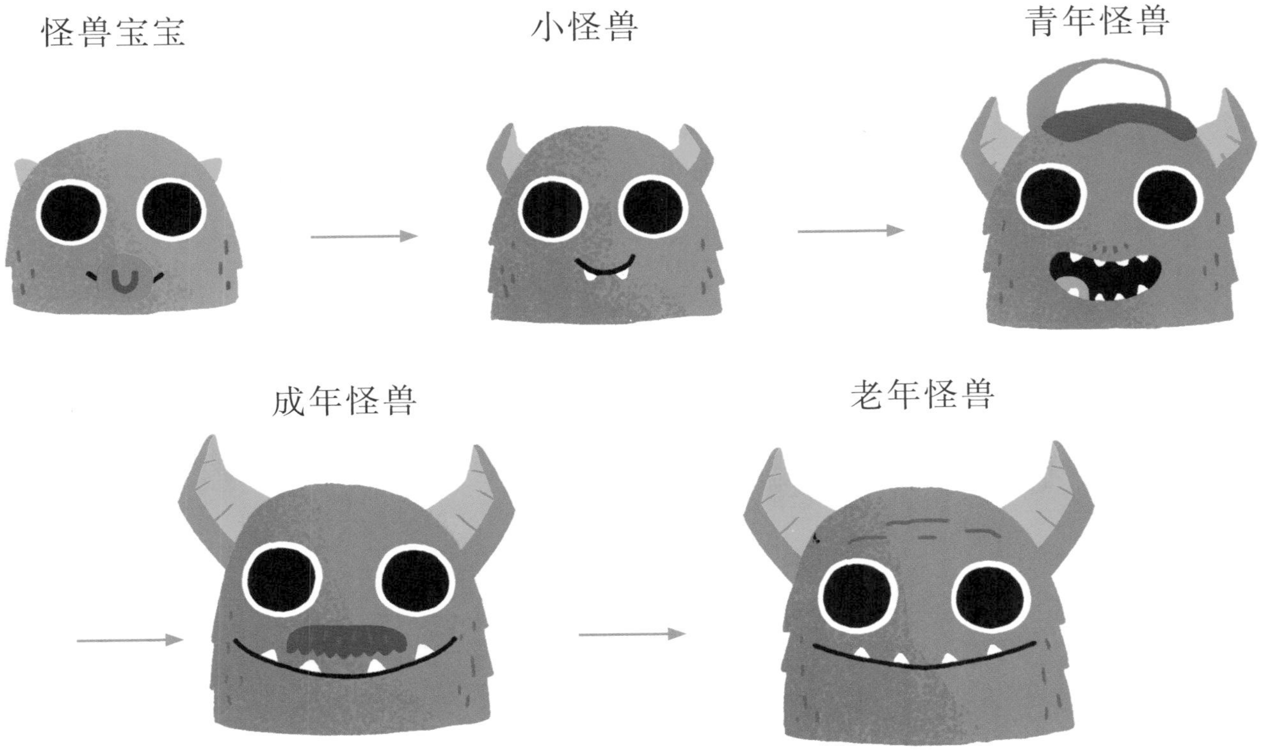

所有生物都有生命周期，从怪兽到人类，从动物到植物，都是一样的。这里有一个特别适合了解生命周期的地方——农场。

我的表弟拉瑞住在农场附近，就在城市的边缘。

那咱们出发吧，小莫！

活泼的小羊

小莫和拉瑞在看今年春天刚出生的小动物。你最喜欢哪只小羊啊，小莫？

我最喜欢这只欢蹦乱跳的。

大部分小羊刚出生就可以站起来，而且还会感到饿。你知道小羊吃什么吗，小莫？

吃奶，跟人类一样！人类的婴儿就是吃奶的。

说得对！羊和人类都是哺乳动物。哺乳动物几乎都是胎生的，母亲会给婴儿喂奶，而且婴儿还长着毛发。下面这些动物中有哪些是哺乳动物，你知道吗？把它们指出来，然后翻到第32页，看看是不是答对了。

生下小羊后，羊妈妈会分泌羊初乳。羊初乳营养丰富，能给小羊提供能量，提高小羊的免疫力，帮助它长大。

从鸡蛋到小鸡

接下来，拉瑞要带小莫去看小鸡了，从而了解鸟类的生命周期。鸡窝是一个非常棒的地方。小鸡是从哪里来的呢，小莫？

小鸡跟小羊不一样，它们是从鸡蛋里孵出来的。

没错！不只小鸡，所有鸟都是卵生动物。鸟类都有哪些特点呢？

回答得真棒！鸟类不是哺乳动物，它们的生命周期和哺乳动物的不一样哟！

我们来看看鸡的生命历程吧！

当然，小鸡的样子跟成年鸡的也不太一样。有哪些不一样呢，小莫？

这只小鸡是黄色的，它的妈妈是棕色的。
所以，它们的羽毛颜色不一样。
而且，小鸡的个子要比成年鸡的小得多。

回答得特别棒！小鸡需要多吃东西、多喝水，才能快快长大。人类的小孩也是一样，身体需要吸收食物里的营养成分，才能长大、长壮。

从蝌蚪到青蛙

突然，小莫听到了一个奇怪的声音——“呱呱”。这是农场池塘里的青蛙在叫。于是，他和拉瑞跑去看青蛙了。青蛙是两栖动物。

两栖动物的生命是从水里开始的，不过，它们长大后可以生活在陆地上。一些两栖动物（比如青蛙和蟾蜍）会在池塘里或者浅浅的小溪里产下大量小小的卵，这是它们生命周期的一部分。

一大团的是青蛙的卵，一长串的是蟾蜍的卵。

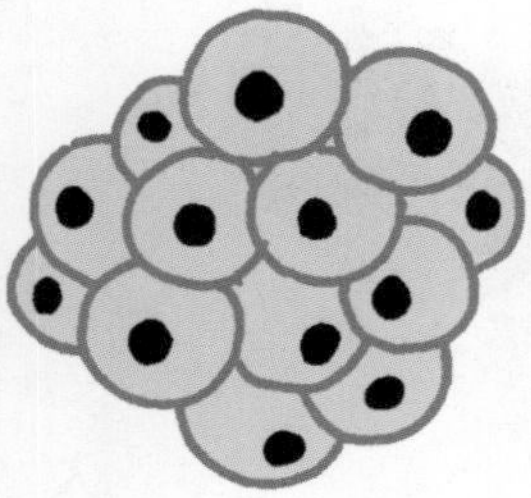
青蛙的卵

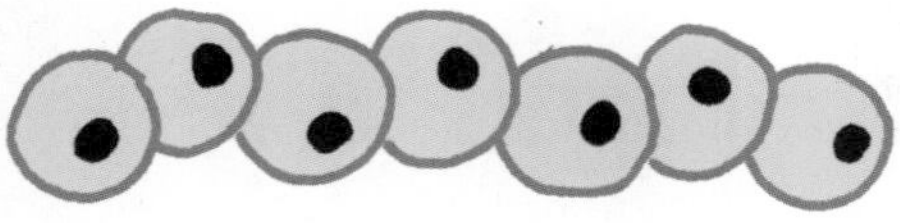
蟾蜍的卵

一些动物在成长过程中会经历巨大的变化，比如青蛙。

1.青蛙的卵是黑色的。每一颗卵的外面都包裹着透明的胶膜。

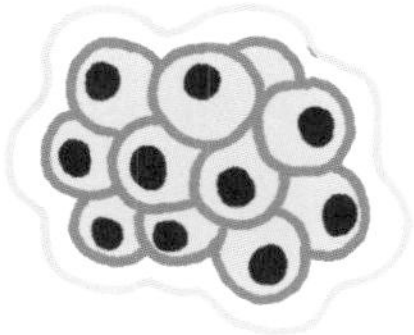

2.在卵孵化之前，你可以看到膜里已经有一只小小的蝌蚪了。

3.蝌蚪刚从卵里孵化出来，就会游动了。这时，它生活在水里，用鳃呼吸。

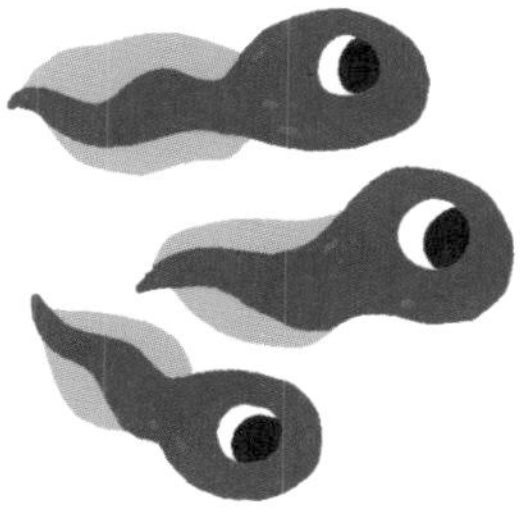

4.蝌蚪先长出后肢，再长出前肢。

5.蝌蚪的身体开始“吃掉”自己的尾巴，很快尾巴就不见了。蝌蚪变成青蛙啦！

6.青蛙既能生活在陆地上，也能生活在水里。它主要靠肺呼吸，皮肤辅助呼吸。

分工明确的蚂蚁

在离池塘挺远的地方，拉瑞看到了一队蚂蚁，它们嘴里叼着各种各样的东西。蚂蚁是昆虫。

昆虫的身体大致由三部分组成：头、胸、腹。它们有三双腿和一对触角。有些昆虫虽看上去有很多腿，但只有三双腿是真足，比如毛毛虫。

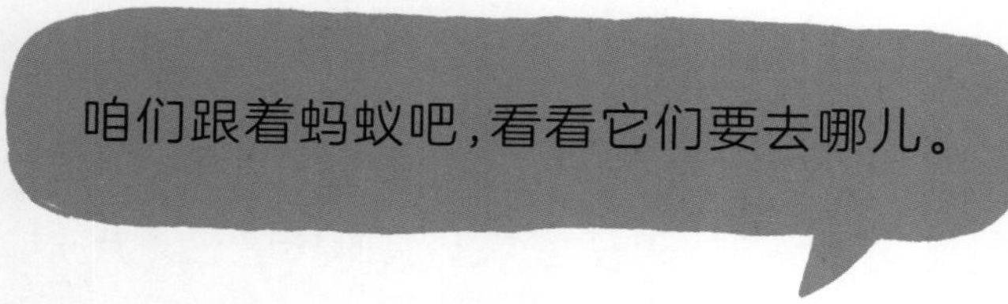
咱们跟着蚂蚁吧，看看它们要去哪儿。

这些蚂蚁正把食物运到蚁穴里，它们的蚁后就住在那里。蚁后的工作是产卵和繁殖后代。卵是每只蚂蚁生命周期的开始。

蚁后

蚂蚁卵

卵很快就会变成幼虫，由工蚁负责喂养。

幼虫会变成蛹。

通常，一窝里只有一只蛹会变成蚁后，其他蛹则变成工蚁和兵蚁。

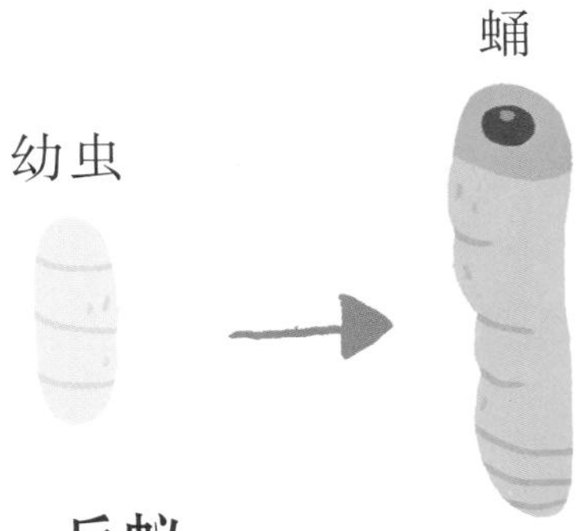

工蚁

一般在蚂蚁群体中个头最小，数量最多。主要工作有筑巢、寻找食物、喂养幼虫、打扫卫生等。

兵蚁

兵蚁的个头比工蚁大，它们担任着保卫家园和族群的工作。

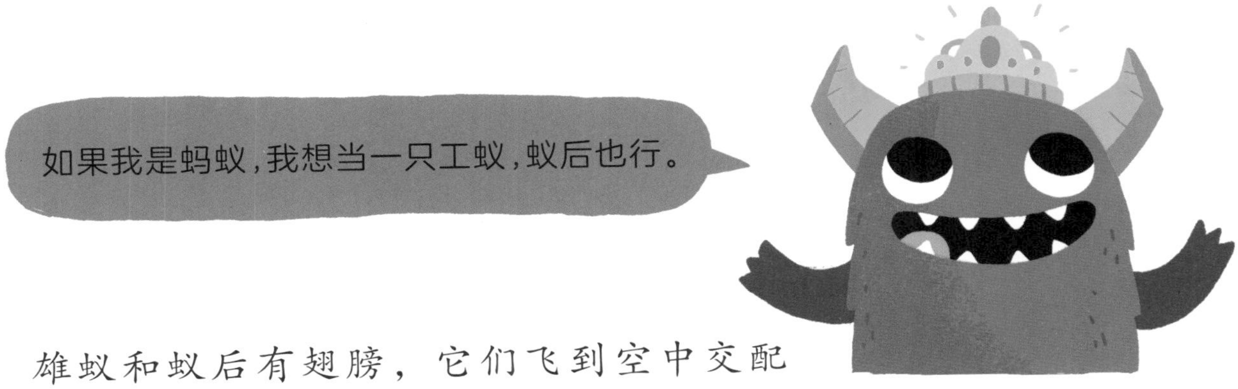

如果我是蚂蚁，我想当一只工蚁，蚁后也行。

雄蚁和蚁后有翅膀，它们飞到空中交配后不久，雄蚁就会死掉，蚁后会舍掉自己的翅膀，回到地面努力建起一个新的巢穴。

虽然会飞还是很有意思的，但我也不想当雄蚁！

蜂巢

小莫，你最喜欢什么食物？

蜂蜜！蜂蜜蛋糕可好吃啦！

农场里有三个蜂箱，里面住满了蜜蜂。农民伯伯收集蜜蜂酿的蜜，再拿到农场的商店里卖。

蜜蜂和蚂蚁一样也是昆虫。它们酿蜜是为了更好地储存食物，为过冬做准备。蜜蜂的生命周期也很有意思，来和小莫一起看看吧！

1.蜜蜂的生命是从一颗卵开始的。蜂后把卵产在一个个小小的巢房里。巢房是工蜂筑造的。

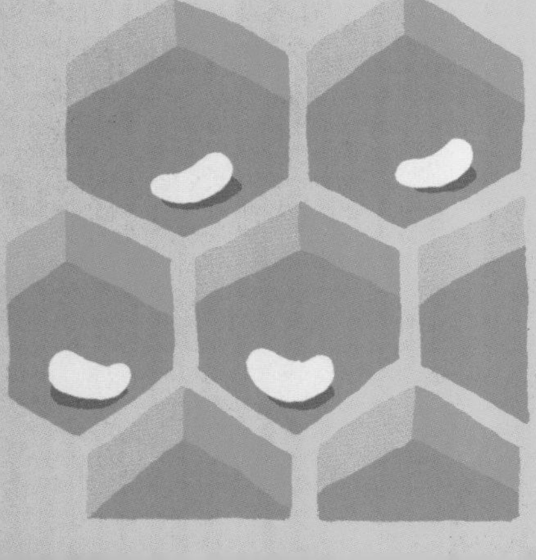

2.大概三天，卵就孵化成了幼虫。幼虫每发育到一个时期，就会蜕一次皮，因为随着幼虫骨骼的生长，原来的皮已经盛不下它了。

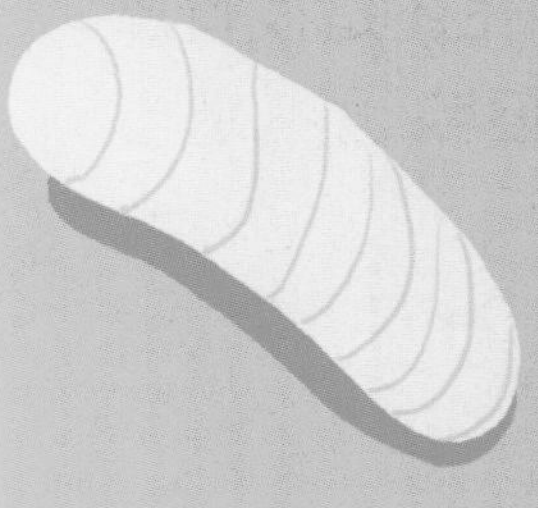

昆虫和我们怪兽太不一样了！

是呀，小莫。咱们做一个小测试吧，看看你记住了哪些昆虫知识。参考答案就在第32页。

小测试

1.你能按照先后顺序把下面几个蜜蜂的成长阶段排序吗？

蜜蜂

幼虫

卵

蛹

2.下面这些动物中，哪些和蜜蜂一样是会飞的昆虫？

A.果蝇

B.蜘蛛

C.鸽子

D.蝙蝠

3.经历五次蜕皮后，幼虫变成了蛹。它的眼睛、腿、翅膀和触角开始形成。

4.通常十几天后，蛹就变成了蜜蜂。它会离开巢房。

5.现在，它已经是一只成年蜜蜂了。

蜜蜂和花朵

小莫和拉瑞注意到，很多蜜蜂从蜂巢里飞出来，沿着同一条路径前进。

它们要去采蜜，小莫。花蜜是一种甜味的液体，是花朵分泌出来吸引蜂蝶的。找到花蜜后，蜜蜂会将其运回蜂箱里。

这些花朵为什么要分泌花蜜呢？它们能从蜜蜂那里得到什么好处呢？

好问题，小莫！花朵之所以想吸引蜂蝶，是希望它们能帮自己传播花粉。过程是这样的——

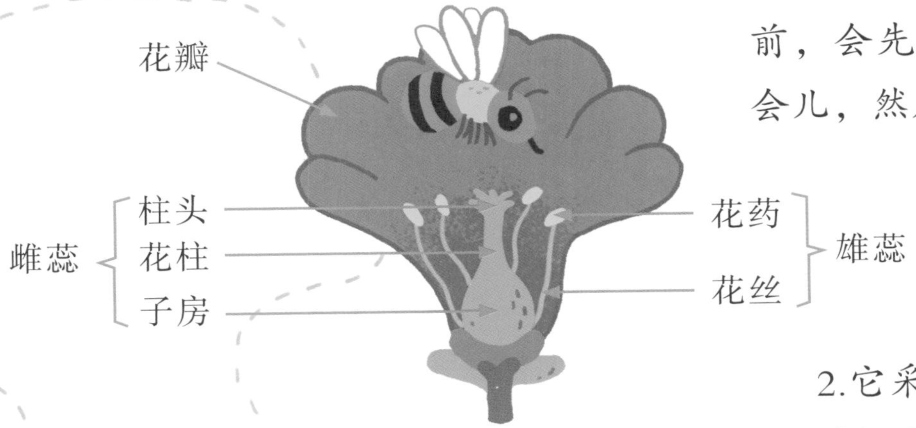

1.蜜蜂在落到花朵上之前，会先在花朵上方盘旋一会儿，然后再落上去。

2.它采集花蜜的时候，细细的花粉会沾在它毛茸茸的身体上。

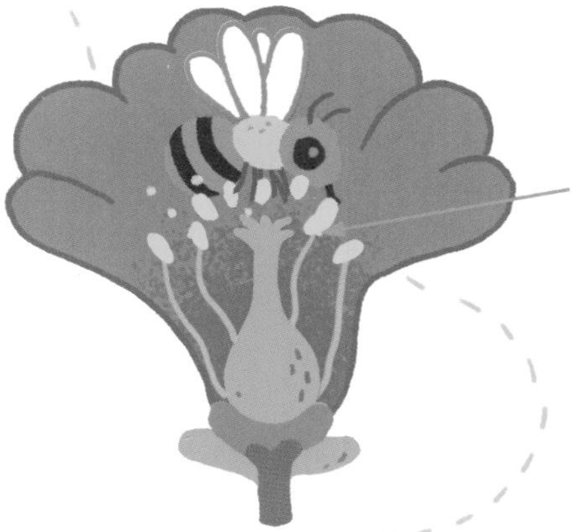

花药

花药是雄蕊的重要组成部分。每个花药里有两个或四个花粉囊。花粉是在花粉囊里形成的。

3.蜜蜂身上的花粉可能会沾到这朵花的柱头上，也可能会沾到别的花的柱头上。

柱头

柱头在雌蕊的顶部，是接受花粉的部分。花粉顺着花柱来到子房，与卵细胞结合形成新的种子。

种子和果实

你和拉瑞认识多少种花呢，小莫？

我认识玫瑰
和雏菊！
我认识水仙花！

世界上的花多得数不清。很多植物都会开花，这在它们的生命周期里至关重要，比如黑莓灌木，甚至连仙人掌都会开花呢！

仙人掌为什么要开
花呢？

因为仙人掌需要通过开花来得到果实和种子，小莫。

很多植物的生命周期都是从种子开始的（也有不是的哟）。种子里的胚根未来会发育成根，胚芽未来则会发育成茎和叶。

菜豆种子

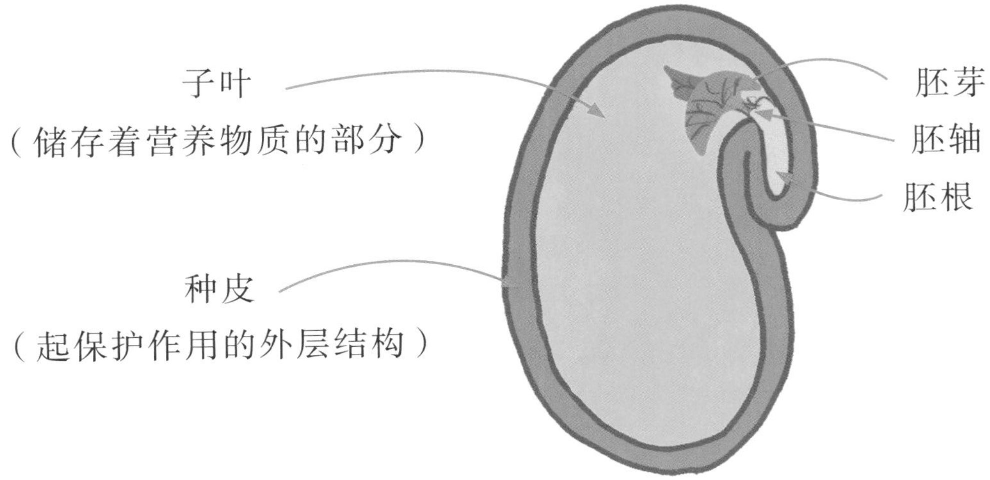

有些植物的花朵会长成果实，把种子包在里面。你能想到什么植物，小莫?

很多动物都和你一样喜欢吃水果。它们把水果吃掉后，会在别的地方把种子和大便一起拉出来。有些种子还会挂在动物的皮毛上，掉到其他地方。

种植时间到

小莫，接下来，你和拉瑞要坐迷你拖拉机了哟！还有比这更酷的吗？

现在，你们已经了解了种子是怎么形成的。接下来，该去了解一下种子是如何变成植物的啦，种豆子是个很好的机会哟！

豆子的种子需要相隔一段距离种植哟！这是为了让它们的根有舒展的空间。

为了生长，根会吸收水分和营养。要是种得太密集，根就吸收不到足够的水分和营养了。

把种子种进地里，就可以等着啦！

想让我发芽，得满足我的三个条件。
等着什么呢？
种子发芽需要一定的水分、充足的空气和适宜的温度。这三个外界条件都满足了，过些日子你就可以看见种子的芽啦！
啊，我明白了！这么说，会有一段时间看上去什么动静都没有。

等条件成熟时，种子的芽就会破土而出，根也会往下长，而茎往上长。豆类植物的生命周期就这样开始了。

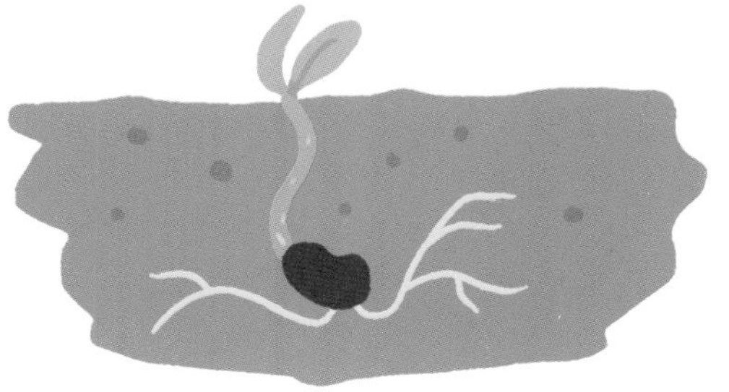

卷心菜收割团

小莫，你想和农民伯伯一起去收割卷心菜吗？

1.卷心菜的生命周期是从种子开始的，种子被种在土壤里。

2.在一定条件下，种子慢慢长出了叶子和根。

3.通常三四个月后，就可以收割卷心菜了。

农民伯伯把卷心菜从根部砍下来，再传给小莫和拉瑞。他们俩的工作是把这些卷心菜放进箱子里，每个箱子里装十颗卷心菜。

4.要是不收割，它会继续生长下去。会有一根杆从卷心菜里长出来，杆上会开出一些小花。昆虫飞来帮这些小花授粉。

5.种子完全长好后，就会从卷心菜上掉落下来。它们有可能在掉落的地方生根发芽；也有可能被动物吃掉，然后在其他地方被动物排泄出来。

农场里的午餐

小莫，我们去吃点午餐吧！

所有生物都需要食物和水。食物里含有各种营养成分，帮助生物健康生长。你和拉瑞还在长个子呢，营养均衡是很重要的！

面包

面包含有碳水化合物，能给你的身体提供能量。其他含有碳水化合物的食物有粥、米饭、面条和土豆等。

奶酪和牛奶

奶酪和牛奶都是乳制品。乳制品里含有钙，适当饮食乳制品有益骨骼和牙齿的健康。乳制品还有酸奶和黄油等。

苹果和胡萝卜

苹果是水果，胡萝卜是蔬菜。它们都含有多种维生素和矿物质，还含有膳食纤维。这些营养物质能帮助我们的身体更好地工作。

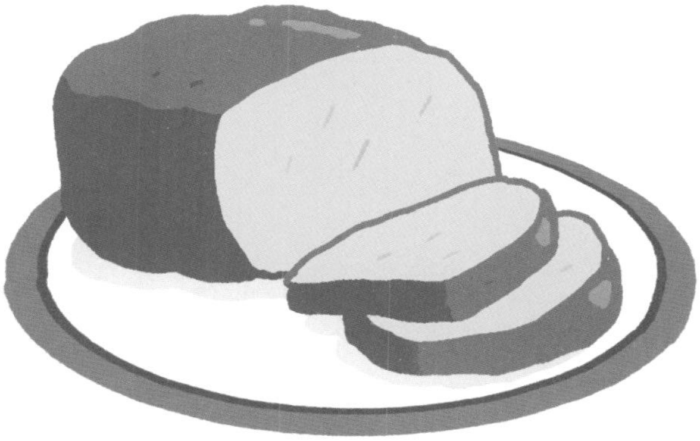

肉

肉类富含蛋白质。蛋白质是人体的重要组成成分，对人体的生长发育以及受损细胞的修复和更新起重要作用。此外，鱼类、蛋类、坚果、扁豆、豌豆等都含有蛋白质。

小莫，你能安排一下明天的早餐，把这些有营养的食物都包含进去吗?

安排得不错嘛，小莫！这顿早餐听上去棒极了。

食物链

回到鸡窝的时候，小莫才知道这里刚刚虚惊一场。一只狐狸跑进院子，想抓一只鸡吃。很幸运，这只鸡及时逃进了鸡笼里，然后农民伯伯把狐狸赶跑了。

可不是所有的鸡都能这么幸运。为了生存，动物和植物一环一环地被联系在了一起，形成了食物链。

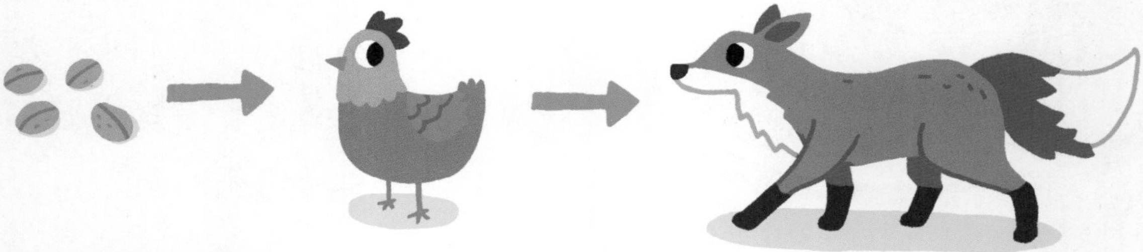

食物链通常是从植物开始的。

植物可以自己制造食物，被称为生产者。它们通过一个叫作光合作用的过程把阳光中的能量转化成自己需要的食物。

动物不能进行光合作用，只能以别的生物为食，所以被称为消费者。

植物会被动物当成食物。

以植物为食的动物被称为草食动物。有些草食动物的体形比较小，比如兔子；也有的体形巨大，比如大象和长颈鹿……

有些动物会被其他动物吃掉。

以肉为食的动物被称为肉食动物。

捕食其他动物的动物叫作捕食者，被捕食的动物叫作猎物。

大餐别跑！
救命啊！

捕食者　　猎物

既吃植物又吃动物的动物叫作杂食动物。

毛毛虫跟谷物的口感很不一样哟！

这个苹果可真酸！

小莫，你属于哪种动物呢？

我什么都吃，所以我是杂食动物。

是的，小怪兽和人类一样，也是植物和肉都吃。小莫，你知道下面三个问题的答案吗？先试着答一答，再翻到第32页看一看吧！

1.像小莫一样什么都吃的动物叫什么？

2.只吃肉的动物叫什么？

3.只吃植物的动物叫什么？

从胎儿到婴儿

小莫，你已经了解了许多不同的生命周期。不过，在你离开农场之前，还有一种生命周期需要学习呢！你得帮助一位农民阿姨收割蚕豆，她现在弯不下腰，很难摘到最矮的蚕豆。

好哇！可她为什么弯不下腰呢？

因为她怀孕了。现在，她的肚子里有一个胎儿。她隆起的肚子正在孕育着一个小生命。

最后，我们来了解下人类的生命周期吧！

1.两个来自不同人体的细胞结合到一起，形成一个新的细胞——受精卵。

卵子（来自女性）

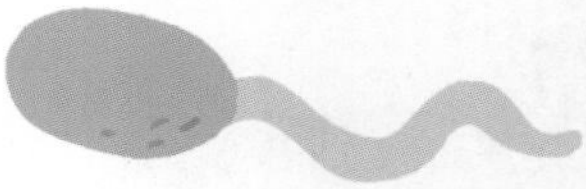

精子（来自男性）

2.在女性的身体里，受精卵经过多次分裂形成胎儿。胎儿发育成熟后，会离开母体。

3.婴儿出生后长得特别快。通常一年左右，婴儿就能学会走路，并开始学说话。

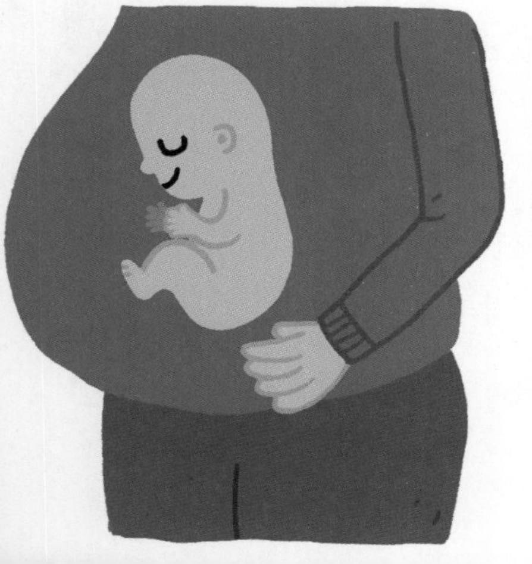

我的大脑每天都在发育哟！

我5岁多了，不到6岁。

4.人类小孩成长到一定阶段会进入青春期，这是由儿童转向成人的必经阶段。

5.人类的大脑一般在25~30岁时才会发育成熟。

每个人的青春期起始时间不太一样。

6.人类进入中老年后，身体开始衰老。

我还能骑车，只是骑不了那么快了。

小怪兽的生命周期也差不多是这样！怪不得小怪兽和人类是这么要好的朋友呢！

7.跟所有生物一样，人类的生命周期也有尽头。所以，我们要珍惜当下的每一天哟！

词汇表

胎生
人或某些动物的幼体在母体内发育到一定阶段以后才脱离母体，这种生殖方式叫作胎生。

卵生
动物由脱离母体的卵孵化出来，这种生殖方式叫作卵生。

鳃
某些水生动物的呼吸器官，多为羽毛状、板状或丝状，用来吸取溶解在水中的氧。

肺
人和高等动物的呼吸器官。

触角
昆虫、软体动物或甲壳类动物的感觉器官之一，生在头上，一般呈丝状。

幼虫
昆虫的胚胎在卵内发育完成后，从卵内孵化出来的幼小生物体。

蛹
完全变态的昆虫由幼虫变为成虫的过渡形态。

花粉
花药里的粉粒，多是黄色的，也有青色或黑色的。

种子

显花植物所持有的器官，是由完成了受精过程的胚珠发育而成的，通常包括种皮、胚和胚乳三部分。

维生素

人和动物所必需的某些微量有机化合物，对机体的新陈代谢、生长、发育、健康有极重要作用。

矿物质

人体必需的一类微量营养素。

膳食纤维

植物中天然存在的、摄取或合成的碳水化合物的聚合物。

生产者

生态系统中能通过光合作用制造有机物的绿色植物、藻类和一些光能自养及异养微生物。

光合作用

光化学反应的一类，如绿色植物的叶绿素在光的照射下把水和二氧化碳合成有机物质并放出氧气的过程。

消费者

生态系统食物链上的异样有机体（主要是动物）。

参考答案

第7页

奶牛、狗和鲸是哺乳动物。鲸是一种特殊的哺乳动物——水生哺乳动物。鸡属于鸟类。青蛙属于两栖动物。

第15页

1.卵、幼虫、蛹、蜜蜂。

2.A。有些人认为蜘蛛也是昆虫，可是它们有八条腿，昆虫只有六条腿，而且蜘蛛的身体只有两部分，可昆虫的身体要有三个部分。

第27页

1.杂食动物。

2.肉食动物。

3.草食动物。

注意：尽管人类既可以吃肉也可以吃植物，但有些人选择只吃植物，他们被称为“素食主义者”。

小怪兽爱科学

多变的物质

[英] 保罗 · 梅森/著　[英] 迈克尔 · 巴克斯顿/绘　唐　男/译

天津出版传媒集团
新蕾出版社

图书在版编目 (CIP) 数据

多变的物质 / (英) 保罗 · 梅森著 ; (英) 迈克尔 · 巴克斯顿绘 ; 唐男译 . -- 天津 : 新蕾出版社，2024. 9. -- (小怪兽爱科学). -- ISBN 978-7-5307-7819-7

Ⅰ . O4-49

中国国家版本馆 CIP 数据核字第 2024SC4618 号

Learn Science with Mo: States of Matter
Text by Paul Mason
Illustrations by Michael Buxton
First published in Great Britain in 2024 by Hodder and Stoughton

津图登字：02-2022-204

书　　名： 多变的物质　DUO BIAN DE WUZHI
出版发行： 天津出版传媒集团
新蕾出版社
http://www.newbuds.com.cn
地　　址： 天津市和平区西康路 35 号（300051）
出 版 人： 马玉秀
版权引进： 毕之莹　吕　玥
责任编辑： 吕　玥　潘晶雪
美术编辑： 白晓燕
责任印制： 朱　琳
电　　话： 总编办（022）23332422
发行部（022）23332351　23332677
传　　真：（022）23332422
经　　销： 全国新华书店
印　　刷： 河北赛文印刷有限公司
开　　本： 889mm × 1194mm　1/16
字　　数： 26 千字
印　　张： 2
版　　次： 2024 年 9 月第 1 版　2024 年 9 月第 1 次印刷
定　　价： 16.50 元

目 录

小莫的脚湿了

小莫和拉瑞走在去学校的路上。他俩在谈论这个周末小莫即将举办的生日派对。

前方有个水坑结冰了，小莫没注意。他踩在冰上，脚下一滑，差点摔倒。

水坑里的水在晚上结成了冰。一个个水坑仿佛变成了迷你溜冰场。

小莫发现了一块特别大的冰面。在这上面滑冰一定超级棒，绝不能错过，可是……

这个大水坑中间的冰还不是很厚。太阳升起来后不久，冰又变回了水，小莫的脚湿了。

哎呀，真想不到！

于是，小莫走过的地方都留下了湿湿的脚印。不过，湿脚印很快就消失了。

小莫，你需要好好了解一下物质的状态，免得再把脚弄湿。

好哇！那么什么是物质的状态呢？

世界上一切独立存在于人的意识之外的客观实在都是物质。我们接下来会探索物质的三种状态：固态、液态和气态。它们对应的物质就是固体、液体和气体。探索的场合非常特别，就是你的生日派对！

固体、液体还是气体

小莫，在开始探索之前，你需要了解一些关于固体、液体和气体的知识。

什么知识？

可以说，所有物质都是由粒子组成的。物质是固体、液体还是气体，是由粒子间的紧密程度决定的。

固体

在固体中，粒子紧紧地挤在一起，不能四处移动，就像小莫、拉瑞、莉莉、艾米和西德一起挤在一张沙发上一样。

液体

在液体中，粒子的排列就不那么紧密了。想象一下，拉瑞、莉莉和西德走了。小莫和艾米就松快多了。

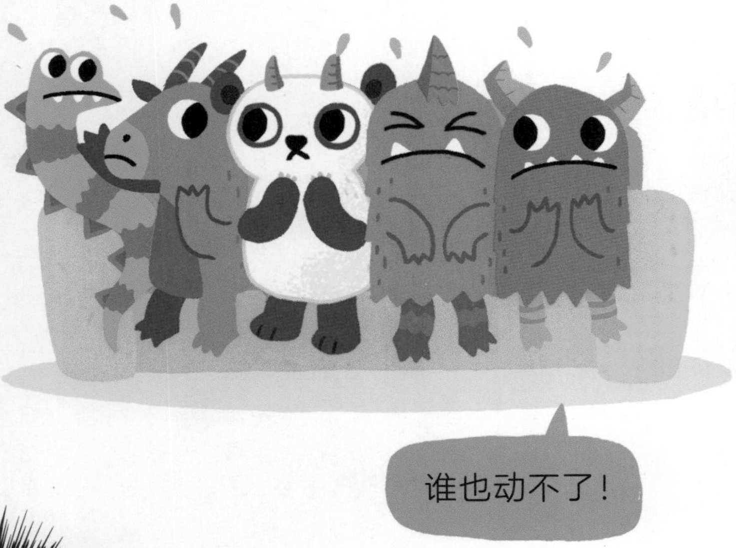

谁也动不了！

现在我们可以分开坐了！

气体

在气体中，粒子之间的距离更远。气体中的粒子就像在自由活动时操场上到处跑着玩的小伙伴。

不同状态的物质

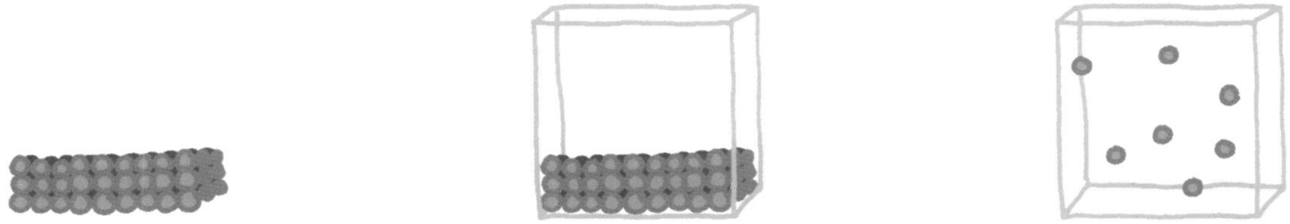

固体

固体中的粒子会一直待在同一个地方。

液体

液体中的粒子可以四处移动，就像盒子里的弹珠一样，彼此碰撞、滚来滚去。

气体

气体中的粒子可以到处移动，充满它们所在的空间。

不同状态的物质，表现形式是不一样的。

小莫，空气和饮料分别是哪种状态的物质呢？参考答案在第32页。

材料的特性

小莫已经为生日派对做好了计划，还把派对上需要的东西都画了出来。

小莫，你画里的东西都是什么状态的物质？给它们贴上固体、液体或气体的标签吧！

相同状态的材料，也并不都有相同的特性。比如：有些固体是柔韧的，有些是坚硬的；有些液体是透明的，有些是不透明的。

材料的特性会影响它的用途。

你能用包装纸做一个杯子吗？

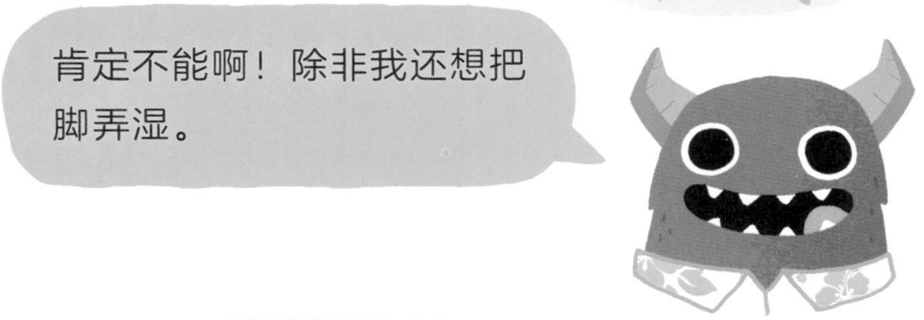

肯定不能啊！除非我还想把脚弄湿。

你能用木头来包礼物吗？

肯定不能啊！除非我把它做成盒子！

用气球来做盛水的容器可以吗？

这个真的可以！

回答得很好，小莫！不过，莉莉可能不同意最后一个问题的答案哟！

充满气的气球

小莫和艾米在一起装饰房间。

第一个任务是吹气球。小莫，什么样的物质最适合填充到气球里呢？

空气！我们一般用空气来填充气球。

是的，空气由各种气体构成。你需要的正是气体。气体中的粒子喜欢足够大的空间，好到处跑来跑去。它们会分散开，来充满任何容器。

吹气球真费劲啊！

要是你只吹进去一点气体，气体有了足够的空间，气球就不会再膨胀了。

再吹进去一些气体，这些气体就开始向四周推气球了。因为它们需要更多的空间才能分散开！

吹进去的气体太多，会让气球膨胀得太厉害。气球会爆开，气体就跑出来了。

小莫，咱们做一个小测试吧！选择你认为正确的选项，看看你对气体方面的知识掌握得怎么样。

小测试

1. 气体中的粒子会怎样？

   A.静静地待着

   B.到处移动

2. 气体会怎样？

   A.总是保持相同的体积

   B.体积和其容器的一样大

翻到第32页，看看你做对没有。

液体的特性

小伙伴们正在为派对准备果汁。他们得计算出需要多少个果汁壶。

小莫，派对有多少人参加呢？

拉瑞、艾米、西德、莉莉、杰克、里奇，还有我，我们一共七个人！

液体会改变形状，这一点跟气体是一样的。不管把液体放到什么容器里，它的体积是不会变的，这一点跟气体不一样。小莫，你可以利用这个特性，来算一算你需要多少壶饮料。

一杯

两杯

水碰到了坚硬的壶壁，反弹回来，又飞溅起来，然后就落到壶底不动了。

第二杯水倒进去仍然会飞溅起来，不过比刚才要好些。

三杯

四杯

现在，水倒进去的时候，几乎不再飞溅起来了。

这个果汁壶能装四杯水。

液体和固体

液体撞击到固体的时候，固体中的粒子通常会待在自己的位置上不动。而液体中的粒子会反弹回去，液体就飞溅起来了。

一种液体碰到另一种液体的时候，原来液体中的粒子会移到一边去，给新来的“朋友”腾出空间。这样，飞溅起来的液体就会少一些了。

小莫，派对上需要多少个果汁壶呢？

两个！两壶就足够倒满七个杯子了，还会多出来一杯呢！

吸水性材料

杰克决定往橙汁里加点冰块。不过，里奇撞到了桌子上，一切都乱套了！

橙汁和冰块弄得到处都是。橙汁洒到桌子上，流到地板上，最糟糕的是，还溅到了小莫的衬衫上。

这可是我最喜欢的衬衫哪！

别担心，小莫，衬衫可以放进洗衣机里洗。不过，你得收拾一下哟！要弄干净这里，你需要一种能吸收液体的材料。有这种功能的材料被称为吸水性材料。

你知道下面这些物品中哪些是由吸水性材料制成的吗，小莫？

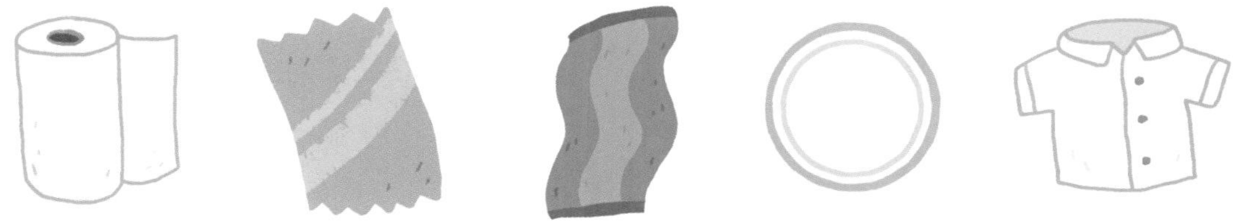

厨房纸巾　锡纸　毛巾　盘子　衬衫

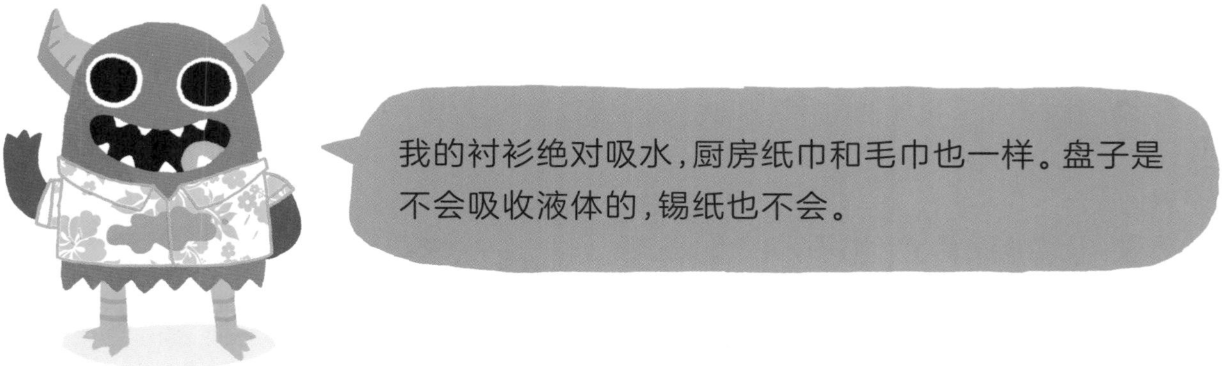

我的衬衫绝对吸水，厨房纸巾和毛巾也一样。盘子是不会吸收液体的，锡纸也不会。

回答得很好，百分之百正确！这是给你的奖励——去帮杰克和里奇收拾一下吧！

这算什么奖励呀！
等等！我的冰块去哪儿了？

冰块受了热，已经变成水啦！除了水，其他物质有时候也会因为温度的变化而发生变化。

下一页有更多介绍哟！

熔点

莉莉主动要求帮忙装饰蛋糕。这是有风险的，因为莉莉特别喜欢吃巧克力，所以可能会有很多巧克力直接进入她的肚子里！

首先，小莫的妈妈用火烧了一锅水。水开始沸腾冒泡时，她用温度计测了一下，看水是不是够热了。

温度计是用来测量温度的。温度表示物体的冷热程度。

接下来，妈妈拿来一个碗，把它半浸入热水中，又往碗里放了固体巧克力、奶油、金色糖浆、白砂糖和黄油。

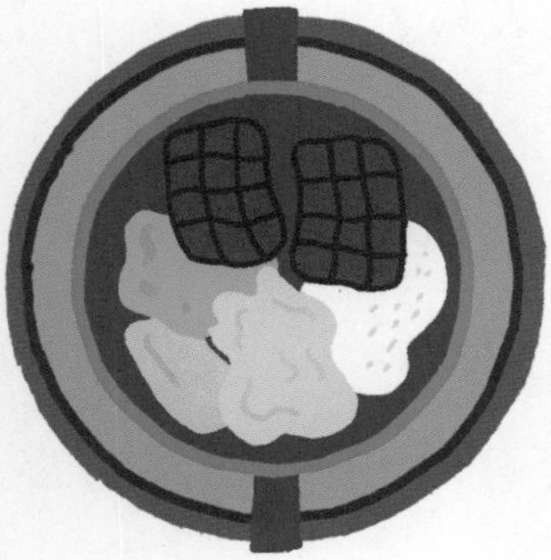

在妈妈搅拌的时候，碗里的东西开始熔化了。黄油是最先熔化的，然后是巧克力和白糖。

莉莉拿起碗，把里面黏稠的混合物倒在了蛋糕上。然后把蛋糕放进了冰箱里，冷却一会儿。

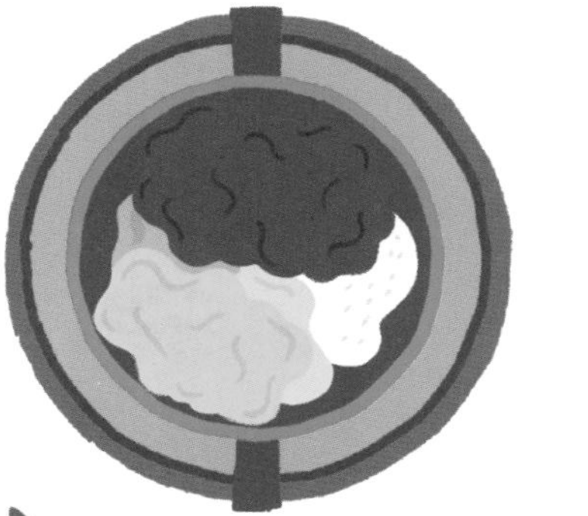

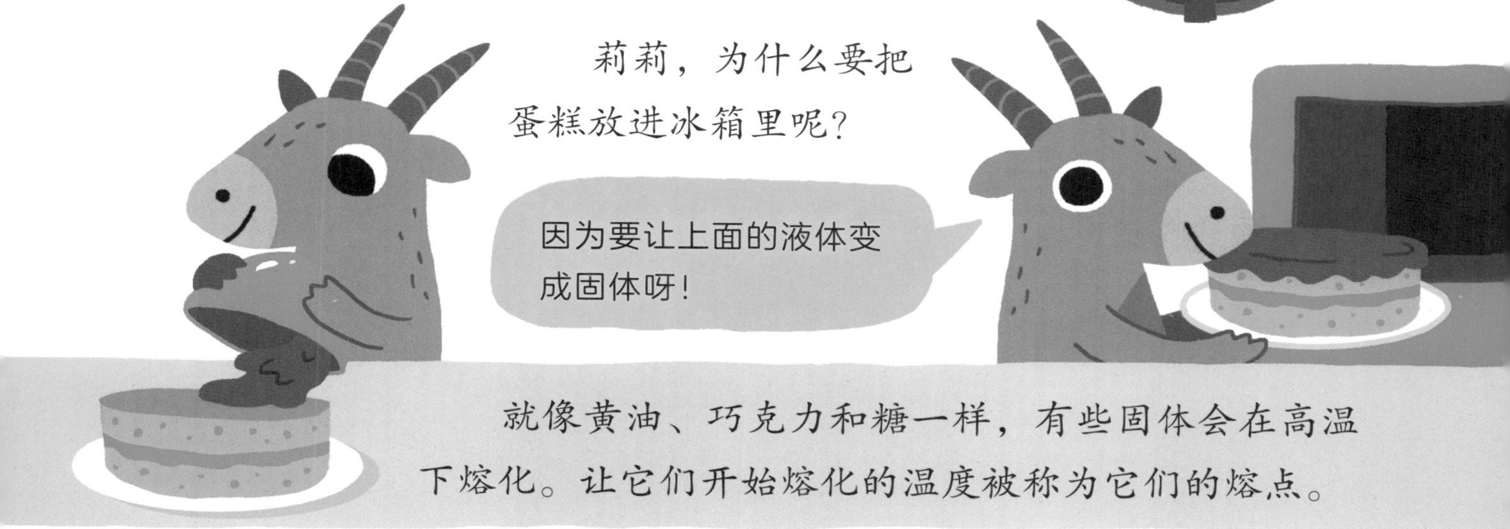

莉莉，为什么要把蛋糕放进冰箱里呢？
因为要让上面的液体变成固体呀！

就像黄油、巧克力和糖一样，有些固体会在高温下熔化。让它们开始熔化的温度被称为它们的熔点。

小测试

随着温度升高，这些物质都会熔化。你能按照熔点由低到高的顺序给它们排序吗？

 石头 →  岩浆

 冰 → 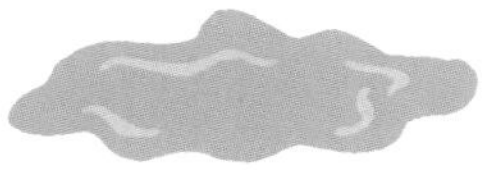 水

 自行车的车架 → 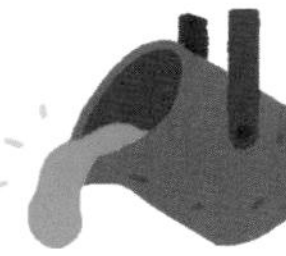 熔化的金属

 黄油 →  液态黄油

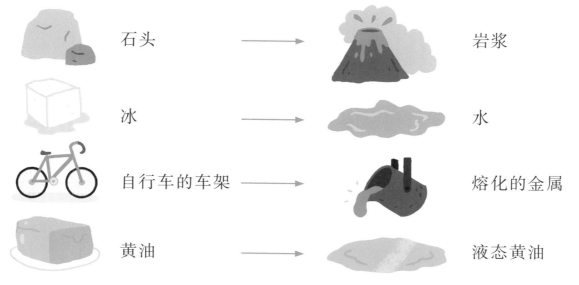

排好后到第32页对一对参考答案吧！

蒸发

现在，小莫最喜欢的夏威夷衬衫上的橙汁已经干了，弄上了橙汁的地方硬硬的。可是，派对九十分钟后就要开始啦！

小莫的妈妈把衬衫放进了洗衣机里。洗好衬衫需要半个小时，可是，衬衫从洗衣机里拿出来后还是湿的。怎样才能在派对开始前把它弄干呢，小莫？

别放弃呀！你还记得上周在学校里留下的湿脚印吗？是什么让脚印变干了？

答对了！这是一种叫作蒸发的现象，受热会让湿脚印变干。

蒸发是指液体的粒子转化成气体的粒子，然后逃到空气里的过程。加热会让这个过程变快。此外，风也能加快蒸发的速度。

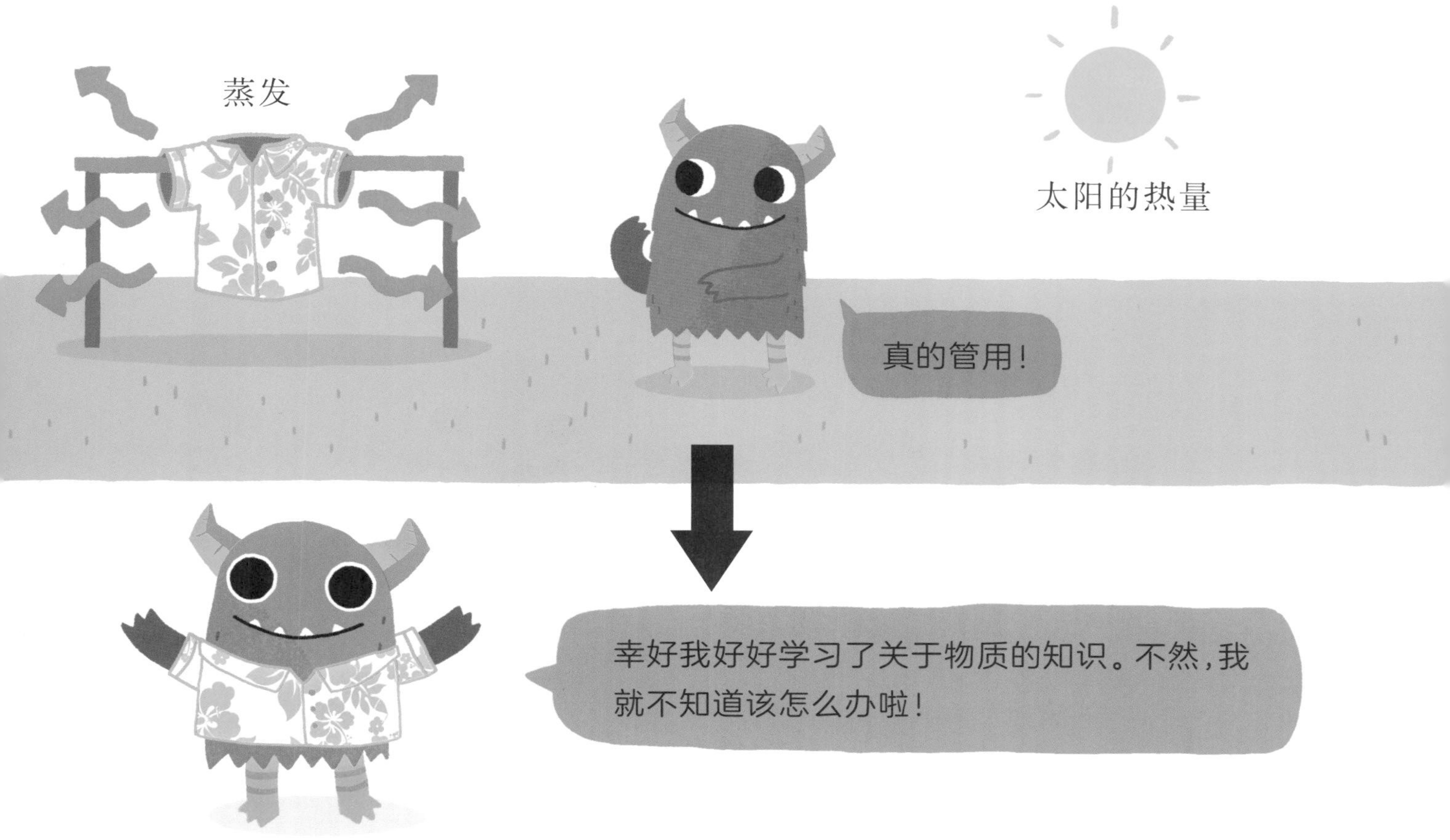

蒸发
太阳的热量
真的管用！
幸好我好好学习了关于物质的知识。不然，我就不知道该怎么办啦！

蒸发和沸腾是不一样的。沸腾的液体的温度非常高，并会产生气泡。这时，液体转化成气体的速度要快得多。

小测试

小莫，你能回答关于蒸发的问题吗？

1.液体蒸发时会发生什么情况？

A.液体变多了

B.液体变成了气体

2.蒸发和沸腾是一样的吗？

A.一样的

B.不一样

翻到第32页，看一看你的选择和参考答案是否一样。

有趣的礼物

小莫的朋友们带来了一些很棒的礼物。

小莫喜欢新奇的事物。所以，很多生日礼物都很有趣。

我最喜欢拆礼物了！

软绵绵宝剑

小莫的新宝剑非常棒，很适合骑士们大战一场。

叮！
咣！
这是一把橡胶宝剑，很软。别说盔甲了，它连一件T恤都刺不穿！

放屁坐垫

放屁坐垫让艾米尴尬了好一会儿。

这个坐垫里充满了空气……
噗——噗——
艾米坐上去的时候，里面的空气被挤压了出来，发出了一种好笑的声音！

鸡蛋捏捏乐

小莫收到的鸡蛋捏捏乐把妈妈吓了一跳。

啊，你又把鸡蛋捏碎了！
哧——哧——
哈哈！
扑哧！
我和您开了个玩笑。这可不是真鸡蛋，而是硅胶做的捏捏乐！

里奇的脚印

小莫收到的礼物中，还有一个篮球和配套的篮球框。小伙伴们都跑出去玩篮球了。

首先，小莫给篮球里充满了空气。篮球摸上去硬硬的。

1.向下拍球。

2.球撞击到地面的时候，会被挤压变形。

3.球里的空气可不喜欢被压扁，它又把球推鼓了，球还弹了起来。

小莫，篮球的原材料需要具备哪些特性呢？

我想想……这种材料必须相对来说柔软一些，这样才能改变形状。同时还得有弹性，球才能一次又一次地弹起来。

里奇有点兴奋过头了，把球投歪了。球飞到了隔壁，落到了新浇灌的混凝土上。里奇跑过去捡球，留下了一串鳄鱼的脚印。哎呀！

湿软的小怪兽脚印

干硬的小怪兽脚印

不好，下雨了！大家都冲向房间。杰克和里奇想同时冲进房间，却被卡在了门口。

门框和篮球不一样，可不会因为被挤压就轻易改变形状哟！

怪味肉末豆子

小莫的妈妈为派对做了怪味肉末豆子。小莫，要是想学习如何把各种材料混合到一起，做怪味肉末豆子可是个好机会呀！

让我们来看看。桌子上剩下不少配料，可以加到怪味肉末豆子中。这里有……

喜欢吃辣的小怪兽可以放一些辣椒。

要是觉得辣椒太辣了，可以加点砂糖。

还有新鲜的香草，想品尝更多口味的小怪兽可以放一些。

各种物质混合后的样子是不一样的。有时候，一些物质虽然混合在一起，但每种物质还保持着原来的样子，你仍然可以把它们重新分开；有时候，一些物质混合在一起会形成新的物质，这种情况下你很难再把它们分开。

小莫，加入怪味肉末豆子以后，哪些配料消失不见了？

回答得真棒，小莫！

你觉得砂糖去哪儿了呢？翻到第32页，看看你是不是说对了。

变化的奶酪

每个小怪兽都会在自己的怪味肉末豆子中添加一种配料——奶酪。

我的朋友们都喜欢奶酪！

奶酪已经被研磨成了小块。它一开始是固体。不过，一碰到热乎乎的怪味肉末豆子，奶酪就发生变化啦！

小怪兽们都往自己的怪味肉末豆子里放了一大堆奶酪，然后各自大吃起来。每舀一勺，都会有长长的奶酪丝挂在勺子上！

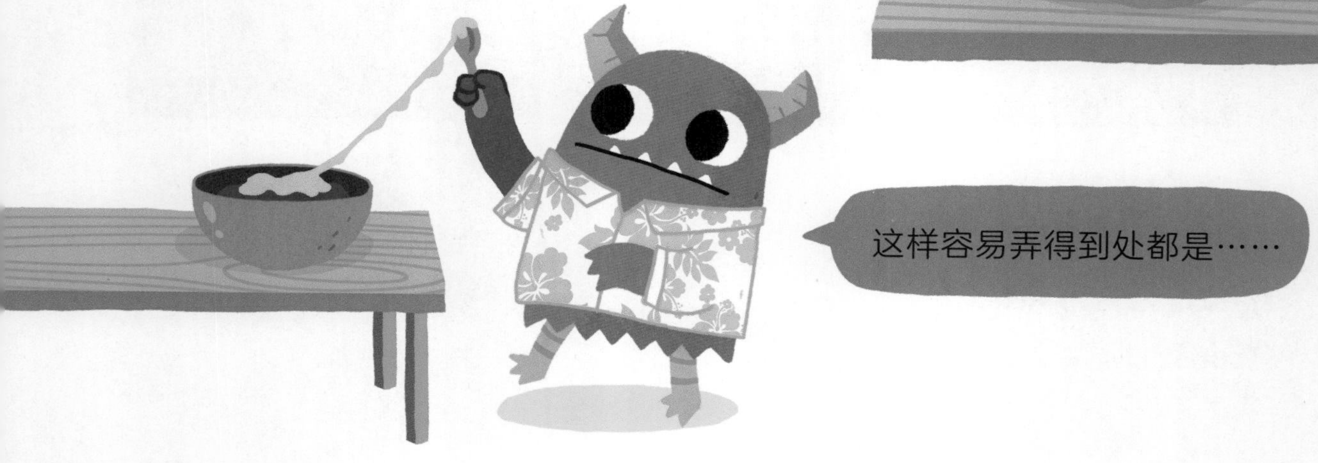

这样容易弄得到处都是……

因为受热，奶酪的状态发生了变化。在室温下，它是固体的。不过，在大约80℃的时候，奶酪就开始熔化了。

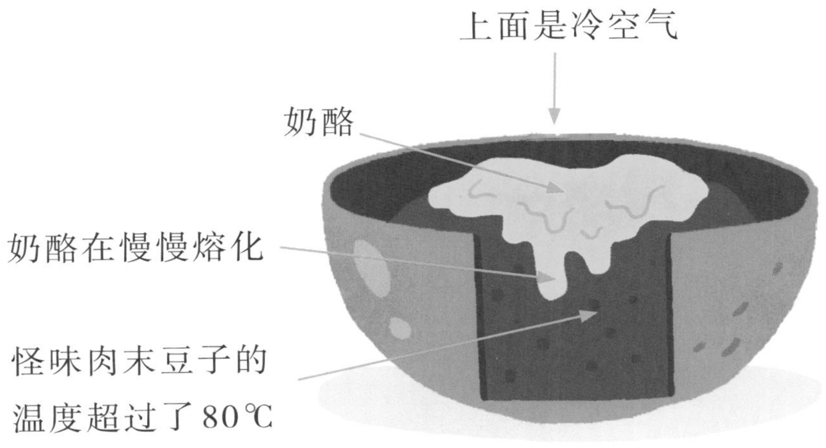

小莫舀起一勺怪味肉末豆子的时候，熔化的奶酪又会冷却变成固体，呈丝状。

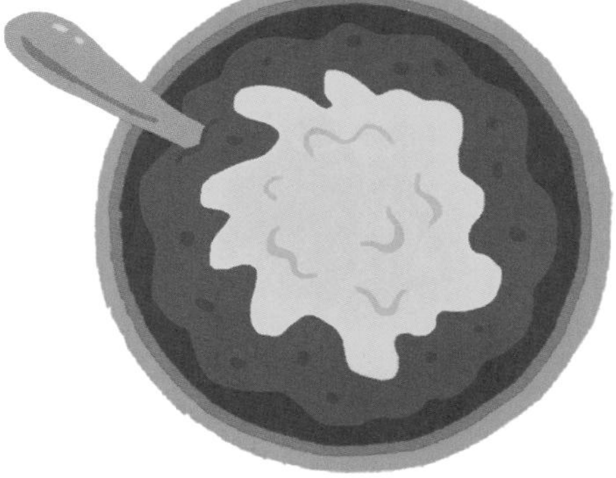

小测试

我们来测试一下，看看你现在对材料和温度了解多少，小莫。

1.固体由于加热而变成液体的过程叫什么？

2.发生这种情况时的温度叫什么？

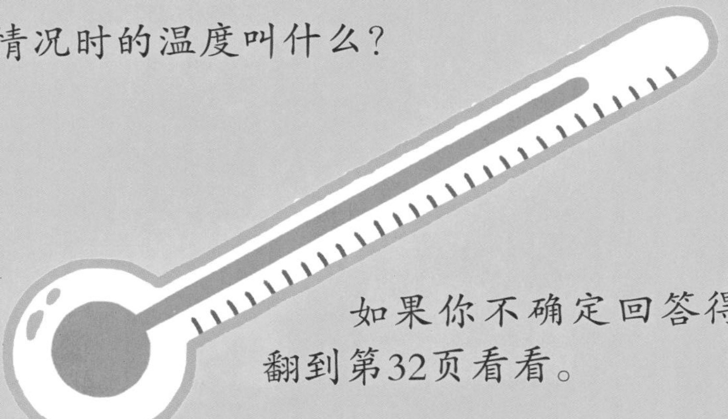

如果你不确定回答得对不对，可以翻到第32页看看。

生日快乐，小莫

怪味肉末豆子刚端上来的时候，还冒着热气。小莫和参加派对的客人们看上去也冒着热气。这是怎么回事呢？

在较温暖的空气中，雨水变成了气体，或者说，雨水蒸发了。

从小伙伴们身上冒出来的热气叫作水蒸气。

虽然房间里很暖和，但窗户还是凉的。水蒸气碰到窗户的时候会冷却，又变成了水滴，这个现象叫作冷凝。窗户变得雾蒙蒙了。

雾蒙蒙的玻璃窗，给每个小伙伴都提供了一个好机会 —— 给小莫写生日祝福！

蛋糕终于端上来了。小莫深深地吸了一口气，一下子吹灭了所有的蜡烛。

许个愿吧，小莫。

词汇表

结冰
水因为温度降低而变成了冰。

固体
有一定体积和一定形状，质地比较坚硬的物体。

液体
有一定的体积，没有一定的形状，可以流动的物质。

气体
没有一定形状，没有一定体积，可以流动的物体。

粒子
一种微小的物质。所有物体都是由它构成的。

特性
某人或某事特有的性质。

柔韧
柔软而有韧性。

透明
能透过光线的。

吸水性
指材料能够吸收水分的性质，比如毛巾能吸水，所以它具有吸水性。

熔点
使一种固体变成液体的温度。不同的固体熔点也不一样。

温度计
一种用来测量温度的仪器。

蒸发

液体表面缓慢地转化成气体。

水蒸气

气态的水。

冷凝

气体或液体遇冷而凝结。

参考答案

第7页
空气是气体。
饮料是液体。

第11页
两个问题的答案都是B。

第17页
顺序是冰、黄油、自行车的车架、石头。

第19页
两个问题的答案都是B。

第25页
固体的砂糖熔化了，所以看起来像消失了一样。

第27页
1.熔化。
2.熔点。